Été 2019

Arnaldur Indridason est né à Reykjavik en 1961, où il vit actuellement. Diplômé en histoire, il a été journaliste et critique de cinéma. Il est l'auteur de romans policiers, dont plusieurs best-sellers internationaux, parmi lesquels *La Cité des Jarres*, paru en Islande en 2000 et traduit dans plus de vingt langues (prix Clé de verre du roman noir scandinave, prix Mystère de la critique et prix Cœur noir), *La Femme en vert* (prix Clé de verre du roman noir scandinave, prix CWA Gold Dagger et Grand Prix des lectrices de *Elle*), *La Voix*, *L'Homme du lac* (Prix du polar européen), *Hiver arctique*, *Hypothermie* et *Opération Napoléon*.

Arnaldur Indridason

PASSAGE DES OMBRES

(Trilogie des ombres, tome 3)

ROMAN

*Traduit de l'islandais
par Éric Boury*

Éditions Métailié

TEXTE INTÉGRAL

TITRE ORIGINAL
Skuggasund
© Arnaldur Indridason, 2013
Publié en accord avec Forlagið, www.forlagid.is

ISBN 978-2-7578-7501-8
(ISBN 979-10-226-0775-9, 1ʳᵉ publication)

© Éditions Métailié, 2018, pour la traduction française

1

Les policiers firent venir un serrurier plutôt que de défoncer la porte. Quelques minutes de plus ou de moins ne changeaient pas grand-chose.

Au lieu d'appeler la Centrale d'urgence, la voisine s'était directement adressée au commissariat principal. Le standard l'avait mise en relation avec un policier à qui elle avait expliqué qu'elle n'avait pas vu l'homme qui occupait le logement à côté de chez elle depuis plusieurs jours.

— Il passe parfois chez moi quand il revient de faire ses courses. Normalement, je l'entends marcher dans son appartement et je le vois de ma fenêtre quand il descend au magasin. Et là, je ne l'ai ni vu ni entendu depuis un moment.

— Il est peut-être parti en voyage?

— En voyage? Il ne quitte jamais Reykjavík.

— Et qui vous dit qu'il n'est pas allé dans sa famille ou chez des amis?

— Je ne crois pas qu'il ait beaucoup d'amis, et il ne m'a jamais parlé de sa famille.

— Quel âge a-t-il?

— Plus de quatre-vingt-dix ans, mais il est robuste et complètement autonome.

— On a pu l'hospitaliser?

– Non… je m'en serais rendu compte. Je suis sa voisine.

– Il est peut-être parti en maison de retraite. À son âge…

– Je… Vous avez de ces questions ! Qu'est-ce que vous voulez que je vous dise ? Tout le monde n'a pas envie d'aller en maison de retraite. Et il est en très bonne santé.

– Merci de nous avoir prévenus, je vous envoie quelqu'un.

Les deux policiers patientaient devant la porte du vieil homme en compagnie de sa voisine Birgitta. Le premier avait une énorme bedaine et le second, beaucoup plus jeune, était si maigre qu'il flottait dans son uniforme. Tous deux formaient un couple un peu comique. Plus expérimenté, le plus âgé avait souvent dû faire appel à un serrurier pour pénétrer chez des gens. La police devait régulièrement s'assurer que tout allait bien chez des gens qui n'avaient pas de famille et avaient échappé à la vigilance des services sociaux. Omar, le serrurier, cousin du policier obèse, ouvrait les portes en un tournemain.

Ils se donnèrent l'accolade quand ce dernier arriva. Omar força sans difficulté la serrure.

– Ohé ! cria le gros dans l'appartement.

Voyant que personne ne répondait, il demanda à son cousin et à la voisine d'attendre sur le seuil et fit signe à son jeune collègue de le suivre.

– Ohé ! appela-t-il à nouveau, sans obtenir plus de réponse.

Les deux hommes avancèrent lentement dans l'appartement. Le plus âgé reniflait, le nez en l'air. L'odeur les força bientôt à se boucher les narines.

Tous les rideaux étaient tirés, la lumière allumée dans toutes les pièces.

– Ohé ! Il y a quelqu'un ? risqua l'échalas d'une voix de fausset.

Personne ne répondait. Le serrurier et la voisine patientaient toujours sur le palier.

Petite mais propre, la cuisine était meublée d'une table et de deux chaises. Une cafetière éteinte, à moitié pleine, était posée sur le plan de travail à côté de l'évier au fond duquel il y avait deux tasses et une assiette. Le petit frigo installé au fond de la pièce était collé à la vieille cuisinière à trois plaques. Le salon, aussi propre que la cuisine, comportait un canapé et deux fauteuils assortis, une table et un bureau, installé sous la fenêtre orientée au sud. Les étagères étaient chargées de livres, mais la décoration pour ainsi dire absente.

L'appartement était entièrement moquetté à l'exception de la cuisine et de la salle de bains. La moquette avait été usée par les passages répétés du vieil homme. Les fils blancs de la trame affleuraient par endroits. Les policiers poussèrent la porte de la chambre à coucher. Un homme était allongé sur un lit à une place, les yeux mi-clos, les bras le long du corps. En chemise, pantalon et chaussettes, il semblait s'être couché pour se reposer un moment et ne pas s'être relevé. Ainsi allongé, il ne paraissait pas ses quatre-vingt-dix ans. Le policier le plus âgé approcha pour prendre son pouls au poignet et au cou. On peut difficilement imaginer fin plus paisible, pensa-t-il.

– Il est mort ? s'enquit le maigrichon.

– Apparemment.

Ne tenant plus en place, Birgitta entra dans le couloir et jeta un œil dans la chambre où son voisin reposait, paisible et solitaire.

– Il est… décédé ?

– Je crains que ça ne fasse aucun doute, répondit le vieux flic.

– Pauvre homme, il a bien mérité son repos, murmura-t-elle.

Plus tard dans la journée, on emmena le corps à la morgue de l'Hôpital national qui le réceptionna et l'enregistra. Conformément à la loi, le médecin de district était venu constater le décès au domicile du défunt. Rien ne justifiait l'ouverture d'une enquête, à moins que l'autopsie ne révèle quelque chose d'anormal. Ils mirent l'appartement sous scellés en attendant ses conclusions.

Svanhildur, la légiste, préféra attendre la fin de la semaine pour autopsier le corps. Ce n'était pas urgent et elle avait fort à faire, elle devait s'acquitter d'un certain nombre de tâches avant de s'offrir trois semaines de vacances sur un terrain de golf en Floride.

Deux jours plus tard, elle sortit donc le corps du tiroir réfrigéré et le plaça sur une civière. Un petit groupe d'étudiants en médecine assistait à l'autopsie qu'elle détailla point par point en leur présentant les conditions du décès : le corps avait été découvert par la police après l'appel d'une voisine. L'homme était apparemment mort de causes naturelles. La légiste passionnait ses étudiants. L'un d'eux était même allé jusqu'à enlever le casque de son iPod pour l'écouter.

Elle supposait que le cœur du défunt s'était simplement arrêté. L'homme avait succombé à un infarctus dont elle ne parvenait toutefois pas à identifier la cause.

Elle examina les yeux.

Puis scruta les profondeurs de la gorge.

– Mais… ? murmura-t-elle.

Les étudiants se penchèrent sur la table d'examen avec curiosité.

2

Ils contournèrent le mur de sacs de sable qui barrait l'accès au Théâtre national. Elle s'efforçait de dissimuler qu'ils étaient ensemble, en tout cas tant qu'ils marchaient dans les rues fréquentées. Furieux d'apprendre sa liaison avec ce soldat, ses parents avaient exigé qu'elle y mette fin sans délai. Son père avait même menacé de la mettre à la porte. Elle savait qu'il n'hésiterait pas. Elle ne s'était pas attendue à une réaction aussi violente ni à une telle hostilité. Elle n'avait pas voulu les contrarier, mais n'avait pas rompu. Elle avait simplement cessé de parler de ce soldat, comme si leur histoire était finie, mais elle avait continué à le fréquenter en secret.

Les lieux où ils pouvaient se voir discrètement étaient rares. À l'époque où ils s'étaient rencontrés, l'automne précédent, ils allaient sur la colline d'Öskjuhlid quand il faisait beau. Puis l'hiver était arrivé, ce qui compliquait les choses. Il était exclu qu'ils prennent une chambre d'hôtel et elle refusait qu'ils se voient dans un baraquement militaire. Un jour, au crépuscule, ils s'étaient faufilés derrière le Théâtre national en construction au bas de la rue Hverfisgata. Censé héberger la fine fleur de l'art dramatique islandais dans un écrin d'orgues basaltiques, le bâtiment à l'architecture audacieuse était tout juste hors d'eau. Le chantier avait été interrompu par la grande crise qui avait frappé le monde dix ans plus tôt. Au début de la guerre, les troupes d'occupation britanniques l'avaient réquisitionné pour le transformer en entrepôt. Il était toujours dévolu à cet usage, maintenant que l'armée américaine les avait remplacées. C'était désormais le lieu de rendez-vous des amants clandestins.

– Je t'interdis de revoir cet homme ! avait hurlé son père qui, fou de colère, avait été sur le point, pour la première fois de sa vie, de lever la main sur elle. Sa mère s'était interposée.

Jurant de se reprendre, elle avait aussitôt trahi sa promesse. Frank, originaire de l'Illinois, était toujours propre et impeccablement coiffé. Il sentait bon et avait de belles dents blanches, ressemblait à un gentleman et se comportait comme tel. Ils envisageaient de s'installer ensemble aux États-Unis à la fin de la guerre. Elle était convaincue que son père apprécierait cet Américain s'il consentait à le rencontrer.

Elle n'était pas la seule à entretenir ce genre de relation. Reykjavík comptait environ quarante mille habitants. Des dizaines de milliers de soldats avaient déferlé sur la ville au début de la guerre. Le rapprochement entre ces hommes et certaines Islandaises était inévitable. Il y avait d'abord eu les Tommies et, quand les Yankees étaient venus les remplacer, les amours avaient continué. À la fois plus élégants et plus riches, les Américains ressemblaient à des vedettes de cinéma. La barrière de la langue était négligeable. Tout le monde comprenait l'anglais d'oreiller. On avait fondé un comité spécial. Un mot permettait de désigner ces monstruosités : la situation.

En traversant la rue Hverfisgata avec Frank de l'Illinois, elle se fichait éperdument des comités et de la fameuse situation. Le froid de la mi-février était glacial. Le vent hurlait sur les murs de la citadelle qui semblait droit sortie des contes populaires islandais peuplés d'elfes et de créatures surnaturelles. Le public entrerait dans ce grand théâtre comme dans un rocher à l'intérieur duquel il découvrirait ensuite les magnifiques salles d'un palais de conte de fées. Les soldats de garde s'efforçaient de se protéger du froid sans se soucier du couple qui disparaissait à l'angle de la bâtisse pour se mettre à l'abri des regards, fuyant l'éclairage public. Elle était emmitouflée dans l'épais manteau qu'on lui avait offert à Noël, il portait son imperméable militaire par-dessus l'uniforme qu'elle aimait tant. Certes, elle ignorait en quoi consistaient exactement les missions d'un sergent, mais c'était son grade dans l'armée et il avait des hommes sous ses ordres. Elle ne parlait qu'un anglais sommaire, ses connaissances se limitant à peu près à *yes* et à *darling*. Quant à lui, il n'en connaissait pas plus en islandais. Malgré ça, ils se comprenaient plutôt bien et là, elle devait absolument lui parler d'un problème qui l'inquiétait beaucoup.

Il l'embrassa passionnément dès qu'ils furent à l'abri du vent. Il avait passé ses mains sous son épais manteau pour la caresser. Elle pensait à son père : s'il l'avait vue à cet instant ! Frank lui murmurait des mots doux à l'oreille. *Oh, darling !* Elle sentait les mains glacées de son Américain sur le corsage qu'elle avait acheté chez Jacobsen au début de l'année. Il lui pétrissait les seins. Il déboutonna son corsage, puis plaqua sa paume sur sa peau nue. N'ayant guère d'expériences, elle était assez timide. Elle aimait l'embrasser. Chaque fois, un délicieux frisson la parcourait, mais aujour-d'hui l'air était glacial et elle n'était pas très réceptive. La colère de son père réfrénait ses ardeurs.

– Frank, il faut que je te dise quelque chose…

– *My darling.*

Il était tellement empressé qu'elle perdit l'équilibre et faillit tomber. Il la rattrapa à temps et s'apprêtait à poursuivre, mais elle lui demanda d'arrêter. Ils s'étaient blottis dans un des renfoncements qui appa-raissaient à intervalles réguliers dans les quatre murs de l'édifice. Une grosse caisse en carton, sans doute en provenance de l'entrepôt, gisait écrasée sur le sol. Elle ne l'avait pas remarquée quand ils s'étaient réfu-giés dans ce recoin, mais là, elle voyait clairement deux jambes frêles qui dépassaient du carton.

– *Jesus !* s'exclama Frank.

– Qu'est-ce que c'est que ça ? Qui c'est ?!

Ils avaient les yeux baissés sur ces jambes : une chaussure dont la languette couvrait le dessus du pied, des socquettes, et la peau d'un blanc bleuté. On n'en voyait pas plus. Frank hésita un instant avant de sou-lever le carton.

– Qu'est-ce que tu fais ? s'inquiéta-t-elle.

Une jeune femme d'une vingtaine d'années reposait là, couchée sur le côté. Ils comprirent immédiatement qu'elle était morte.

– Dieu tout-puissant, soupira-t-elle en agrippant le bras de Frank qui continuait de fixer le corps.

– *What the hell ?* murmura-t-il en s'agenouillant. Il prit le poignet de la jeune femme, mais ne sentit pas le pouls. Il posa deux doigts sur son cou, le cœur avait cessé de battre. L'Américain frissonna. N'ayant pas connu l'enfer des champs de bataille, il n'avait pas l'habitude de voir des morts. Ils ne pouvaient être

d'aucun secours à cette jeune femme. Il balaya le périmètre des yeux en quête d'indices, mais n'en trouva
aucun.

– Qu'est-ce qu'on fait ?

Frank se releva et serra sa petite amie dans ses bras.
Elle lui plaisait beaucoup et il comprenait parfaitement
pourquoi elle ne l'avait jamais invité chez elle pour
le présenter à sa famille. Les soldats n'étaient pas les
bienvenus partout.

– *Let's get the hell out of here*, tirons-nous d'ici,
suggéra-t-il en vérifiant qu'il n'y avait personne dans
les parages.

– Tu ne préfères pas qu'on appelle la police ?
répondit-elle. *Get police.*

Les alentours étaient déserts. Frank jeta un œil à
l'angle du bâtiment, les soldats qui gardaient le mur de
sacs de sable n'avaient pas bougé.

– *No police. No. Let's go. Go !*

– *Yes, police*, protesta-t-elle, en vain.

Il l'attrapa par le bras et la tira vers la rue Lindargata, puis vers la colline d'Arnarholl. Il marchait vite,
en la traînant presque derrière lui. Une vieille femme
qui longeait Lindargata et s'apprêtait à remonter Hverfisgata les avait vus sortir en courant du renfoncement
sombre. Elle s'était dit que, décidément, ces jeunettes
faisaient n'importe quoi. Il lui semblait la reconnaître,
c'était une ancienne élève. Elle ignorait que cette
gamine était, comme on disait, dans la situation.

La femme longea le théâtre et jeta un œil dans le
coin encombré de détritus. Elle s'arrêta et aperçut les
jambes. Elle avança et découvrit le corps de la jeune
femme que quelqu'un avait tenté de cacher sous des
cartons et d'autres déchets provenant de l'entrepôt.
Elle se fit immédiatement la remarque que la gamine

n'était pas habillée pour la saison, elle ne portait qu'une petite robe.

Le vent hurlait dans le passage.

La jeune femme était jolie jusque dans la mort. Son regard éteint fixait la paroi noire et inquiétante comme si son âme avait disparu dans un des renfoncements de basalte qui parcouraient le mur du Théâtre national.

3

De grosses gouttes de sueur coulaient sur les joues de Marta, attablée dans un restaurant thaïlandais. Elle avait commandé le plat au porc numéro 7, signalé comme le plus épicé du menu. Konrad avait pris une bouchée dans son assiette sans percevoir aucun goût à part celui du piment qui lui avait brûlé la langue et la bouche jusqu'aux lèvres. Il avait ensuite avalé de l'eau citronnée, aussi assoiffé qu'un poisson hors de l'eau. Pour sa part, il avait choisi un délicieux plat à base de poulet dont le goût n'était pas masqué par le piment fort.

Situé dans une zone artisanale à la lisière de Reykjavík, l'établissement ne payait pas de mine avec sa façade qui ressemblait plus à celle d'une carrosserie qu'à celle d'un restaurant. Marta adorait déjeuner dans ce genre d'endroits. On y mangeait bien pour une somme modique, le service était soigné et on ne risquait pas d'y croiser des snobinards.

Elle avait appelé Konrad en lui demandant de l'y retrouver et il avait accepté. Ils ne s'étaient pas vus depuis un moment et il avait tout son temps, maintenant qu'il était à la retraite. C'était une des collègues avec qui il s'entendait bien à la Criminelle malgré leur importante différence d'âge. Après le départ de

Konrad, leurs relations s'étaient distendues et avaient évolué. C'était différent de le voir, maintenant qu'il n'était plus en activité, ils ne faisaient plus vraiment partie de la même équipe. Konrad s'était retiré des voitures alors que, plongée jusqu'au cou dans ses enquêtes, Marta travaillait plus que jamais.

– Tu ne trouves pas ton plat un peu fort ? s'inquiéta-t-il en observant le filet de sueur sur la joue de son ancienne collègue.

– Pas vraiment, et surtout c'est très bon, j'ai déjà mangé plus épicé que ça.

– J'imagine, répondit Konrad sans mettre sa parole en doute.

Marta était une cible facile. Elle fanfaronnait constamment et ne reconnaissait ses erreurs que lorsqu'elle y était acculée. Elle avait toujours raison.

– Alors, comment ça va ? demanda-t-elle.

– Très bien, et toi ?

– Je me débrouille.

Elle termina son assiette et s'épongea le visage. Elle avait de gros doigts, un double menton et des paupières lourdes qui tendaient à se fermer, surtout après un bon repas. Les cheveux généralement en désordre, elle portait de larges tuniques et des pantalons amples, et ne se souciait pas vraiment de son apparence. Elle n'avait d'ailleurs personne pour qui se faire belle. Ses collègues la surnommaient ironiquement Marta l'élégante. Elle avait autrefois partagé la vie d'une femme originaire des îles Vestmann qui l'avait quittée et s'en était retournée chez elle. Depuis, elle vivait seule.

– Tu as des nouvelles de Svanhildur ? demanda-t-elle tout en se curant les dents. Konrad ne supportait pas cette habitude, surtout quand, en plus, elle aspirait l'air en le faisant siffler entre ses incisives.

– Non, répondit-il. Il n'avait pas eu sa vieille amie Svanhildur, légiste à l'Hôpital national, au bout du fil récemment.

– Elle nous a contactés à propos d'un vieux célibataire décédé à son domicile. Nous pensions qu'il était mort dans son sommeil. Il s'appelait Stefan Thordarson. Ça te dit quelque chose ?

Konrad hocha la tête. Il avait lu ça dans les journaux quelques jours plus tôt. Un vieil homme avait été retrouvé mort chez lui, manifestement oublié de tous sauf de sa voisine qui avait prévenu la police, inquiète de ne pas l'avoir aperçu depuis plusieurs jours.

– Et ? demanda Konrad.

– Je croyais que Svanhildur te prévenait quand elle trouvait des choses intéressantes ?

– Tu rêves.

– Elle a découvert un détail surprenant, passé complètement inaperçu aux yeux du médecin que nous avons envoyé sur les lieux.

– Elle est très perspicace.

– Selon elle, ce Stefan a été étouffé, probablement avec son oreiller, précisa Marta.

– Ah bon ? s'étonna Konrad.

– Elle pense donc qu'il s'agit d'un meurtre.

– Et pourquoi ? C'était un très vieil homme, n'est-ce pas ?

– Tu veux savoir pourquoi il a été tué ou pourquoi Svanhildur pense qu'il s'agit d'un meurtre ? demanda Marta en le regardant, l'air repu et les paupières lourdes, tout en continuant d'agiter son cure-dent.

Konrad esquissa un sourire et regretta de ne pas avoir saisi l'occasion de se moquer gentiment d'elle lorsqu'elle dégustait son plat en suant à grosses gouttes.

– D'accord, répondit-il. Première question : pourquoi a-t-il été tué ?

– Nous l'ignorons.

– Et qu'est-ce qui lui fait croire ça, à Svanhildur ?

– Elle a retrouvé des fibres dans ses voies respiratoires et repéré des vaisseaux qui ont explosé dans les globes oculaires, enfin, tout ça, quoi.

– Des fibres provenant de son oreiller ?

– Oui. Svanhildur dit que quelqu'un le lui a plaqué sur le visage pour l'étouffer. Il n'a pas pu se défendre. Le pauvre homme avait plus de quatre-vingt-dix ans. Son agonie n'a sans doute pas été bien longue, mais elle a laissé ces traces.

– Il était si âgé que ça ?

– Oui, l'assassin n'a pas dû avoir beaucoup de mal à l'achever. Les policiers n'y ont vu que du feu quand ils sont arrivés. Il y avait deux oreillers sur le lit, un sous sa tête, l'autre à côté de lui. Il était… tout semblait indiquer qu'il était mort dans son sommeil.

– Son meurtrier veut vous faire croire qu'il est décédé de mort naturelle.

– Apparemment.

– Et vous êtes tombés dans le panneau ! rétorqua Konrad, sans pouvoir s'empêcher de la provoquer. Tu y étais ?

Marta aspira un filet d'air qui siffla entre ses dents.

– Le médecin appelé sur les lieux n'a rien remarqué de suspect. Et les flics ne sont pas médecins. La police n'explore pas le gosier des victimes au microscope.

– Dans ce cas, pourquoi Svanhildur l'a-t-elle fait ?

– Tu n'as qu'à lui poser la question.

– Je le ferai peut-être.

– N'hésite pas.

– Qui était cet homme ? Il était connu ?

– De nos services ? Non, nous n'avons rien sur lui. Il était célibataire, comme je viens de le dire. Et il n'a jamais eu affaire à la police, en tout cas pas ces dernières décennies. Personne ne le connaissait à part cette voisine.

– Il n'avait ni amis ni famille ?

– Nous n'en avons pas trouvé pour l'instant. Et personne ne s'est manifesté, mais nous aurons peut-être du nouveau à partir de ce soir, l'information sera diffusée sur les réseaux sociaux en soirée et publiée dans les journaux demain. Nous verrons bien ce que ça donnera.

– Il y a eu effraction ?

– Aucune trace. On a passé son appartement au peigne fin. La Scientifique y travaille depuis ce matin.

– Donc, il connaissait son agresseur. Il lui a peut-être ouvert la porte.

– Je croyais que tu n'étais plus dans la police, observa Marta.

– En effet, et heureusement, conclut Konrad.

4

En rentrant chez lui dans la soirée, Konrad sortit un disque de variétés islandaises des années 60. Il ouvrit une bouteille de vin rouge, du Dead Arm qu'il appréciait beaucoup, et s'installa à la table de la cuisine. Les rougeoiements du crépuscule coloraient les murs de la pièce orientée à l'ouest. Il écoutait souvent ces vieilles chansons qu'il connaissait par cœur et qui lui trottaient régulièrement dans la tête, liées à des souvenirs qu'il aimait se remémorer. Dès qu'il entendait l'orchestre d'Ingimar Eydal jouer les premières notes du *Printemps au bois de Vaglaskogur*, cela le ramenait à l'été 1966, ce morceau avait été le tube de l'année. La sonnerie du téléphone l'arracha à ses pensées. Il se rendit dans le salon pour décrocher. Il était onze heures du soir passées. Il supposa que c'était Marta. Elle seule était susceptible de l'appeler à toute heure du jour ou de la nuit, parfois pour des broutilles et souvent seulement pour discuter. Elle se sentait très seule depuis que son amie l'avait quittée.

– Tu étais couché ? demanda-t-elle sans manifester la moindre gêne.

– Non.

– Tu fais quoi ?

– Rien. Tu as du nouveau sur le vieux ?

– La Scientifique a fini la fouille de son appartement.

– Parfait.

– Nous n'y avons pas trouvé grand-chose d'intéressant. Il vivait seul et nous ignorons toujours s'il a de la famille. En tout cas, il n'y a aucune photo sur les murs et nous n'avons pas non plus trouvé d'album. Il gardait le portrait d'un jeune homme dans le tiroir de sa table de nuit. À part ça, il avait quelques livres, mais peu d'objets personnels. La seule chose intéressante que nous avons découverte, ce sont de vieilles coupures de journaux qu'il gardait sans doute depuis une éternité.

– Ah bon ?

– Oui, mais ça ne nous aide pas beaucoup. D'ailleurs, je ne me rappelle même pas avoir entendu parler de cette affaire.

– Quelle affaire ?

– Eh bien, celle dont il est question dans ces trois coupures, elles proviennent sans doute du même journal, mais ne sont pas datées. Apparemment, l'enquête n'a jamais été résolue. À moins que l'armée américaine ne l'ait reprise à la police islandaise. Le dernier article affirme qu'elle est toujours ouverte, mais qu'elle piétine.

– De quoi tu parles ? Comment ça, l'armée américaine ?

– Je te parle d'une enquête sur le meurtre d'une jeune fille retrouvée étranglée à l'arrière du Théâtre national en 1944, répondit Marta. C'est bien l'année de ta naissance ?

– Oui.

– Le dossier semble tout simplement avoir disparu, je n'en trouve aucune trace dans nos archives.

– Une gamine retrouvée morte derrière le Théâtre national ?

– Oui. Quoi ?

– Rien…

– Ça te dit quelque chose ?

Konrad hésita.

– Non, enfin, je ne sais pas.

– Qu'est-ce qui se passe ?

– Rien, assura Konrad.

– Allez, ne fais pas de mystère !

– J'ai sommeil, répondit Konrad, pensif. C'est malpoli d'appeler les gens à cette heure. Je te rappelle demain.

Il prit congé de son amie, vida son verre et alla se coucher en pensant à son père et à cette jeune fille retrouvée derrière le théâtre pendant une bonne partie de la nuit, ce qui l'empêcha de trouver le sommeil. Il n'avait pas osé dire à Marta qu'il se souvenait de cette affaire. Il n'aimait pas beaucoup parler de son père, or ce dernier avait été impliqué dans cette histoire d'une étrange manière. La jeune fille était morte l'année de sa naissance. À cette époque, le père de Konrad s'intéressait aux phénomènes surnaturels. Il connaissait des voyants qui n'avaient pas spécialement bonne réputation. Un jour, les parents de cette jeune fille avaient contacté un médium avec lequel il lui arrivait de travailler. Ils lui avaient demandé d'entrer en contact avec leur enfant décédée. Le père de Konrad l'avait assisté. Ce qui s'était passé pendant la séance s'était ébruité. Les journaux en avaient parlé.

Konrad se caressait le bras gauche en se demandant s'il devait aller voir Marta pour lui parler de tout ça ou en rester là. Ce bras-là était légèrement atrophié, c'était un défaut de naissance qui ne se remarquait presque pas et ne le gênait pas vraiment. Il se tourna dans le lit. Entre sommeil et veille, il entendait les notes du *Printemps au bois de Vaglaskogur* qui lui rappelaient le sable jaune de la baie de Nautholsvik, les gamins qui jouaient près de la rive et un baiser à l'odeur de fleurs. Bientôt, il s'endormit.

5

Elle sursauta en entendant frapper à la porte du rez-de-chaussée à cette heure tardive et eut immédiatement l'intuition que c'était la police.

Frank et elle avaient gravi en courant la colline d'Arnarholl sous la bise glaciale qui soufflait du nord puis ils étaient descendus jusqu'à la rue Kalkofnsvegur avant de rejoindre la rue Laekjargata en s'efforçant de se comporter le plus naturellement possible. Elle savait qu'elle ne pourrait jamais effacer de son esprit l'image de la jeune fille gisant dans ce renfoncement derrière le Théâtre national. La réaction de son Américain lui échappait, elle ne comprenait pas pourquoi ils avaient fui. Il avait immédiatement décidé de quitter les lieux alors qu'elle voulait appeler la police. Il avait essayé de lui expliquer pourquoi lorsqu'ils avaient enfin ralenti, une fois en bas de la rue Hverfisgata : cette histoire ne les concernait pas, ce n'était pas leur *business*. Cette jeune fille était morte, ils ne pouvaient rien faire pour l'aider, on ne tarderait pas à découvrir son corps. L'affaire était close.

Les gens marchaient d'un pas vif dans le froid piquant. Ils allaient au cinéma, au café ou chez des amis. Des jeeps militaires longeaient Laekjargata puis tournaient à droite et remontaient la rue Bankastraeti.

Frank avait préféré qu'ils se séparent de suite, ils pourraient se revoir d'ici quelques jours à l'endroit habituel, derrière la cathédrale, une fois que tout ça serait terminé. Il l'avait embrassée. Elle s'était dépêchée de rentrer chez elle en passant par le centre.

Certes, ils avaient sans doute eu tort de s'enfuir, mais c'était aussi un soulagement. Peut-être qu'en fin de compte, Frank avait eu raison. Elle aurait eu du mal à expliquer à la police ce qu'elle était venue faire avec un soldat dans ce renfoncement derrière le théâtre. Et si son père apprenait ça, il serait fou de rage.

On frappa à nouveau, plus fort. Ses parents étaient couchés et ses frères cadets déjà endormis. Elle n'arrivait pas à trouver le sommeil après ce qui s'était passé dans la soirée. En rentrant, elle était montée directement dans sa chambre où elle s'était allongée sans bruit. Elle avait en vain essayé de lire un roman d'amour : elle ne pensait qu'à Frank et à cette jeune fille.

Nom de Dieu, se disait-elle, comme si cette pauvre gamine était à l'origine de tous ses problèmes.

Elle entendit son père se lever et descendre l'escalier en faisant craquer chaque marche. L'oreille collée à la porte de sa chambre, elle essayait de comprendre ce qui se passait. Finalement, ce n'était peut-être pas la police.

Ses espoirs furent vite réduits à néant. Elle sursauta quand son père l'appela.

– Ingiborg ! cria-t-il une deuxième, puis une troisième fois, avec une impatience grandissante.

La porte de la chambre s'ouvrit. Sa mère passa la tête à l'intérieur.

– Ton père t'appelle, ma petite. Tu ne l'entends pas ? La police veut t'interroger. Qu'est-ce que tu as encore fait ?!

– Rien de mal, assura-t-elle, peu convaincante.

– Descends tout de suite, ordonna sa mère. Allez, vite ! Non, mais qu'est-ce que c'est, ce cirque !

Elle rejoignit sa mère sur le palier, descendit quelques marches et aperçut deux hommes en train de discuter avec son père dans le vestibule. Tous trois levèrent les yeux vers elle.

– Ah, te voilà, tonna le père. Ces messieurs sont policiers.

Il se tourna vers l'un d'eux.

– Pardonnez-moi, je n'ai pas saisi votre nom ?

– Flovent. Et mon collègue s'appelle Thorson. Il est membre de la police militaire américaine, il fait partie de l'armée canadienne et parle mieux islandais que moi.

– Je suis né dans le Manitoba de parents islandais, expliqua Thorson.

Tous deux étaient en civil. Âgé d'une trentaine d'années, Flovent était grand, svelte et robuste. Thorson était râblé et plus jeune d'environ dix ans. Ils étaient emmitouflés dans leurs grands manteaux et avaient ôté leurs chapeaux en entrant dans la maison.

– Ah oui, le Manitoba, je vois, répondit le père de la jeune fille. Ingiborg, ces deux messieurs veulent t'interroger sur quelque chose qui s'est passé derrière le théâtre, ajouta-t-il d'un ton sévère. Ils refusent de me dire de quoi il s'agit, ils veulent d'abord te parler. Qu'est-ce qui s'est passé ? Qu'est-ce que tu allais faire là-bas ?

Ingiborg osait à peine regarder son père et encore moins lui répondre. Les policiers perçurent sa gêne.

– Si cela ne vous dérange pas, nous souhaiterions l'interroger en privé, annonça Flovent.

– En privé ?! s'écria le père. Et pourquoi donc ?

– S'il vous plaît. Ensuite, si vous voulez, nous vous expliquerons tout ça en sa présence.

– Qu'est-ce que ça veut dire ? Ingiborg, réponds-moi ! s'emporta le père. Comment ça se fait qu'on ait la visite d'un policier de l'armée américaine ? Tu peux me le dire ? Tu fréquentes toujours ton soldat ? Je te l'avais pourtant interdit !

– Oui, avoua-t-elle, hésitante, sans trouver rien d'autre à dire.

– Et tu le fais quand même ? C'est un monde… !

Les policiers se demandaient s'il n'allait pas l'empoigner et la faire descendre de force dans le vestibule.

– Isleifur, contrôle-toi ! fulmina sa femme, debout dans l'escalier à côté de leur fille. Je te rappelle que nous avons des visiteurs. Tu devrais surveiller ton langage.

Le maître de maison se calma un peu. Il dévisagea son épouse, puis regarda les policiers qui tenaient leurs chapeaux à la main et commençaient à avoir chaud sous leurs épais manteaux. Dehors, il neigeait. Les flocons fondaient sur leurs épaules.

– Excusez-moi.

– Ne vous inquiétez pas, assura Thorson. Nous comprenons bien que ce n'est pas agréable d'être dérangé, surtout par la police, à une heure aussi tardive.

– Je lui ai formellement interdit de fréquenter les soldats et elle ne m'écoute pas. Tout ce que je lui dis entre par une oreille et sort par l'autre. Et sa mère la soutient ! Elle l'encourage à désobéir.

– Si vous pouviez nous indiquer un endroit où discuter tranquillement avec elle, ça nous aiderait, reprit Flovent. Nous n'en avons pas pour longtemps. Et, encore une fois, veuillez nous excuser du dérangement à cette heure tardive. On veut régler ça au plus vite, ça ne peut pas attendre demain.

– Vous n'avez qu'à vous installer au salon, suggéra l'épouse en les rejoignant dans le vestibule. Ingiborg la suivit et regarda son père d'un air terrifié. Elle ne voulait pas le mettre en colère : malgré tout, elle le respectait. Elle avait conscience d'avoir trahi sa parole en revoyant ce soldat et c'était sa faute à elle si ces deux policiers étaient venus frapper à leur porte.

Sa mère fit entrer les deux hommes dans le salon et poussa la gamine à l'intérieur. Isleifur voulut leur emboîter le pas, mais elle le retint.

– Nous discuterons avec eux plus tard, promit-elle en refermant la porte.

– Et avec elle, rétorqua Isleifur. Cette petite écervelée devra répondre de ses actes !

– Je t'interdis de parler ainsi de ta fille ! s'emporta l'épouse. Je ne veux pas t'entendre dire des choses pareilles !

– Mais, enfin, c'est insupportable ! souffla-t-il. Tu ne comprends donc pas ? Cette gamine est plongée jusqu'au cou dans la situation !! La police est chez nous. Pourquoi me fait-elle subir tout ça ? Que vont dire les gens ? Tu peux me croire, ça va jaser ! Je dois veiller à ma réputation. Tu comprends ? Tu n'y penses guère, à ma réputation ?!

6

Soulagés de pouvoir se débarrasser de leurs manteaux, les deux policiers les posèrent sur le dossier
d'une chaise. Flovent attendit qu'Ingiborg se soit
assise pour l'imiter, Thorson, quant à lui, resta debout
derrière son collègue. Flovent avait reçu le message
environ deux heures plus tôt : une femme qui passait
par Skuggahverfi, le quartier des Ombres, avait découvert le corps sans vie d'une jeune fille derrière le
théâtre. Elle avait également vu un couple se précipiter
vers la colline d'Arnarholl, l'homme était un soldat
américain. Flovent avait donc contacté Thorson avec
qui il faisait régulièrement équipe dans les enquêtes
nécessitant une collaboration entre la police locale et
celle de l'armée américaine.

Thorson s'était engagé au Canada dès le début de la
guerre. Arrivé en Islande au moment où les troupes
britanniques avaient envahi l'île, il avait servi d'interprète. Officiant tout d'abord dans la police militaire
britannique, il travaillait maintenant pour celle des
Américains. Né au Canada de parents islandais, il parlait couramment la langue du pays et faisait le lien
entre les polices locale et étrangère. Thorson avait très
peu d'expérience dans le travail d'enquêteur, mais il
s'y intéressait. C'est ainsi qu'il avait été amené à colla-

borer avec Flovent dans les affaires impliquant des Islandais et des soldats. Les deux hommes s'entendaient bien et s'efforçaient de résoudre les enquêtes en évitant de compliquer les choses par excès de paperasserie ou de retarder leur cours en passant par les voies officielles qui prenaient beaucoup plus de temps.

Quand on l'avait informé de la découverte du corps, Flovent était seul au bureau de la Criminelle, au numéro 11 de la rue Frikirkjuvegur, dans ce bâtiment qui ressemblait à une villa italienne. Orné de colonnes et de nombreux balcons, il appartenait jadis à la plus riche famille d'Islande et se trouvait juste à côté du lac de Tjörnin. La Ligue pour l'Abstinence l'avait acheté avant la guerre. Elle y louait quelques pièces, notamment à la Criminelle. Flovent aimait bien travailler là. Les rares collègues enquêtant avec lui avant guerre avaient été affectés à d'autres missions et l'activité de la Criminelle était considérablement réduite.

Lorsque le téléphone avait sonné, Flovent venait tout juste de rentrer de chez son père et s'apprêtait à consacrer un peu de temps au fichier d'empreintes digitales qu'il constituait.

Ils avaient une fois de plus parlé de la tombe du cimetière de la rue Sudurgata. Son père souhaitait qu'il tente d'identifier les restes de sa mère et de sa sœur dans la fosse commune où elles avaient été enterrées, pour les placer dans une tombe familiale qui serait également la leur le moment venu. Réticent à cette idée, Flovent lui avait cependant promis d'essayer de découvrir l'identité des autres personnes inhumées dans cette fosse creusée en 1918, lorsque la grippe espagnole avait décimé la ville, et de voir s'il était possible d'exhumer les membres de sa famille.

Après ce coup de fil, Flovent était sorti affronter le vent du nord, il avait remonté à vive allure la rue Laekjargata, en passant devant la statue de Jonas Hallgrimsson, le grand poète du XIXᵉ siècle. Au fil du temps, il avait pris l'habitude de la saluer en lui adressant un signe de la main ou en récitant en silence quelques vers, comme s'il craignait qu'il lui arrive malheur sinon : « Nul ne pleure un Islandais lorsqu'il périt, solitaire… »

Quelques badauds s'étaient attroupés à côté du théâtre. Il y avait la femme qui avait découvert le corps ainsi que deux ou trois passants, et les soldats qui montaient la garde devant le mur en sacs de sable protégeant l'entrée du bâtiment s'étaient risqués à quitter leur poste.

Thorson avait tout de suite eu le message au camp militaire que les troupes aéroportées de la marine américaine avaient installé dans la baie de Nautholsvik. Il avait sauté dans sa jeep, rejoint le centre à toute vitesse et était arrivé au théâtre alors qu'on allait emmener le corps. Il avait salué Flovent et s'était agenouillé à côté de la victime.

– Elle a des bleus sur le cou, avait-il observé.

– Apparemment on l'a étranglée, avait répondu Flovent.

D'après eux, l'assassin avait mis le corps là, mais la jeune fille était morte ailleurs vu sa tenue vestimentaire. Il y avait peu de chance qu'elle soit sortie affronter le froid glacial vêtue de cette robe légère. En outre, le meurtrier avait tenté de dissimuler le corps sous des cartons éventrés.

– Ce n'est pas une cachette très discrète, avait fait remarquer Thorson en levant les yeux sur la paroi noire et austère.

– C'est le moins qu'on puisse dire.

– Et l'entrée du bâtiment est surveillée.

Flovent avait haussé les épaules.

– L'arrière est accessible en voiture et ça ne prend pas longtemps de déposer un cadavre.

– Mais pourquoi le Théâtre national ?

– Bonne question.

– Le meurtrier l'a peut-être placé ici par souci dramatique, par volonté de mise en scène, avait suggéré Thorson.

– Et ceux qui travaillent dans l'entrepôt, ils en disent quoi ? avait réagi Flovent. Elle est peut-être allée à l'intérieur. Elle connaissait peut-être quelqu'un là-bas.

– Qu'est-ce qui fait croire à celle qui a découvert le corps que l'homme qu'elle a aperçu était américain ? demanda Thorson en la désignant du regard. Elle se tenait à l'écart avec deux autres policiers. Elle avait autre chose à faire et devait rentrer chez elle, était-elle en train de dire.

– Elle en est certaine.

– Un bon nombre de soldats britanniques sont encore stationnés ici. Sans parler des Canadiens et des Norvégiens.

– Elle a aussi reconnu la jeune femme qui l'accompagnait.

– Ah bon ?

– Elle l'a eue comme élève. Elle enseigne au lycée.

– Finalement, c'est un travail assez facile, avait observé Thorson en resserrant son manteau pour se protéger du froid.

– Lequel ?

– Être flic à Reykjavík.

– Peut-être, avait admis Flovent. Je vais appeler le photographe. Il nous faut des clichés de la scène de crime.

Ingiborg n'en menait pas large. Assise sur sa chaise, recroquevillée, elle pensait à son père qui l'attendait dans le vestibule. Les deux policiers comprirent qu'ils ne devaient pas la brusquer s'ils ne voulaient pas la voir s'effondrer.

– Vous n'êtes pas la seule à voir un soldat en secret, commença Thorson d'un ton rassurant. Vous n'êtes ni la première ni la dernière.

Elle esquissa un sourire.

– Comment s'appelle l'homme qui vous accompagnait ? demanda Flovent.

– Frank. Vous l'avez interrogé ?

– Non. Frank comment ? Vous ne savez pas son nom de famille ? s'étonna Thorson.

– Bien sûr que si. Frank Carroll. Il est sergent. Comment avez-vous su que j'étais là-bas ? Quelqu'un m'a reconnue ?

– Reykjavík est une petite ville, observa Thorson.

– Une femme vous a vue, confirma Flovent. Elle vous connaît, mais peu importe son identité. En vous voyant courir avec ce soldat américain, elle a pensé que vous preniez la fuite et que vous étiez les coupables. C'est le cas ?

– Non ! protesta Ingiborg. Je n'avais jamais vu cette jeune fille. Frank et moi... on était là-bas pour... enfin, vous savez...

– Pour flirter ? compléta Thorson.

– Mon père ne veut pas que je le voie. Vous l'avez entendu. Il me l'interdit. Il n'y a pas beaucoup d'endroits où nous pouvons nous retrouver. Je n'ai pas envie d'aller dans son baraquement et d'être entourée de soldats, et je ne veux pas non plus demander à mes amies de me prêter leur chambre. Par conséquent, nous nous voyons dehors. C'était la deuxième fois qu'on allait là.

– Il fait partie de l'infanterie ? De l'artillerie ?

– Tout ce que je sais, c'est qu'il est sergent. On ne parle pas beaucoup de l'armée. Il s'ennuie ici mais a peur d'être envoyé au front en Europe.

– Donc, vous vous retrouvez surtout dans les bals ?

– Oui. Il est… très bon danseur.

– Et vous aimez danser avec lui ? glissa Thorson, espérant détendre un peu l'atmosphère.

– Énormément.

– Que savez-vous d'autre sur ce Frank ?

– Il est originaire de l'Illinois. Il a cinq ans de plus que moi et veut devenir concessionnaire automobile, après la guerre. Tout le monde a sa voiture en Amérique. Il aime aller au cinéma, mais je n'y vais plus avec lui depuis que papa m'a interdit de le revoir. Il a deux frères et vit avec sa mère, son père est décédé.

– C'est lui qui a étranglé cette jeune fille ? interrogea tout à coup Flovent d'un ton brutal.

Ingiborg sursauta, épouvantée par sa question.

– Mon Dieu, non ! Il ne lui a rien fait. Je ne connais pas cette fille. Dieu tout-puissant, qu'est-ce que vous dites ? Elle a vraiment été étranglée ?

– Vous l'avez vu la tuer ?

– Moi ?! Non, je… non, vous n'avez pas le droit de dire des choses pareilles.

– Avez-vous amené son corps derrière le théâtre pour vous en débarrasser ?

– Mon Dieu… ne dites pas ça…

Ingiborg se mit à pleurer à chaudes larmes.

– Pourquoi vous être enfuis ?

– C'est lui qui a voulu. Frank pensait que c'était plus raisonnable. Il me disait que ce n'était pas notre *business*. Et… et il avait raison. On n'a rien à voir avec cette histoire. C'est affreux. Tout simplement horrible. Bien sûr, on n'aurait pas dû prendre la fuite, mais…

– Ce Frank, il sait que votre père occupe une place importante dans un cabinet ministériel ?

– Non.

– Qu'il est le principal conseiller du gouvernement concernant la fondation de la république islandaise, prévue pour l'été prochain ?

Ingiborg leva les yeux vers Flovent.

– Tout ce que Frank sait de mon père, c'est qu'il le méprise et qu'il ne veut pas entendre parler de lui.

– Vous n'aviez vraiment jamais vu cette jeune fille avant ?

– Jamais. Et je vous jure que j'ignore qui c'est. Et vous, vous le savez ? Qui c'est ?

– Pourquoi Frank a-t-il pensé que c'était plus raisonnable de prendre la fuite ? poursuivit Thorson sans lui répondre.

– Parce qu'on n'a rien à voir avec elle, répondit Ingiborg. Je vous dis la vérité. On l'a trouvée là, c'est tout. On ne lui a rien fait. Rien du tout. Je vous le jure.

– Comment le savez-vous ?

– Comment je sais quoi ?

– Que vous n'avez rien à voir avec elle ?

– Parce que je ne la connais pas et que je ne l'ai jamais vue.

– Et Frank ?

– Comment ça ?

– Il la connaissait peut-être.

– Frank ? Non.

– Comment pouvez-vous en être sûre ?

– Eh bien… je le sais, c'est tout. Pourquoi cette question ? Qu'est-ce qui vous fait penser qu'il la connaissait ?

– Le fait qu'il ait pris la fuite, précisa Thorson. Cela pourrait expliquer son attitude.

Ingiborg le dévisageait, abasourdie. Elle cherchait à comprendre où il voulait en venir.

– Il ne la connaissait pas, répéta-t-elle, un peu moins convaincue. En y réfléchissant, elle comprenait qu'en fait, elle ne savait pas grand-chose de son petit ami, ce Frank Carroll de l'Illinois.

– Bon, je crois que ça suffit pour l'instant, lança Flovent.

– Vous allez m'arrêter ? s'inquiéta-t-elle.

– Non, nous n'allons pas vous arrêter, la rassura-t-il. En revanche, nous aurons peut-être à nouveau besoin de vous interroger demain. J'espère que ça ne vous dérange pas.

Ingiborg hocha la tête.

– Tu devrais peut-être faire entrer ses parents, suggéra-t-il à Thorson. À nouveau, la jeune fille prit un air terrifié.

Le lendemain après-midi, après avoir consulté tous les dossiers des gradés basés en Islande, américains et d'autres nationalités, et passé quelques coups de fil pour s'assurer qu'il ne faisait pas erreur, Thorson appela Flovent à son bureau de Frikirkjuvegur.

– Elle nous ment, déclara-t-il sans préambule.

– Qu'est-ce qui te fait dire ça ?

– Son sergent est introuvable.

– Tu veux parler de Frank ?

– Il n'y a aucun sergent du nom de Frank Carroll dans nos troupes. Cet homme n'existe pas.

– Tu en es sûr ?

– Certain.

– Dans ce cas, il ne vient pas non plus de l'Illinois.

– En effet, là aussi, elle nous ment, conclut Thorson.

7

Marta était très occupée quand Konrad vint la voir à la Criminelle où il ne passait que rarement depuis qu'il était en retraite. Il suivait de loin les faits divers, se contentant de lire la presse.

– Je me demandais si tu avais besoin d'aide pour ton enquête sur ce vieil homme, fit-il, profitant d'une pause dans les appels téléphoniques de son ancienne collègue. Ils étaient assis dans son bureau où s'entassaient des piles de dossiers, de journaux et toutes sortes d'objets qu'elle avait accumulés au fil des ans. La majeure partie n'avait pas sa place ici. Il y avait entre autres une épée de commandant de l'armée danoise datant de 1900, achetée chez un antiquaire, qui reposait dans son fourreau sur le tas de paperasses qui encombrait le rebord de la fenêtre. Konrad ne lui avait jamais demandé pourquoi elle l'avait achetée, mais il se rappelait avoir entendu dire que le grand-père de Marta avait été commandant sur un navire des garde-côtes.

– Tiens donc ! s'étonna Marta.

– Il y a toujours pénurie de personnel, non ?

– Je te croyais à la retraite.

– En effet, et je n'ai pas l'intention de rempiler, ne t'inquiète pas. J'ai juste envie de te prêter main forte pour cette enquête, enfin, si tu veux.

– Et pourquoi ?

– Je m'ennuie, avoua-t-il. Rien ne t'oblige à en parler aux autres. Je reste en contact avec toi et je te préviens si je découvre des choses intéressantes.

– Konrad… je… tu n'es plus flic, répondit Marta. C'est mieux comme ça, tu ne crois pas ? Et tu ne peux pas passer ce genre d'accord avec moi. C'est impossible. Franchement, tu as de ces idées !

– Évidemment, c'est à toi de voir.

– En effet.

– Très bien.

– Bon, on reste en contact, conclut Marta en sortant son portable.

– C'est juste que…

– Que quoi ?

– J'ai passé mon enfance dans ce quartier, dans le quartier des Ombres. J'ai entendu parler de cette gamine quand j'habitais là-bas, du coup…

– Tu es curieux ?

– J'aimerais bien savoir pourquoi le vieil homme conservait ces coupures. Je crois que l'enquête n'a jamais été résolue.

– Konrad…

– Tu me rendrais un fier service, Marta. J'ai seulement besoin d'avoir accès à son appartement. Pour le reste, je m'en occupe. Tu ne peux pas m'empêcher d'enquêter sur des faits qui remontent à soixante-cinq ans. La Scientifique a déjà fouillé son domicile et je ne risque pas de détruire des preuves.

– Et, comme tu dis, il y a toujours pénurie de personnel, admit-elle après un long silence. Tu veux vraiment reprendre cette enquête ?

– Oui.

– D'accord, mais tu dois me faire une promesse.

– Laquelle ?

– Si tu découvres quelque chose d'intéressant, tu m'avertis immédiatement.

Deux jours plus tard, Konrad put entrer dans l'appartement du défunt. La Scientifique ayant terminé ses investigations, on avait retiré les scellés. Il ouvrit la porte avec la clef que Marta lui avait remise et la referma soigneusement.

Il ne savait pas exactement ce qu'il cherchait. Il avait emporté les photocopies des trois articles que Marta lui avait confiées en lui donnant la clef, et les avait lues dans sa voiture. Son ex-collègue avait précisé que la police les avait trouvés dans un livre posé sur le bureau du vieil homme, dans son salon. Tous trois concernaient la jeune fille retrouvée derrière le Théâtre national. Ils n'étaient pas datés mais semblaient tous provenir du même journal, *Timinn*, *Le Temps*. Le premier article annonçait la découverte du corps d'une jeune fille sans doute étranglée, dont le meurtrier s'était débarrassé derrière le théâtre. Il citait les propos du policier chargé de l'enquête à la Criminelle, un certain Flovent, qui affirmait qu'il s'agissait d'un crime soigneusement prémédité. Le deuxième article disait que l'enquête progressait. L'autopsie avait conclu à un décès par strangulation, l'assassin avait obstrué les voies respiratoires de sa victime. Les traces sur le cou indiquaient qu'il l'avait étranglée à mains nues. On ignorait le mobile du meurtre et l'identité de la jeune fille. La police demandait à toute personne disposant d'informations, même minimes, de la contacter sans délai. Le troisième article précisait qu'on recherchait un soldat américain qui se faisait appeler Frank Carroll, sergent dans l'armée des États-Unis. On n'avait pas retrouvé sa trace dans les archives des troupes américaines qui occupaient l'Islande. L'article soulignait que cet homme avait été vu en compagnie de son amie islandaise, fille d'un haut fonctionnaire. Elle avait coopéré de son mieux avec la police, et aucun soupçon ne pesait sur elle.

Konrad allait et venait tranquillement dans l'appartement en se demandant pourquoi ce vieil homme conservait chez lui ces coupures de presse d'un autre âge. Il essayait d'imaginer l'existence de ce vieux célibataire en observant son lieu de vie. Son dernier repas avait été une bouillie de flocons d'avoine accompagnée de *lifrarpylsa*, du boudin à base de foie et de graisse de mouton. Il n'avait pas lavé la casserole. Le frigo contenait ce qui restait du boudin et, dans l'évier, on voyait l'assiette dans laquelle il avait mangé. À en juger par le contenu du réfrigérateur, le vieil homme se nourrissait surtout de plats typiques islandais. La huche contenait du pain plat et du pain de seigle moisi. Le placard abritait quelques malheureuses tasses et assiettes. Le poste de radio posé sur la table de la cuisine était réglé sur Gufan, la station numéro un de la radio nationale.

La chambre était meublée d'un lit à une place, celui dans lequel le vieil homme avait trouvé la mort. Sur la table de nuit, une lampe était posée à côté d'un roman en version originale : *Les Raisins de la colère*. Le placard abritait des vêtements de tous les jours, pantalons et chemises, ainsi qu'un costume noir qui ne semblait pas avoir été beaucoup porté. Une petite machine à laver était installée dans la salle de bains et quelques vêtements sales attendaient au fond de la corbeille à linge. Sur le lavabo, on voyait un verre avec une brosse à dents.

Le salon, propre, abritait une bibliothèque pleine de livres étrangers et islandais, aucun d'eux vraiment récent. Certains s'intéressaient à la construction et à la conception des ponts et ouvrages d'art. Un poste de télé était installé dans un coin de la pièce. Deux reproductions bon marché ornaient les murs, un vieux canapé et deux fauteuils assortis étaient disposés autour d'une table basse. Il y avait également un bureau où le défunt avait laissé quelques factures.

Konrad s'installa à celui-ci. Apparemment, le vieil homme avait mené une existence monotone et tranquille les dernières années de sa vie. Son grand âge ne lui permettait sans doute pas de vivre autrement. Konrad s'étonnait de ne trouver aucun objet personnel attestant de liens familiaux ou amicaux : il n'y avait aucune lettre, aucune photo de famille, aucun ordinateur, et donc ni courriels ni profils sur les réseaux sociaux. C'était l'appartement typique du vieux garçon discret.

Konrad ne trouvait aucun élément de réponse aux questions qu'il se posait : pourquoi cet homme était-il mort de cette manière, pourquoi gardait-il ces vieilles coupures de journaux ? Il trouva en revanche le livre où la victime avait conservé ces articles. Marta lui avait dit qu'il était posé sur le bureau du salon, là où la police l'avait découvert. L'ouvrage contenait des articles traitant de phénomènes surnaturels ainsi que des contes populaires islandais.

Konrad avait été très surpris d'apprendre l'existence de ces coupures. Il avait passé son enfance dans Skuggahverfi, le quartier des Ombres, rue Lindargata, à deux pas du Théâtre national. Quand il était tout petit, son père lui avait raconté l'histoire de cette jeune fille, persuadé qu'elle avait été tuée par un soldat américain. Il affirmait en avoir connu un certain nombre capables de faire subir ce genre de traitement à de jeunes

Islandaises qu'ils détournaient du droit chemin, et dont ils se débarrassaient à leur guise. D'après lui, l'affaire avait été étouffée. Un gradé américain était impliqué et le commandement allié l'avait protégé en l'envoyant à l'étranger. Jamais Konrad n'avait réussi à savoir si son père disait vrai ou non. Peu avant de mourir, ce dernier lui avait confié ce qui s'était passé pendant la séance de spiritisme avec les parents de la jeune fille. Il n'en était pas fier, mais ne le regrettait pas vraiment non plus, fidèle à lui-même. Le père de Konrad n'était pas médium et il n'assistait à ces séances de spiritisme que pour gagner de l'argent en bernant les gens, ce qu'il faisait régulièrement. Il n'était toutefois pas totalement étranger aux mondes parallèles : sa sœur croyait à toutes ces choses que les gens normaux décrivaient comme des superstitions. Elle croyait aux sorts et aux malédictions, à la vie après la mort, aux fantômes, aux revenants et aux elfes, et connaissait une kyrielle d'histoires dont le frère se servait pour abuser les crédules. Persuadée que les morts revenaient hanter les vivants pour des raisons précises, elle disait qu'il fallait les aider à résoudre leur problème pour qu'ils reposent en paix. Cette tante qui occupait la maison familiale dans le Nord était très versée dans l'ésotérisme, elle disait avoir un don de voyance et mettait la légère atrophie du bras de Konrad sur le compte d'une malédiction familiale.

Konrad fit un second tour d'horizon de l'appartement. Il s'attarda sur la bibliothèque, puis retourna dans la cuisine et dans la chambre. En ouvrant le tiroir de la petite table de nuit, il découvrit une photo grand format en noir et blanc qui, posée sur une vieille bible usée, représentait un beau jeune homme dans la trentaine. Elle datait des années 50. Aucun cadre ne la protégeait, elle ne portait aucune indication sur l'identité de l'homme en question. Le verso avait légèrement jauni, mais elle était très bien conservée si on excluait quelques taches visibles dans un coin. L'homme fixait l'objectif. Brun et svelte, il avait d'épais sourcils et un sourire indéchiffrable.

Konrad emmena la photo dans le salon et s'installa sur la chaise devant le bureau du vieil homme. Il regardait à tour de rôle les articles de presse qu'il avait à la main, le livre ouvert sur le bureau et le cliché posé devant lui en pensant à son père, à la jeune fille assassinée, à l'occupation militaire, aux séances de spiritisme, aux âmes torturées des défunts et à ce vieux célibataire allongé dans sa chambre, qui semblait endormi alors qu'on l'avait étouffé.

8

Arraché à sa méditation par trois coups frappés à la porte, il sursauta. Il se leva et gagna l'entrée, le pas hésitant, sans savoir vraiment comment réagir. On frappa à nouveau, plus vigoureusement.

– Ohé, il y a quelqu'un ? cria une voix.

N'ayant pas le choix, il ouvrit et découvrit une grande femme brune âgée d'une cinquantaine d'années.

– J'ai vu quelqu'un entrer dans l'appartement. Vous êtes peut-être de la famille de Stefan ?

– Non, répondit Konrad, je suis policier.

– Ah, c'est la première fois que je vous vois ici.

– D'ailleurs, j'allais partir, éluda-t-il sans plus d'explications.

– Je m'appelle Thorbjörg, j'habite l'appartement juste au-dessus. J'ai déjà parlé à une de vos collègues, Marta.

– Oui, je sais, répondit Konrad.

– Vous savez ce qui s'est passé ? s'enquit Thorbjörg, curieuse d'en savoir plus sur la mort suspecte de son ancien voisin. Toute la presse islandaise avait mentionné la cause du décès.

– Nous l'ignorons, répondit Konrad.

– Qui pourrait faire une chose pareille ? Qui donc s'en prendrait ainsi à un vieillard ? Il était sans doute à la fin de sa vie, mais quand même.

– Vous le connaissiez bien ?

– Je n'irais pas jusque-là, il était assez solitaire. Nous vivons ici depuis, disons, huit ans, mais je ne peux pas dire que je le connais bien.

– Qui occupe l'appartement d'en face ?

– Birgitta. Elle est veuve. C'est elle qui le connaissait le mieux, elle vit ici depuis très longtemps.

Thorbjörg s'avança vers lui et baissa la voix.

– Vous devriez l'interroger, ils étaient en contact, surtout après la mort du mari de Birgitta, il y a trois ans.

– En contact, comment ça ?

– Eh bien, je me demande même s'ils n'étaient pas un peu plus que de simples amis, mais bon, je ne voudrais pas colporter des ragots. Après tout, ça ne me regarde pas.

– Il a reçu des visites récemment ?

– Non, votre collègue m'a déjà posé la question. Il recevait rarement. D'ailleurs, je ne passais pas mon temps à l'épier.

Quelques instants plus tard, Konrad frappa à la porte de Birgitta. La petite femme aux cheveux blancs argentés et aux gestes lents l'accueillit avec un sourire bienveillant. L'expression mélancolique de Konrad ne lui semblait pas engageante. Elle précisa que la police l'avait déjà interrogée, elle n'avait rien à ajouter.

– Je ne voudrais surtout pas vous importuner, je n'en ai que pour quelques instants, plaida Konrad dans l'espoir de la faire changer d'avis.

– Bon, d'accord, répondit-elle pour ne pas le froisser. Dans ce cas, entrez.

Ils s'installèrent dans le salon. Konrad lui demanda depuis combien de temps elle connaissait Stefan.

– Depuis qu'il est arrivé dans l'immeuble, il doit y avoir vingt-cinq ans. Il venait de Hveragerdi, il avait longtemps vécu là-bas. Il connaissait un peu mon cher Eyjolfur, il leur arrivait de discuter dans la cage d'escalier. Après le décès d'Eyjolfur, Stefan a eu la gentillesse de me proposer de m'aider pour de menues choses de la vie quotidienne, il passait toujours prendre un café chez moi quand il allait faire ses courses. Il achetait tout au magasin du quartier.

– Il n'avait pas de famille ?

– Non, il ne s'est jamais marié et il était assez discret sur la question. Mais nous avions beaucoup d'autres sujets de conversation.

– Il était toujours indépendant malgré son grand âge ?

– Oui, il était robuste et en pleine santé. Il disait qu'il n'avait rien à faire dans une maison de retraite.

– Avait-il reçu ou rendu des visites récemment ? Apparemment, il était plutôt solitaire.

– En effet, il ne connaissait pas grand monde, il parlait peu de sa famille et de ses amis. Je ne crois pas qu'il ait eu de la visite récemment, mais il est possible que ça m'ait échappé.

– Quelle était sa profession avant d'être à la retraite ?

– Il était ingénieur des ponts et chaussées. Il a travaillé un peu partout en Islande. Évidemment, il y a longtemps qu'il a arrêté. À votre avis, qu'est-ce qui s'est passé ?

– Ce n'est pas facile à dire.

– J'ai appris qu'on l'avait étouffé. Son assassin lui a plaqué un oreiller sur le visage et il n'a pas eu la force de se défendre.

– C'est ce que nous supposons, admit Konrad.

– Quelle horreur, murmura Birgitta, comme pour elle-même.

– Et vos voisins ? Il était en froid avec certains ?

– Nos voisins ? Non ! Pourquoi ?

– C'était juste une idée qui me traversait l'esprit.

– Non, je crois que vos collègues les ont tous interrogés. Ils sont convaincus que le meurtier n'est pas un des habitants de l'immeuble. Ce sont tous des gens charmants. Aucun d'eux ne ferait une chose pareille.

La Criminelle avait en effet interrogé tous les occupants de l'immeuble à deux étages, qui comptait huit appartements. La plupart étaient des personnes âgées qui étaient restées là, même après le départ de leurs enfants. D'ailleurs, les appartements n'étaient pas très grands. La police avait également interrogé ceux qui vivaient dans les immeubles voisins, mais la plupart ne connaissaient même pas Stefan.

– Vous aurait-il déjà parlé, à vous ou à votre mari, du Théâtre national ? s'enquit Konrad.

– Le Théâtre national ?! Je crois bien qu'il n'a jamais vu de pièce de toute sa vie.

– Non, je veux plutôt parler d'événements qui ont eu lieu près de là, pas des représentations.

– Des événements ? Lesquels ?

– Des choses qui datent de la guerre.

– De la guerre ?

– Oui, de la Seconde Guerre mondiale, précisa Konrad en veillant à ne pas trop lui en dire, surtout parce qu'il en savait très peu lui-même.

– Comment ça, des événements qui remontent à la guerre ? demanda Birgitta.

– À votre avis, il croyait en Dieu ? éluda Konrad.

– Nous n'avons jamais abordé la question. Je ne pense pas qu'il était spécialement croyant.

– Et aux phénomènes surnaturels ?

– Je ne crois pas non plus. Je ne l'ai jamais entendu en parler. Vous voulez dire… non, mais que voulez-vous dire exactement ?

– Croyait-il à la vie après la mort, lui arrivait-il de consulter des médiums ?

Birgitta le fixa longuement.

– Qu'est-ce que vous avez trouvé chez lui ? s'inquiéta-t-elle.

– Pas grand-chose, répondit Konrad avec un sourire. J'ai vu qu'il lisait les contes populaires islandais. Savez-vous pour quelle raison il s'y intéressait ?

– Non, répondit Birgitta. Nous n'en avons jamais discuté. En revanche…

– Oui ?

– Vous parliez de la guerre et vous me demandiez s'il avait reçu ou rendu des visites récemment. Il m'a raconté qu'il était allé voir quelqu'un à la maison de retraite qui se trouve dans le quartier. Je lui ai demandé comment ça s'était passé, mais il ne m'a rien dit. J'ai eu l'impression qu'il n'avait pas envie d'en parler. Je ne l'ai pas forcé, je me disais qu'il le ferait un jour, s'il en ressentait le besoin.

– Donc, vous ne savez pas ce qu'il allait faire là-bas ?

– Non.

– Vous vous entendiez bien ?

– Oui, nous étions très amis.

– Connaissez-vous des gens dont il était proche et que je pourrais interroger ? risqua Konrad en pensant à la photo qu'il avait trouvée dans le tiroir de la table de nuit.

– Non, hélas, je ne peux pas vous aider là-dessus.

– D'où venait Stefan ? Il était originaire de la province du Sudurland ? demanda-t-il, Marta ne lui ayant communiqué que très peu d'informations sur le défunt. Vous m'avez dit qu'il venait de Hveragerdi.

– Non, il était canadien. Il est né dans le Manitoba, de parents islandais, il est arrivé en Islande pendant la guerre, répondit Birgitta.

– Et il portait un nom islandais, Stefan Thordarson ?

– Non, enfin, disons qu'il a fait changer son nom plus tard. Au début, il portait son nom canadien, puis il l'a, comment dire, « islandisé ».

– Son nom canadien, c'est-à-dire ?

– Il a d'abord utilisé le nom qu'il portait au Canada, répéta Birgitta, patiente. Puis, il l'a fait modifier par l'état civil islandais quand il s'est installé ici et, après ça, il s'appelait Stefan Thordarson.

– Et comment s'appelait-il au Canada ?

– Thorson. Stephan Thorson.

9

L'association des ingénieurs ne fut pas en mesure de dire grand-chose à Konrad sur Stefan Thordarson ou Thorson. Il avait pris sa retraite depuis très longtemps, la Caisse des ingénieurs lui versait sa pension, mais les employés ne le connaissaient pas. Marta fut surprise d'apprendre que la victime était un Islandais du Canada. Birgitta n'avait pas mentionné ce détail à la police. Apparemment, Stefan ne s'était jamais marié et n'avait pas eu d'enfants. Personne n'avait demandé à le voir à la morgue. Il était difficile d'obtenir des renseignements sur cet homme, ce qui exaspérait Marta.

– Personne ne mène une existence aussi solitaire, trancha-t-elle quand Konrad l'appela sur son portable.

– Et pourquoi pas ? répondit Konrad, qui sortait juste de chez Birgitta et était sur le point de se rendre à la maison de retraite où le vieil homme était récemment allé. Je suppose que ses proches vivaient au Canada et qu'ils sont morts depuis longtemps. Il a décidé de repartir à zéro en arrivant en Islande, mais n'a pas fondé de famille. Il avait sans doute quelques amis comme Birgitta. Tu réussiras peut-être à en retrouver quelques-uns.

– Espérons ! Je suis persuadée que c'est une personne de son entourage qui a fait ça.

– Tu veux dire : qui l'a tué ?

– Oui. Ce vieux hibou a ouvert la porte à une connaissance qu'il a invitée à entrer dans son appartement. Sinon, on aurait trouvé des traces d'effraction et de lutte. Rien n'a été volé. Ce visiteur semble être venu dans le seul but de s'en prendre à lui, mais c'est tout de même…

– Tu vas trop vite, coupa Konrad. Nous ignorons s'il connaissait son agresseur. En Islande, nous avons l'habitude d'ouvrir à ceux qui viennent sonner ou frapper chez nous. Il faut vraiment être sur ses gardes pour une raison bien précise pour refuser d'ouvrir. Donc, rien ne dit que ce vieil homme connaissait son ou ses agresseurs. Tu ne peux pas considérer cette hypothèse comme acquise.

– Il n'empêche que c'est la plus probable. Je vais contacter les services de police du Manitoba pour voir s'ils peuvent m'en dire un peu plus sur ce… Stephen Thorson, c'est bien le nom que tu m'as dit ?

– Stephan Thorson, pas Stephen.

– Tu as trouvé autre chose ? Par exemple, concernant ces coupures de presse ?

– Non, rien, si ce n'est que…

– Oui ?

– Il a connu une fin des plus discrètes dans sa chambre et…

– Et quoi ? Qu'est-ce que tu essaies de me dire ?

– D'une certaine manière, cette mort discrète est en parfaite adéquation avec l'existence de cet homme. Il ne se faisait pas remarquer. Personne ne sait rien à son sujet. Il semble qu'il n'y avait aucun bruit, aucune agitation dans sa vie. Il a vécu, puis il est mort, voilà tout.

Le directeur de la maison de retraite avait autre chose à faire que de consacrer du temps à Konrad. Cet homme était aussi imposant que bruyant. Konrad s'était d'ailleurs laissé guider par ses éclats de voix jusqu'au fond du couloir. Apparemment, il passait un savon à un fournisseur sans se soucier des deux personnes présentes dans son bureau. Il mit fin à sa conversation téléphonique de manière peu avenante, adressa quelques mots aux deux employés qui s'éclipsèrent et leva les yeux sur Konrad.

– Que puis-je pour vous ? s'enquit-il alors qu'à nouveau, le téléphone sonnait sur son bureau. Il décrocha, prononça trois « non » successifs à intervalles réguliers et raccrocha.

Konrad le salua et se présenta.

– Je cherche des renseignements sur un homme qui est venu rendre visite à un de vos résidents, il n'y a pas longtemps.

– Un homme ? Qui ça ?

– Il s'appelait Stefan Thordarson, c'était un vieillard de plus de quatre-vingt-dix ans.

– Aujourd'hui, on n'appelle plus ça un vieillard, les vieux ont complètement cessé de mourir.

– Enfin, je me suis dit qu'il s'était sans doute adressé à vous ou au personnel de votre établissement.

– Stefan Thordarson ?

– Oui.

– Ce nom me dit quelque chose. On l'a retrouvé assassiné chez lui, c'est ça ? Il est passé ici quelques jours avant sa mort. Il voulait voir notre brave Vigga.

– Vigga ?

– Une de nos patientes. Elle est grabataire et le plus souvent ailleurs. Elle vivait dans Skuggahverfi, le quartier des Ombres.

Konrad dévisagea le directeur.

– Vous savez ce qu'il lui voulait ?

– Non, si je me souviens bien, il s'est présenté comme un ami de longue date.

– J'ai connu une certaine Vigga qui vivait dans Skuggahverfi, elle doit être très vieille. C'est à elle qu'il a rendu visite ?

– Nous n'avons chez nous qu'une seule Vigga. Vous souhaitez la voir ? Rappelez-moi votre nom. Vous êtes de la police ?

Le téléphone sonna à nouveau. Le directeur répondit.

– Merci beaucoup, conclut Konrad. Je la trouverai, ajouta-t-il avant de quitter rapidement le bureau. Tandis qu'il longeait le couloir, il se rappela que pendant son enfance dans le quartier des Ombres, une certaine Vigga vivait rue Lindargata. Cette femme le terrifiait. Des années plus tard, il avait découvert qu'elle était née en 1915. À cette époque, les gens vieillissaient plus vite à cause des travaux pénibles et de l'existence difficile qu'ils menaient. Konrad l'avait toujours vue comme une vieille femme alors qu'elle avait à peine quarante ans lorsqu'il l'avait connue.

Cette célibataire aiguisait la curiosité des gamins du quartier par ses étranges manières et ses drôles de vêtements. Ils la surnommaient Vigga la méchante, la craignaient et la fuyaient sauf quand ils étaient assez nombreux et qu'ils parvenaient à rassembler leur courage pour lui jouer de mauvais tours. Elle réagissait alors avec vigueur, ce qui ne faisait qu'envenimer les choses. Quand ils la voyaient sortir sur le pas de sa porte pour les attraper par la peau du cou, ils s'enfuyaient en hurlant. Il arrivait qu'elle se lance à leurs trousses, qu'elle en empoigne un ou deux et qu'elle les réprimande en les abreuvant d'invectives et de mises en garde des plus originales. Elle avait une affection particulière pour le plomb bouillant qu'elle menaçait de verser sur ces vermisseaux insignifiants. Un jour, à l'âge de six ans, Konrad s'était amusé à lancer des boules de neige sur sa maison. Elle était sortie, habillée comme l'as de pique, avec son gilet en laine par-dessus ses trois chandails élimés, ses jupes, ses jupons et ses grandes bottes en caoutchouc. Ce petit nigaud de Konrad lui aurait échappé s'il n'avait pas trébuché et glissé sur les fesses. Elle l'avait empoigné, lui avait flanqué une gifle sur sa joue rougie par le froid et il avait pleuré. Puis elle l'avait jeté à terre en le menaçant de l'enfermer à clef dans sa cave s'il ne déguerpissait pas.

Konrad n'était jamais entré dans cette cave, mais il la connaissait bien pour avoir entendu toutes sortes d'histoires terrifiantes sur des enfants qui s'étaient perdus dans le quartier des Ombres et celui, voisin, de Thingholt, des mômes que personne n'avait jamais retrouvés et qui étaient sans doute morts dans l'antre de Vigga la méchante. Elle avait toujours vécu seule dans cette petite maison en bois recouverte de tôle ondulée qui résonnait quand on y lançait des cailloux. Les fenêtres à simple vitrage se couvraient de givre et de glace dès qu'il faisait froid. Elle semblait avoir peu d'amis. Elle ne recevait aucune visite si on excluait celle du charbonnier qui la livrait toutes les deux semaines jusqu'au moment où, décidant de ne plus s'opposer au progrès, elle accepta qu'on installe chez elle le chauffage de la ville fonctionnant à la géothermie. La mère de Konrad avait dit à son fils que cette femme était blanchisseuse. Elle lui avait interdit de l'embêter car elle avait une vie déjà assez difficile comme ça pour ne pas être, en plus, importunée par de sales gamins.

Konrad entra dans la chambre où la vieille Vigga dormait sous sa couette blanche. Il se disait que, décidément, le quartier des Ombres le poursuivait en empruntant d'étranges détours. Il pensait à la jeune fille assassinée, aux coupures de journaux que le vieil homme gardait chez lui et aux séances de spiritisme auxquelles son père avait participé. Il pensait à Vigga, allongée sous sa couette d'où ne dépassaient que ses cheveux blancs et son front ridé, et se demandait pour quelle raison le vieil homme était venu voir cette femme qui lui avait inspiré une telle terreur pendant son enfance et que la mort n'avait pas encore vaincue.

10

Originaire de la province des Hornstrandir tout au nord des fjords de l'Ouest, Baldur, le légiste, était à soixante ans de corpulence imposante, son visage était taillé à la serpe et il avait une profonde voix de basse. Quand Flovent pénétra dans la salle d'autopsie, il examinait le corps de la jeune fille. Le médecin avait versé une ligne généreuse de tabac à priser sur le dos de sa main qu'il aspira d'une narine puis de l'autre avant de sortir un mouchoir rouge de la poche de sa blouse pour s'essuyer le nez.

– Bonjour Flovent, lança-t-il en rangeant son mouchoir. On te confie là une bien triste affaire. Cette gamine était si jeune. C'est terrible.

– Tu as eu le temps de l'examiner ?

– Un peu. Apparemment, on l'a étranglée à mains nues, répondit Baldur en passant son index sur le long cou gracile qui portait des bleus laissés par des doigts épais. Je suppose que l'assassin est un homme. À en juger par ces marques, il a de sacrés battoirs et n'a eu aucun mal à obstruer les voies respiratoires de cette gamine. Il semble qu'elle lui ait résisté, elle s'est débattue, il lui a donné un coup en plein visage, regarde ce bleu. Elle s'est cassé plusieurs ongles comme tu peux le voir, ajouta-t-il en soulevant la main du cadavre pour les lui montrer.

– L'agression a eu lieu à côté du Théâtre national ?

– Non, je ne pense pas. Sinon, j'aurais trouvé sur son corps des éraflures causées par les graviers. À mon avis, l'agression n'a pas eu lieu en plein air.

– Tu veux dire que le meurtrier se serait débarrassé du corps à côté du théâtre après l'avoir tuée ?

– C'est probable. Il l'a sans doute déposée là déjà morte. Il y a autre chose qu'il faut que tu saches. Je dois examiner ça de plus près, mais on dirait bien qu'elle a subi un avortement.

– Ah bon ?

– Oui. L'intervention est assez récente. Elle n'a pas été pratiquée par un professionnel. C'était une vraie boucherie.

– Comment ça ?

– Je n'arrive pas à croire que l'opération ait été pratiquée par un membre du corps médical, précisa Baldur. Certes, ce n'est pas complètement exclu, il y a des gens qui font du travail de cochon dans toutes les professions. Elle avait un petit ami ?

– On ne connaît même pas son identité, répondit Flovent, mais c'est bien possible.

– Dans ce cas, c'était sans doute un soldat, tu ne crois pas ?

– On est à la recherche de l'homme qui a découvert son corps, un soldat américain qui s'est enfui. Il était en compagnie d'une jeune Islandaise que nous avons interrogée. Elle n'a pas pu beaucoup nous aider. On suppose que ce soldat connaissait la victime. Tu n'aurais pas une idée de qui elle serait allée voir pour résoudre son… son problème ?

– Tu parles de l'avortement ? Non, je ne connais rien à tout ça. Les interruptions de grossesse sont autorisées en Islande depuis quelques années à des conditions très précises : quand la vie de la mère est en danger, en cas de viol ou d'inceste. Aucun médecin n'accepterait de pratiquer ce type d'intervention dans d'autres cas. Le fait d'avoir couché avec un soldat ne suffit pas à la justifier.

– Évidemment, ce sont des sujets très sensibles pour beaucoup de gens, convint Flovent.

– Je suppose cependant qu'on peut recourir à ce type de service sans difficulté étant donné la situation présente, reprit Baldur. Mais tout ça se fait bien sûr en secret, comme tant de choses à notre drôle d'époque.

Les recherches engagées pour retrouver le sergent Frank Carroll restèrent infructueuses. Thorson était persuadé que le soldat avait menti à Ingiborg. Il était notoire que certains militaires en quête de distraction passagère faisaient miroiter toutes sortes de choses, ils promettaient de l'or et de vertes forêts, et affirmaient qu'à la fin de la guerre ils emmèneraient leurs petites amies vers un monde nouveau et radieux de l'autre côté de l'Atlantique. Flovent et Thorson rendirent donc une seconde visite à Ingiborg pour lui demander quelques précisions sur l'homme qui se faisait appeler ainsi. Pour l'instant, il ne leur semblait pas nécessaire d'arrêter la jeune fille et de l'interroger au commissariat.

On ignorait encore l'identité de la jeune femme trouvée au pied des murs austères du Théâtre national. Personne n'avait signalé sa disparition. La nouvelle de la découverte du corps s'était répandue, les journaux du matin et la radio en avaient parlé. Flovent supposait toutefois que son entourage ne tarderait pas à se manifester. Il annonça à Thorson que les examens préliminaires avaient révélé que la jeune fille avait récemment subi un avortement.

Ingiborg était plus calme quand ils retournèrent l'interroger. Elle était seule chez elle avec sa mère. Son père l'avait violemment tancée après leur première visite mais, en son absence, elle semblait beaucoup plus détendue. Ils n'autorisèrent pas sa mère à assister à l'interrogatoire et lui demandèrent de quitter le salon.

– En réalité, Ingiborg, nous ne trouvons aucun Frank Carroll dans les rangs de l'armée américaine, commença Flovent.

– Ce qui signifie que l'un de vous a menti, poursuivit Thorson. Soit vous nous cachez la vérité, soit c'est lui qui vous mène en bateau.

– Si nous découvrons que vous nous mentez, reprit Flovent, nous vous emmènerons au commissariat puis à la prison, rue Skolavördustigur. Nous vous avons traitée correctement jusque-là, nous avons été compréhensifs. Si vous ne nous dites pas la vérité, nous changerons de méthode.

– Mais je ne vous mens pas, protesta Ingiborg. Ça ne me viendrait pas à l'esprit. Je n'ai rien fait de mal. On a juste trouvé le corps et…

– Et quoi ? s'enquit Thorson.

– Donc, il m'a menti, poursuivit-elle en baissant la voix. Il m'a dit qu'il s'appelait Frank Carroll. Et je ne peux pas vous en dire plus.

– Vous avez eu d'autres relations avec des soldats avant lui ? demanda Flovent.

– Non, je ne suis pas une traînée.

– Il a promis de vous emmener en Amérique ?

Ingiborg ne répondit pas.

– Il a promis de vous épouser ?

– Oui, on en a parlé.

– Le mariage était prévu bientôt ou après la guerre ?

– Après la guerre. Il craint beaucoup qu'on l'envoie au front en Europe. Il préfère attendre que la guerre soit finie. Moi aussi, je trouve ça plus raisonnable.

– Et si on l'envoie au front, vous croyez qu'il reviendra ? demanda Thorson.

Ingiborg hocha la tête.

– Je ne suis pas une imbécile, si c'est ce que vous pensez. Et je ne suis pas non plus une fille à soldats. Frank s'est toujours comporté convenablement. Il savait que mon père s'opposait à notre liaison. Il savait que ma famille ne nous accepterait jamais et que nous allions toujours devoir nous débrouiller seuls.

– Et ça ne vous gênait pas ?

– Vous ne savez pas ce que c'est de vivre avec mon père, répondit froidement Ingiborg.

– Qu'est-ce que vous savez d'autre sur Frank ? demanda Flovent. Vous pouvez nous décrire les insignes qu'il portait sur son uniforme ? Est-ce qu'il vous a parlé de son régiment ? De ses amis ?

– Je ne peux pas vous en dire plus. Je n'ai remarqué aucun insigne particulier sur son uniforme et je n'ai rencontré ses amis qu'une seule fois, à l'hôtel Borg.

– Vous vous souvenez de leurs noms ?

– Désolée, non.

– Vous avez peut-être des lettres de lui, ou même des photos ?

– Non.

– Après avoir découvert le corps de cette jeune fille, vous n'avez pas imaginé qu'il ait pu vous avoir menti sur toute la ligne ? reprit Thorson.

Elle avait en effet envisagé cette hypothèse, à l'origine de sa nervosité et de nuits d'insomnies. Frank ne lui avait pas dit grand-chose sur sa vie en Amérique. Le style de leurs conversations était télégraphique à cause de la barrière de la langue. Elle savait qu'il s'intéressait aux voitures, mais ignorait presque tout de sa famille. Ils se fréquentaient depuis quelques mois et elle imaginait que plus elle progresserait en anglais – parce que Frank ne faisait pas l'effort d'apprendre l'islandais –, plus ils se connaîtraient et plus elle en saurait à son sujet.

– En tout cas, je suis sûre qu'il s'appelle bien Frank, les amis qu'il a vus à l'hôtel Borg l'appelaient comme ça.

– Bon, je pense que ça suffit pour l'instant, déclara Flovent. Si certains détails vous reviennent, contactez-nous.

– Vous savez qui était cette jeune fille ? demanda Ingiborg.

– Pas encore, répondit Thorson.

– Elle fréquentait peut-être elle aussi un soldat.

– C'est possible.

– Un homme comme Frank qui l'aurait emmenée derrière le théâtre ?

– C'est ce que nous cherchons à découvrir, répondit Thorson, soucieux de ne pas la froisser. Vous avez choisi cet endroit pour une raison précise ?

– L'idée venait de lui. Il m'a dit que les soldats allaient parfois là-bas.

– Avec leurs petites amies ?

– Oui.

N'ayant pas vu la jeune fille aux abords du Théâtre national, les soldats qui gardaient le mur en sacs de sable ne furent pas en mesure d'aider la police. L'enseignante n'était peut-être pas la seule à avoir traversé le quartier des Ombres ce soir-là, mais si d'autres passants avaient remarqué quelque chose de suspect, ils ne s'étaient pas manifestés. Apparemment, personne n'avait aperçu la gamine ni celui qui l'accompagnait. On avait passé les environs au peigne fin sans rien trouver.

Thorson menait les interrogatoires des soldats travaillant dans l'entrepôt qui ne ressemblait pas du tout à un théâtre. La scène n'était pas encore installée et la salle destinée à accueillir les futurs spectateurs était encombrée de matériel et de victuailles jusqu'au plafond. Flovent suggéra qu'ils s'installent dans la cave à charbon du bâtiment. Cette cave devait initialement abriter la chaufferie, mais on avait décidé de la transformer en salle de réception, maintenant que la géothermie prenait le relais du charbon pour chauffer les maisons. Une grande agitation régnait dans l'entrepôt où l'on s'affairait à déménager pour que les Islandais puissent reprendre les travaux de construction et achever leur théâtre.

Aucun des militaires interrogés ne connaissait la jeune femme. Deux simples soldats reconnurent qu'ils avaient une petite amie islandaise.

– J'ai l'impression qu'il y a un certain nombre de Frank parmi nos hommes à Reykjavík, observa Thorson en reprenant avec Flovent la direction de la rue Frikirkjuvegur. Je m'en suis rendu compte en recherchant ce soi-disant Carroll. Il lui a menti sur toute la ligne. C'est typique.

Flovent portait un chapeau et un long manteau d'hiver, le seul qu'il possédait. Thorson avait enfilé un imperméable par-dessus son uniforme de la police militaire et était coiffé d'un képi. Il faisait froid. Les deux hommes descendaient la rue Hverfisgata les mains dans les poches. La cathédrale sonnait deux heures.

– C'est typique, effectivement, convint Flovent.

– Mais puisqu'il n'a pas menti sur son prénom, on devrait pouvoir le retrouver.

– Tu n'as qu'à recenser tous ceux qui correspondent à peu près au signalement donné par Ingiborg, elle le reconnaîtra, suggéra Flovent. Concentre-toi sur ceux qui viennent de l'Illinois.

– Il n'y en a aucun qui soit sergent.

– Ça ne m'étonne pas.

Ils prirent congé. Thorson rejoignit le siège de la police militaire au camp de Laugarnes tandis que Flovent continuait d'avancer à grands pas dans la rue Frikirkjuvegur. À son arrivée un homme et une femme d'âge mûr l'attendaient, assis sur le banc du vestibule. Il passa devant eux sans leur accorder aucune attention. Le couple se leva et le vit disparaître dans son bureau. La secrétaire attrapa Flovent par le bras.

– Ils veulent vous voir, annonça-t-elle en les désignant d'un signe de tête.

– Qui ça ?

– Ces gens, ils sont là pour leur fille.

Flovent comprit immédiatement. Il regarda dans le couloir où le couple les observait, lui et la secrétaire.

– Mais ils sont très âgés, murmura-t-il.

– C'était une enfant adoptée, répondit tout bas la secrétaire. Ils espèrent que ce n'est pas elle dont on a parlé dans les journaux et à la radio, mais ils n'ont pas vu leur fille depuis plusieurs jours et ignorent où elle est.

Flovent retourna dans le vestibule et les salua. L'homme lui serra la main, son épouse l'imita. Bien que calmes, tous deux semblaient inquiets. Ils étaient chaudement vêtus. Flovent estimait qu'ils devaient avoir dans les soixante-dix ans. La femme avait un air doux et bienveillant. Le mari, maigre et sec, avait des mains de travailleur.

– On ne voulait pas vous déranger pour rien, commença-t-il. Mais nous avons entendu l'histoire de cette jeune fille découverte à côté du théâtre, la radio a dit qu'elle avait une vingtaine d'années et…

– Je lui ai dit qu'on devait appeler la police, mais il a préféré attendre en espérant qu'elle finirait par rentrer, intervint la femme. Vous avez identifié la victime ?

– Pas encore, répondit Flovent. Jusque-là, personne ne nous a signalé sa disparition.

– Ce n'est pas la première fois qu'elle fugue, reprit l'épouse.

– Ah bon ?

– Mais elle finissait toujours par rentrer.

– Je peux vous accompagner à la morgue si vous en avez le courage, proposa Flovent.

Le couple échangea un regard.

– Vous serez amenés à procéder à l'identification du corps, faute de quoi, nous n'aurons aucune certitude, ajouta le policier.

– Je ne suis jamais allée là-bas, avoua la femme.

– Ce n'est pas le genre d'endroit qu'on a envie de visiter, répondit Flovent.

Il appela le légiste de l'Hôpital national et lui demanda de se préparer à les recevoir puis invita le vieux couple à monter dans la voiture que la Criminelle avait à sa disposition et les emmena à l'hôpital, qui était un des plus grands bâtiments d'Islande. Baldur les attendait à la porte de la morgue. Il les salua. Il avait sorti le corps de la jeune fille, qui reposait sur une table d'examen, recouvert d'un léger drap blanc. Les deux époux se tenaient tout près l'un de l'autre. Ils se prirent la main quand le légiste souleva le drap, dévoilant le visage de la jeune fille.

Ils reconnurent immédiatement leur enfant disparue. Flovent vit l'espoir déserter leur regard.

11

Baldur remit le drap en place.

– Qui a pu faire une chose pareille à cette pauvre petite ? soupira la femme en regardant son mari.

– Je vais devoir prendre votre déposition, ça ne vous gêne pas de retourner à mon bureau de Frikirkjuvegur ? demanda Flovent.

– Est-ce qu'on pourrait… La femme le regarda intensément. Vous pourriez nous laisser un peu avec elle ?

– Bien sûr, répondit Flovent en faisant signe au légiste de le suivre dans le couloir.

– Tu as retrouvé l'Américain ? lui demanda Baldur dès qu'ils furent seuls.

– Pour l'instant, il a le statut d'un témoin qui a pris la fuite sur une scène de crime, répondit Flovent. Nous devons faire attention à ne pas faire de déductions hâtives. Thorson assiste la police islandaise. Tu le connais ?

– Non.

– C'est un type bien, il est né au Canada de parents islandais. Son concours est précieux dans nos relations avec les troupes d'occupation.

– Il y a des brebis galeuses partout, observa le médecin.

– Dis-moi, c'est bien le rôle du légiste d'informer la famille de la manière dont cette jeune fille est morte et de l'avortement qu'elle a subi ?

– Si tu préfères, je peux m'en charger.

– Je veux bien, il vaut sans doute mieux qu'ils apprennent ça de la bouche d'un médecin.

Baldur hocha la tête et retourna en salle d'autopsie. De longues minutes passèrent. Flovent attendait dans le couloir en essayant d'imaginer ce que ressentaient ces gens sans être capable de mesurer leur chagrin.

La porte s'ouvrit et le couple sortit de la salle. La femme s'essuyait les yeux avec le mouchoir qu'elle avait dans son sac à main. Son mari la serra dans ses bras puis la soutint jusqu'au bout du couloir. Flovent prit congé du légiste et repartit à Frikirkjuvegur avec eux. Il leur offrit du café de l'armée américaine que Thorson lui avait donné et attendit un peu qu'ils aient repris leurs esprits. Il ne voulait pas être trop pressant ni ajouter à leur douleur.

– Vous avez trouvé l'assassin ? demanda l'épouse après un long silence.

– Malheureusement, pour l'instant, nous n'avons rien de concret, nous espérions que vous pourriez nous aider à y voir plus clair, maintenant que nous avons identifié la victime.

– Je ne sais pas, répondit le mari. Tout ça est tellement… tellement irréel. Quand je pense à la mort affreuse de cette pauvre petite.

– On m'a dit que vous l'aviez adoptée.

– En effet, confirma le vieil homme. Nous avons recueilli Rosamunda chez nous quand elle avait dix-huit mois. Nous n'avons pas eu d'autre enfant. On en voulait, mais notre souhait n'a pas été exaucé.

– De quelle région venait-elle ?

– De la province de Hunavatnssysla, répondit la femme. Ma sœur travaillait dans une ferme là-bas. Une mère de famille est morte en laissant derrière elle des enfants en bas âge et, grâce à ma sœur, le père de la petite a accepté de nous la confier.

Le mari expliqua à Flovent que lui et son épouse s'étaient finalement résignés à chercher un enfant à adopter. Ils vieillissaient et ne pouvaient plus vraiment attendre, quand sa belle-sœur leur avait envoyé une lettre où elle leur parlait de ces petits qui avaient perdu leur mère. Trois de ces enfants seraient placés dans des fermes voisines, mais le père ne s'opposait pas à ce que sa petite fille soit accueillie chez de braves gens de Reykjavík. La sœur de sa femme lui avait parlé d'eux et le fermier avait accepté de les rencontrer. Le couple s'était donc rendu dans le Nord pour discuter avec ce pauvre paysan qui avait du mal à joindre les deux bouts. Ils avaient pris la petite dans leurs bras pour la première fois. Âgée d'un peu plus d'un an, c'était une enfant joyeuse et robuste. Sa mère était morte en couches à la naissance du huitième enfant.

– Certains ont plus de chance que d'autres, glissa l'épouse en regardant Flovent.

Ils avaient ramené Rosamunda à Reykjavík, reprit le mari. Elle était heureuse chez eux, en ville. Elle avait fréquenté l'école d'Austurbaejarskoli et obtenu son certificat d'études. Bien que pas très bonne à l'école, elle avait toujours été courageuse. Ils avaient envisagé de lui faire poursuivre ses études, mais l'école l'ennuyait et, au début de la guerre, elle avait trouvé un emploi chez une couturière à deux pas de la place d'Austurvöllur. Elle avait toujours beaucoup aimé coudre et était ravie que cette brave femme l'ait engagée. Elle voulait apprendre à faire des robes et toutes sortes de vêtements. Un jour, elle avait même fabriqué une magnifique tenue pour sa mère.

– Elle voulait ouvrir son propre atelier, ajouta fièrement celle-ci.

– Elle n'aura pas réalisé ce rêve, regretta son époux.

– C'était une très belle robe, reprit sa femme. Une robe magnifique, superbement coupée. Je peux vous dire que jamais je n'en ai eu une qui m'allait aussi bien. Rosamunda était très adroite de ses mains, elle savait tout faire.

– Vous m'avez dit que ça lui était déjà arrivé de disparaître comme ça, glissa Flovent.

– Oui, c'était il y a trois mois, répondit le mari.

– Qu'est-ce qui s'est passé ?

L'homme regarda sa femme, gêné.

– Elle est rentrée au bout de deux jours, dit-il.

– Sans vraiment nous fournir d'explication, ajouta-t-elle.

– Ah bon ?

– Oui, pauvre petite. Je suppose qu'elle était avec un garçon. Elle n'a pas voulu nous le dire et nous l'avons laissée tranquille. En y repensant, on aurait peut-être dû insister.

– Quelle explication vous a-t-elle donnée ?

Flovent les regarda à tour de rôle.

– Elle a juste prétexté qu'elle avait eu besoin d'un peu de temps à elle, d'être seule. Elle avait découché, mais n'a pas voulu nous en dire plus.

– Quelque chose la contrariait ?

– Apparemment, non.

– Et c'est tout ?

Le couple échangea un regard sans répondre.

– Ce genre de chose s'était-il déjà produit auparavant ?

– Non, jamais, répondit le mari. C'est la seule fois. Nous n'avons pas voulu lui faire violence. S'il lui était arrivé quelque chose dont elle ne voulait pas parler, c'était son affaire. Nous avons pensé qu'elle nous le dirait peut-être plus tard, quand elle serait remise.

– Et elle l'a fait ?

– Non, en tout cas, elle ne…

L'homme s'interrompit. Flovent regarda le couple. Abattus, assis face à lui, ils regrettaient amèrement de n'avoir pas réagi autrement quand leur fille avait disparu deux jours durant. Désormais, il était trop tard.

– Elle nous a dit de ne pas nous inquiéter, reprit la femme. Selon elle, il n'y avait rien de grave.

– Elle fréquentait quelqu'un ?

– Non, ou si c'était le cas, on n'était pas au courant.

– Et ses camarades, ils savent ce qui s'est passé ?

– Elle n'avait pas beaucoup d'amis, répondit l'épouse. Elle n'a jamais eu de fiancé, ça nous étonnait car elle était très jolie. Mais elle était assez proche d'une fille qui travaillait à l'atelier de couture avec elle.

– Elle avait gardé contact avec sa famille dans le Nord ? demanda Flovent.

– Très peu, répondit le vieil homme, elle ne s'intéresse à ses origines que depuis quelques mois. Elle a correspondu avec… je suppose qu'il faut appeler cet homme son père, et elle pensait se rendre dans le Nord bientôt.

– Ça fait longtemps qu'elle est au courant que sa famille vient de là-bas ?

– Elle l'a toujours su, assura la femme. Ça n'a jamais été un secret. On ne lui cachait rien. Nos relations étaient saines et claires. Cela dit, on la considérait vraiment comme notre fille.

– Malgré ça, elle ne vous a pas expliqué son absence de deux jours.

Le couple garda le silence.

– Elle avait sans doute ses raisons, répondit l'homme au bout d'un moment.

– Elle fréquentait des soldats américains ?

– Des soldats ? s'étonna la femme. Pas du tout, c'est absolument exclu.

– Qu'est-ce qui vous fait dire ça ?

– Elle les ignorait complètement, vous pouvez me croire, elle ne connaissait aucun soldat. Évidemment, elle a dû en croiser quelques-uns à l'atelier de couture, mais c'est tout. Je suis sûre que ça n'est jamais allé plus loin. Et elle ne nous en a jamais parlé. Jamais.

– Quand l'avez-vous vue pour la dernière fois ?

– Le jour où vous avez trouvé son corps, répondit le mari. Elle est partie travailler le matin et n'est pas rentrée. On était allés voir des amis à Selfoss et on est restés dormir chez eux, ils habitent tout près de l'auberge de Tryggvaskali.

– Nous n'avons été absents qu'une seule nuit et nous pensions que tout allait bien, reprit la femme. Nous avons entendu parler de la jeune fille découverte à côté du théâtre, et pas une seconde, nous n'avons pensé à notre Rosamunda. Hier soir, à notre retour, elle n'était pas à la maison et elle n'est pas rentrée de la nuit. Ce matin, nous avons appelé la patronne de l'atelier de couture, mais elle n'a pas su nous dire où elle était, si ce n'est qu'elle ne l'avait pas vue hier et qu'elle avait supposé qu'elle était malade. C'est à ce moment-là que nous avons commencé à nous inquiéter…

– Qu'est-ce qui vous fait croire qu'elle fréquentait un soldat américain ? s'enquit le mari en s'avançant sur sa chaise.

– Le légiste vous a fait part des conclusions de l'autopsie ? demanda Flovent. Il vous a dit ce qui a causé sa mort et vous a expliqué qu'elle avait sollicité l'aide de…

– Oui, il nous a dit qu'elle s'est fait avorter il n'y a pas longtemps, compléta la femme.

– C'est ça, vous étiez au courant ?

– Non, on l'ignorait, assura l'épouse. Pauvre petite. J'en pleurerais rien que d'y penser. Elle ne nous l'a jamais dit et… je n'ai rien remarqué. J'aurais dû, mais… enfin, elle a réussi à nous cacher sa grossesse.

– Son meurtrier serait un soldat américain ? demanda le mari.

– Je n'en sais rien, répondit Flovent. C'est une éventualité que nous ne pouvons pas écarter étant donné la situation actuelle à Reykjavík.

– Et ce serait aussi lui qui l'aurait mise enceinte ?

– Ce n'est pas exclu non plus. Mais nous n'en savons rien et nous devons nous garder de conclusions hâtives. On ignore tout des événements qui ont précédé le décès de votre fille.

Le vieil homme et sa femme étaient assis silencieux, les mains posées sur les cuisses. Flovent ne pouvait que compatir à leur douleur muette et constater à quel point ils étaient incrédules et désemparés face à ce drame incompréhensible.

– C'était une jeune fille si belle et si douce, conclut l'épouse. Je ne comprends pas comment de telles choses peuvent arriver. Ça dépasse l'entendement…

12

Konrad passa un long moment assis au chevet de Vigga en attendant qu'elle se réveille, il repensait à son enfance dans Skuggahverfi, le quartier des Ombres. Ses premiers souvenirs dataient d'après la guerre, la prospérité qu'elle avait apportée était toujours là. Peu après la fin du conflit, la population avait cependant connu quelques restrictions. Dans son esprit, le quartier des Ombres était un monde à part, avec ses boutiques, ses petites et ses grandes entreprises. La rue Lindargata le traversait d'est en ouest, à une extrémité il y avait les arts et la culture, à l'autre des usines de produits alimentaires. Complètement à l'ouest, le Théâtre national tournait le dos à la rue, comme s'il était un peu trop élégant pour ce quartier, on y trouvait également la Bibliothèque nationale et la Cour suprême, destinée à ceux qui s'étaient écartés du droit chemin, et, tout à l'est, les agneaux de l'automne poussaient leurs derniers bêlements dans la cour de Slaturfélag Sudurlands, les Abattoirs du Sudurland. Entre ces deux pôles, on longeait des maisons en bois couvertes de tôle ondulée et des bâtiments en pierre à un ou deux étages. Certains étaient soigneusement entretenus, d'autres ne payaient pas de mine, avec leurs petits jardins tournés vers le sud et vers le soleil. C'est dans un de ses appartements en sous-sol ressemblant à des taudis que Konrad avait passé son enfance.

Ouvriers, artisans et bourgeois vivaient là en bonne intelligence. Certains buvaient, d'autres pas du tout. Certains allaient à l'église le dimanche et écoutaient la bonne parole avec une pointe de mauvaise conscience, encore vaseux après le samedi soir, adhérant inconditionnellement aux paroles du pasteur : … pardonnez-nous nos offenses. D'autres mettaient leur chapeau et allaient faire une promenade avec leur femme, qui venait peut-être d'acheter un manteau, ils se découvraient quand ils croisaient quelqu'un et le saluaient. Les femmes admiraient dans les vitrines les belles robes et les jolis chapeaux importés de Copenhague ou de Londres. Les hommes plissaient les yeux en direction du port et observaient les navires qui accostaient. Ils suivaient du regard une voiture rutilante qui longeait la rue Austurstraeti comme dans un rêve. Vers midi, une odeur de viande rôtie flottait dans tout le quartier, puis on digérait tranquillement jusqu'à l'heure du café. Ainsi passaient les dimanches. Parfois, on apercevait un bonhomme tout ébouriffé et en tricot de corps qui, debout à sa fenêtre, demandait à un gamin d'aller lui chercher une bière légère bien fraîche à l'épicerie du coin : Garde la monnaie ! lui criait-il.

Konrad se rappelait ces instantanés comme s'ils dataient d'hier. Il pensait souvent à son enfance dans ce quartier. Sa mère faisait figure d'exception puisqu'elle travaillait et apportait un salaire au foyer. Incapable de garder un emploi fixe, son père se livrait à toutes sortes de trafics et de magouilles. En grandissant, Konrad avait compris que l'illégalité était son pain quotidien. Le couple n'avait pas les moyens d'élever une famille nombreuse, leurs seuls enfants étaient Konrad et sa sœur Elisabet. Konrad se souvenait qu'ils recevaient de fréquentes visites : leur famille du nord de l'Islande, les amis de sa mère et les fréquentations plutôt suspectes de son père. Il n'était pas né à l'époque où ils escroquaient les gens avec de faux médiums, mais se rappelait que son père lui avait parlé des séances qui avaient eu lieu dans leur petit appartement en sous-sol. Jamais il n'avait joué le rôle du médium puisque, de l'avis général, c'était un piètre acteur. Le médium était parfois une femme, parfois un homme. Le père de Konrad mettait en condition ceux qui assistaient à la séance en leur demandant si le nom d'une certaine Gudrun ou d'un certain Sigurdur leur disait quelque chose, ou encore un tableau du mont Esja, voire l'odeur de camphre qui, à ses dires, envahissait subitement ses narines.

Au plus fort de la séance, les tables et les chaises bougeaient comme par magie, on entendait des tas de bruits et de craquements, des événements passés surgis de la vie de défunts, connus de l'assistance, venaient réjouir la tablée qui les interprétait comme les preuves évidentes d'une vie après la mort – la vie triomphait et la mort n'était qu'un passage conduisant vers un monde meilleur. C'étaient là des illusions créées par le père de Konrad et ses acolytes. Ils jouaient avec les sentiments et la douleur des autres pour quelques malheureuses couronnes. Plus tard, quand le père de Konrad évoquait ces duperies, il disait éprouver des remords. Il avait espéré s'enrichir juste après la guerre, aux grandes heures de la Société de spiritisme. À cette époque, les spiritistes avaient pignon sur rue : on avait ressorti le fantôme de Solveig de Miklibaer dans le fjord de Skagafjördur et les ossements de Jonas

Hallgrimsson, le grand poète du XIXe siècle, avaient été transportés depuis Copenhague jusqu'à sa ferme de la vallée d'Öxnadalur, puis jusqu'à l'ancien parlement en plein air de Thingvellir. Leurs esprits s'étant manifestés pendant les séances de la Société de spiritisme, les autorités avaient accepté la demande de transfert de leurs restes. C'est dans cette atmosphère propice que les activités du père de Konrad avaient prospéré. Certains étaient persuadés d'avoir un don naturel, mais avaient besoin d'un peu d'aide pour l'exercer. D'autres étaient simplement bons acteurs, ils savaient lire les expressions de leurs clients crédules et étaient très doués pour leur soutirer des informations fort utiles.

Vigga poussa un léger soupir. Konrad souleva légèrement la couette, dévoilant son visage. Elle était allongée là, les joues décharnées, édentée, la peau ridée, aussi sèche que les sables du désert, ses mèches de cheveux gris collées au crâne. Elle entrouvrit les paupières.

– Vigga ? murmura-t-il. Vous m'entendez ?

Elle ne répondit pas.

– Vigga ? répéta-t-il, un ton plus haut.

La vieille femme restait immobile, ses yeux usés semblaient fixer l'éternité. Apparemment, elle n'entendait rien.

– Je ne sais pas si vous vous souvenez de moi, je m'appelle Konrad, j'habitais autrefois tout près de chez vous, dans le quartier de Skuggahverfi.

Vigga ne réagissait toujours pas. Il resta à son chevet en silence. Une aide-soignante lui avait dit que la vieille femme avait parfois des éclairs de lucidité. D'après elle, ses jours étaient comptés, mais elle avait ajouté qu'elle avait dit la même chose quelques années plus tôt et s'était étonnée de sa résistance.

– Je voulais savoir si vous aviez reçu récemment la visite d'un certain Stefan, Stefan Thordarson, reprit Konrad.

Vigga cligna des paupières.

– Vous vous en souvenez ?

Konrad attendit une réponse qui n'arriva pas.

– Il s'est peut-être présenté sous le nom de Thorson, ajouta-t-il, espérant qu'elle l'entendait.

Elle tourna lentement la tête et le regarda de ses yeux délavés.

– Thorson, répéta Konrad, vous le connaissez ?

La vieille femme le fixait sans rien dire.

– Il est venu vous voir ici il y a quelques jours…

Vigga continuait à le regarder, silencieuse.

– Thorson est mort, poursuivit-il. Je me suis dit que vous voudriez en être informée. Vous avez peut-être appris la nouvelle. On m'a dit qu'il vous avait rendu visite il n'y a pas longtemps.

La vieille femme continuait à le fixer.

– Je ne sais pas si vous vous souvenez de moi. J'ai passé mon enfance dans le quartier de Skuggahverfi, tout près de chez vous. Je m'appelle Konrad.

– Co…

Vigga parlait tellement bas qu'il ne l'entendait pas.

– Que dites-vous ?

– Co… mment ?

– Comment ? Vous voulez savoir comment ? Il n'a pas eu une belle mort. On l'a assassiné, il a été étouffé.

Vigga grimaça.

– Assa… ssiné ? murmura-t-elle, la voix faible.

– Nous ignorons qui est le coupable, reprit Konrad. Il vivait seul. On l'a retrouvé mort dans son lit. On m'a dit qu'il était venu vous voir récemment et je voulais vous demander comment vous l'avez connu.

– Il est… venu…

Vigga ferma les yeux.

– J'ai trouvé chez lui de vieilles coupures de journaux, des articles qui parlent d'une jeune fille dont on a découvert le corps à côté du Théâtre national pendant la guerre, poursuivit-il. C'était un meurtre. Vous savez pourquoi il gardait ces articles chez lui ? Est-ce qu'il est venu vous voir pour vous parler de cette histoire ? Ou pour d'autres raisons ? Comment l'avez-vous connu ? Comment avez-vous rencontré Stefan Thordarson ?

Konrad noyait la vieille femme sous un flot de questions, elle ne semblait plus l'entendre.

– Vigga, pourquoi est-il venu vous voir ? Pourquoi il vous a rendu visite juste avant sa mort ?

Elle s'était assoupie. Résistant à la tentation de la réveiller, il resta patiemment assis à son chevet en se rappelant qu'elle n'avait pas toujours été méchante avec les gamins du quartier. Un jour, à l'âge de sept ans, il était venu frapper à sa porte tôt, un dimanche matin, lui vendre des vignettes au profit de l'association des scouts. Il était allé voir presque tout le voisinage sauf elle. Sa récolte avait été maigre, il n'avait vendu qu'une seule vignette. Impatient, il s'était sans doute mis un peu trop tôt en route et avait réveillé un certain nombre de gens qui n'avaient pas apprécié d'être dérangés et ne lui avaient rien acheté. Il avait longuement hésité avant d'aller chez Vigga qui lui inspirait une peur panique. Finalement, il s'était armé de courage et avait frappé à sa porte. Il avait attendu un long moment sur le perron et s'apprêtait à s'en aller quand elle lui avait ouvert. Vigga avait baissé les yeux sur lui.

– Qu'est-ce que tu me veux, mon garçon ? avait-elle demandé tandis qu'elle scrutait les alentours à la recherche des garnements qui venaient régulièrement l'importuner. Ils n'étaient pas dans les parages.

– Je… je… je vends des vignettes, avait bredouillé Konrad.

– Des vignettes ? C'est quoi encore, cette histoire ?

– Des vignettes… pour… pour l'association des scouts.

– Tu viens me demander de l'argent alors que tu n'es pas plus haut que trois pommes. Tu veux entrer ?

– Non.

Vigga l'avait longuement contemplé, manifestement furieuse. Konrad avait pensé qu'elle allait lui répondre : Non merci, mais tout à coup elle avait laissé éclater un rire chevalin, elle riait tellement qu'elle avait dû s'agripper à la poignée de sa porte pour ne pas tomber.

Konrad avait tourné les talons et commencé à descendre les marches quand le rire s'était tu.

– Allons, je vais t'acheter quelques vignettes, mon petit. Attends, je vais chercher de l'argent.

Elle lui avait acheté trois vignettes en lui faisant promettre qu'il ne viendrait plus jamais frapper chez elle, quel que soit le motif, et en ajoutant qu'elle ne voulait plus jamais le voir.

Konrad regardait la vieille femme allongée sous la couette. Il entendait encore l'écho de son rire et revoyait ce dimanche matin. Soudain, elle ouvrit les yeux et le regarda.

– Thorson ? murmura-t-elle, presque inaudible.

– Vous vous souvenez de lui ?

– Thorson… ? C'est… toi ?

Konrad ne savait pas quoi répondre. Le prenait-elle réellement pour Thorson ?

– Non, ce n'est pas moi…

Vigga ferma à nouveau les yeux.

– Est-ce qu'il s'interrogeait sur le meurtre d'une jeune fille dont on a retrouvé le corps à côté du théâtre pendant la guerre ?

La vieille femme ne lui répondait pas.

– Vous savez pourquoi Thorson a gardé ces coupures de journaux toutes ces années ?

Il était inutile de poser ces questions. Vigga s'était rendormie. Konrad resta encore un long moment auprès d'elle, puis se leva, prêt à partir. Il caressa doucement la joue de la vieille femme qui lui inspirait jadis une peur aujourd'hui évanouie. Vigga était sereine. Au moment de franchir la porte de la chambre, il crut l'entendre marmonner.

Il se retourna.

– Vous avez dit quelque chose ?

Vigga ouvrait la bouche, mais elle avait à peine la force d'articuler.

– Thorson ? C'est… encore toi ?

– Vigga, tout va bien ?

– Tu viens encore… me poser des questions sur cette petite ?

– Oui, répondit Konrad, désemparé.

– … elle… elle n'était pas la seule…

– Pardon ?

– Il y en avait… une autre, murmura Vigga sous la couette, la voix rauque, brisée par l'âge. Une autre qui… a disparu… et… et les elfes…

– Une autre fille ? De quoi parlez-vous ? demanda Konrad en se penchant vers elle pour mieux entendre.

– … ils ne l'ont… jamais retrouvée… ils n'ont jamais retrouvé son corps…

13

La police militaire avait rassemblé douze soldats américains dans le commissariat du camp de Laugarnes où elle les avait emmenés sans leur donner d'explication. Il y avait parmi eux neuf simples soldats, un sergent et deux cuisiniers dont l'un était affecté à la base navale du Hvalfjördur. Ils ignoraient encore qu'ils portaient tous le même prénom quand Thorson ouvrit la porte et les salua. Quatre policiers armés les surveillaient. Flovent avait appelé son collègue après son entrevue avec les parents de Rosamunda pour l'informer qu'ils avaient procédé à l'identification du corps et qu'ils excluaient que leur fille ait pu fréquenter des militaires.

Il ordonna aux douze hommes de s'aligner en regardant droit devant eux. Deux ou trois exigèrent qu'on leur explique pourquoi. Thorson leur demanda d'être patients, les remercia de prêter leur concours à la police dans le cadre d'une enquête complexe et leur promit qu'ils seraient bientôt relâchés. Flovent entra dans la pièce, suivi par Ingiborg qui reconnut immédiatement son Frank.

Elle s'approcha en lui adressant un sourire froid et embarrassé. Les autres les regardaient sans comprendre ce qu'ils faisaient dans les locaux de la police ni quel rôle ils jouaient dans cette farce.

Thorson s'avança vers Ingiborg.

– C'est lui ?

– Oui, c'est bien Frank Carroll, si tant est que ce soit son vrai nom.

Frank regarda Thorson et hocha la tête.

– *I'm Frank Carroll*, déclara-t-il tout bas.

– Pourquoi m'avoir menti ? demanda la jeune fille, blessée. Même s'il ne comprenait pas ce qu'elle lui disait, il percevait la souffrance dans ses mots. Quel est ton vrai nom ? Qui es-tu ?

– *Sorry, I...*

– Tu ne m'as dit que des mensonges ? murmura-t-elle. Tu as menti sur nous, sur tout ?

L'Américain fuyait son regard. Thorson annonça aux autres qu'ils pouvaient disposer et les remercia à nouveau pour leur concours en ajoutant qu'ils étaient libres. Les soldats se regardèrent. Surpris, ils marmonnèrent quelques paroles et quittèrent la pièce.

– Je peux m'en aller, moi aussi ? s'enquit Ingiborg.

– Oui. Vous voulez que je vous reconduise ?

– Non, je me débrouillerai, assura-t-elle. Puis elle quitta précipitamment la pièce, sans accorder un regard à Frank qui la regarda partir, impassible. Thorson ne décelait pas le moindre remords sur son visage.

Quand ils se retrouvèrent seuls avec lui, les deux policiers s'installèrent à une table. Frank alluma une cigarette et les observa tour à tour.

– Vous voulez m'interroger à cause de cette fille que nous avons trouvée avec Ingiborg ? demanda Frank.

– Oui, répondit Thorson.

– Je n'ai rien à voir avec ça.

– Dans ce cas, pourquoi avoir pris la fuite ?

– Parce que cette histoire ne me regarde pas, répondit Frank. Je ne sais rien. Je ne connaissais pas cette fille et je ne peux pas vous aider. C'est ce que j'ai compris de suite, et j'ai décidé de faire la seule chose logique, c'est-à-dire m'enfuir. C'est Ingiborg qui vous a appelés ? Ses nerfs ont lâché ?

– Quel est votre vrai nom ? demanda Thorson sans répondre à ses questions.

– Frank Ruddy.

– Pourquoi avoir menti sur votre identité ?

Frank haussa les épaules comme si la réponse était évidente.

– Vous n'êtes pas sergent non plus. Là aussi, vous avez menti à cette jeune fille. Vous pensiez peut-être qu'il fallait être plus qu'un simple soldat pour trouver grâce à ses yeux ?

– Elles préfèrent les gradés, répondit Frank, mais elles sont incapables de différencier les uniformes. Elles ne comprennent rien aux galons ni aux insignes.

– Donc, on peut leur faire avaler n'importe quoi ? s'offusqua Flovent, qui parlait un anglais correct, teinté d'un accent écossais pris à Édimbourg après avoir travaillé quelque temps à Scotland Yard.

Frank ne lui répondit pas.

– Ces documents précisent que vous êtes marié et père de deux enfants, reprit Thorson en feuilletant son dossier. Vous êtes divorcé ?

– Non, avoua Frank, renonçant à mentir de nouveau et supposant que les deux hommes vérifieraient ses déclarations. Je ne voulais pas qu'Ingiborg apprenne que j'avais déjà une femme. C'est aussi pour ça que je me suis enfui.

– Vous ne vouliez pas qu'elle sache que vous étiez marié dans l'Illinois et père de deux enfants ? poursuivit Flovent.

– Exactement, assura Frank. Si nous étions convoqués par la police pour témoigner, elle apprendrait tout et je ne voulais pas la blesser.

– Voilà qui est très chevaleresque ! ironisa Thorson. Vous en fréquentez d'autres ?

– D'autres ?

– Je veux dire, d'autres Islandaises. Vous fréquentez d'autres femmes ?

Frank hésita quelques instants.

– Ok, je vais tout vous dire, comme ça vous saurez que je ne vous mens pas. C'est vrai, j'ai eu quelques rendez-vous avec une autre fille, mais c'est tout. Et il n'y a personne d'autre.

– Ingiborg est au courant de son existence ? demanda Flovent.

– Non, et cette autre fille n'est pas au courant non plus de l'existence d'Ingiborg.

– Je vois que vous aviez plus d'une raison de vous enfuir, remarqua Thorson.

– Je ne voulais pas m'attirer de problèmes.

– Vous êtes sûr qu'il n'y a pas d'autre motif ?!

– Comment ça ?

– Vous nous menez en bateau… Et ce nom que vous vous êtes inventé, comment vous l'avez trouvé ? Qui est ce Carroll ?

– C'est un acteur d'Hollywood qui joue dans *The Flying Tigers*. Les cinémas passaient ce film quand j'ai rencontré Ingiborg.

– Il parle des *Tigres volants* avec John Wayne, précisa Flovent à Thorson en islandais. Je l'ai vu. L'acteur s'appelle John Carroll, c'est exact.

– Oui, confirma Frank, honteux. John Carroll. On était à côté du cinéma, elle m'a demandé mon nom de famille, j'ai vu l'affiche du film et… sans vraiment réfléchir, je lui ai dit que je m'appelais Frank Carroll.

– Frank, pourquoi vous être enfui du théâtre ? demanda Thorson.

– Je vous l'ai déjà…

– Est-ce parce que vous avez reconnu la victime ?

– Non, je n'avais jamais vu cette fille.

– Rosamunda ? Ça vous dit quelque chose ?

– Non, qui est-ce ?

– La jeune femme assassinée.

– Je n'ai jamais entendu ce nom, répondit Frank. Je vous le jure. Je ne connaissais pas cette fille. Je ne l'avais jamais vue. Vous avez interrogé l'homme qui était au coin du bâtiment ?

– L'homme au coin du bâtiment ? s'étonna Thorson.

– Le type que j'ai vu à l'angle, derrière le théâtre.

– À l'angle ?

– Je ne connais pas le nom des rues. Il était derrière le théâtre et fumait une cigarette quand nous sommes arrivés et, tout à coup, il a disparu.

– Qui était-ce ?

– Je n'en sais rien. Ce n'était pas un soldat, mais sans doute un Islandais. En tout cas, il ne portait pas l'uniforme. D'ailleurs, je ne l'ai pas bien distingué. Il faisait sombre. J'ai juste remarqué qu'il y avait un homme là et il m'a semblé qu'il fumait une cigarette. Quand j'ai regardé s'il était encore là, quelques instants plus tard, il avait disparu.

– Il était à droite ou à gauche ?

– À droite, de l'autre côté de la rue, répondit Frank en se tapotant le bras droit comme pour donner plus de poids à ses déclarations.

– De quelle rue s'agit-il ? demanda Thorson à Flovent.

– C'est Skuggasund, le passage des Ombres. L'homme se tenait à l'angle de Skuggasund et de la rue Lindargata.

– Ingiborg n'a pas évoqué ce détail.

– Je suppose qu'elle ne l'a pas remarqué, moi-même je ne l'ai aperçu qu'un instant. Mais il était là, je ne vous mens pas.

– Et que faisait-il ?

– Rien. Il fumait, c'est tout. Puis il a disparu.

Thorson décida d'aller faire un tour à Skuggasund même si pas mal de temps s'était écoulé depuis que Frank y avait vu cet homme. Flovent et lui se garèrent rue Lindargata et marchèrent jusqu'à l'angle de Skuggasund en quête d'indices laissés par le fumeur. On apercevait un rai de lumière au bout du passage dont la plus grande partie était plongée dans l'ombre car le lampadaire au coin était cassé et le suivant assez éloigné. Thorson avait pris sa lampe de poche, avec laquelle il éclairait méthodiquement le périmètre. Quelques instants plus tard, ils trouvèrent deux mégots de cigarettes américaines jetés dans la rue.

– C'est quelle marque ? demanda Flovent.

– Des Lucky Strike, répondit Thorson.

14

La sœur de Konrad lui rendit visite dans la soirée. Célibataire, elle menait une vie routinière et travaillait dans une bibliothèque, ce qui lui allait comme un gant puisque, dès son plus jeune âge, elle avait aimé les livres. Elle avait d'ailleurs une bibliothèque très enviable. Elisabet, ou Beta pour les intimes, était une communiste de la vieille école qui considérait bien des choses comme relevant d'un esprit petit-bourgeois. Elle détestait par-dessus tout le capital, qui pouvait recourir à toutes sortes d'artifices.

– J'espère que je ne te dérange pas ? demanda-t-elle pour la forme, comme elle le faisait chaque fois. De toute façon, quand elle dérangeait, elle feignait de ne pas s'en rendre compte.

– Mais non, entre donc, répondit Konrad. Je t'offre un verre de vin ? proposa-t-il en sortant une bouteille de Dead Arm.

– Non, merci. Dis donc, j'ai l'impression que tu bois de plus en plus.

– Je ne crois pas, protesta Konrad, et le vin rouge, c'est bon pour la santé.

– Bon pour la santé ?!

– Oui.

– Pfff, arrête de gober la propagande des lobbys de l'alcool, rétorqua Beta en s'installant dans la cuisine. Son frère semblait pensif.

– Tu as l'air abattu, qu'est-ce qui se passe ?

– Abattu ? Ah bon ?

– Je te dérange ?

– Non, je pensais à papa et à ses séances de spiritisme.

– Pourquoi donc ?

– À cause d'une enquête à laquelle je réfléchis. Tu te souviens de la jeune fille dont le corps a été retrouvé à côté du théâtre pendant la guerre ?

– Papa m'a seulement parlé de cette séance de spiritisme ratée où le médium a cherché à communiquer avec elle. Qu'est-ce que tu cherches exactement ? Notre père serait impliqué dans cette histoire ?

– Pas directement, répondit Konrad. Un vieil homme du nom de Thorson est venu s'installer ici pendant la guerre, il conservait chez lui des coupures de presse concernant le meurtre de cette jeune fille et il n'est pas impossible qu'il soit allé voir Vigga pour lui poser des questions.

– La vieille Vigga ? Elle est toujours vivante ?

– À peine. Je suis allé la voir, elle n'a plus toute sa tête et elle m'a parlé d'une autre jeune fille disparue. Ça te dit quelque chose ?

– Non, tout ça a eu lieu avant notre naissance. Cette autre jeune fille, on l'a aussi retrouvée dans le quartier de Skuggahverfi ?

– Je n'en ai jamais entendu parler malgré toutes ces années où j'ai travaillé dans la police. Les journaux ont peut-être évoqué cette affaire à l'époque.

– C'est assez facile à vérifier.

– Le vieil homme dont je te parle a été retrouvé mort peu après être allé voir Vigga. Apparemment il a collecté des informations sur la jeune fille retrouvée à côté du théâtre, et peut-être aussi sur l'autre puisque Vigga m'en a parlé. À mon avis, elle m'a pris pour ce Thorson. La pauvre femme est très mal en point, elle n'en a plus pour longtemps.

– Cette jeune fille, comment elle s'appelait ? Rosamunda, c'est ça ?

– Oui, c'est bien ça. Thorson gardait ces coupures de journaux chez lui, il a rendu visite à Vigga, et il y a aussi ce qu'elle m'a dit quand elle m'a pris pour lui. Je me demande si Thorson n'avait pas repris l'enquête. Si c'est le cas, pourquoi a-t-il tout à coup exhumé cette histoire qui remonte à presque soixante-dix ans ? Thorson allait sur ses cent ans. Pourquoi est-il allé voir Vigga ? Comment se sont-ils connus et que sait-elle de tout ça ?

– Le corps de cette jeune femme a été découvert dans notre quartier et Vigga est au courant de tout ce qui se passait là-bas puisqu'elle y a vécu toute sa vie.

– D'accord, mais Thorson a dû établir un lien direct entre elle et cette histoire.

– Ça l'a peut-être rongé tout ce temps, répondit Beta. Il a peut-être découvert de nouveaux éléments. Qu'est-ce que tu sais de cet homme ?

– Pour l'instant, pas grand-chose. Quand elle m'a parlé de cette autre fille, Vigga n'a pas été très claire, elle s'est contentée de me dire qu'on n'avait jamais retrouvé son corps. Je ne sais pas pourquoi.

– Donc, une autre jeune femme aurait connu le même sort et son corps n'aurait jamais été retrouvé ? résuma Beta.

– Ça confirmerait ce que papa m'a dit sur cette séance de spiritisme, même si lui non plus n'a pas été très clair.

– Il y aurait donc eu deux jeunes femmes ? Rosamunda dont le corps a été retrouvé à côté du théâtre, et une autre dont tu ignores l'identité ?

– Et qu'on n'a jamais retrouvée, compléta Konrad. En tout cas, selon Vigga. Thorson la cherchait peut-être encore après toutes ces années. C'est peut-être pour ça qu'il est allé la voir à la maison de retraite. Quant à ce qu'elle m'a dit sur les elfes, c'est incompréhensible.

– Comment ça, les elfes ?

– Quand elle m'a parlé de cette autre fille, elle a évoqué les elfes.

– Qu'est-ce que ça veut dire ?

– Je ne vois vraiment pas. Je me suis demandé si ce n'était pas cette autre fille dont le médium a parlé à papa.

– Comment ça ?

– Le médium est entré en communication avec une autre jeune femme.

– Enfin, c'était du cinéma ! s'emporta Beta. Papa et ce sale type ont berné les gens ! Il ne faut rien croire de ce qu'il a dit pendant cette séance. Quand est-ce que tu vas comprendre ça ? Tu essaies encore de… Papa n'était qu'un salaud et il a bien mérité ce qui lui est arrivé. Ce n'était pas un saint, il trompait les gens et leur faisait du mal, il s'est comporté comme une ordure avec maman jusqu'au moment où elle l'a quitté, heureusement !

– Oui, en m'abandonnant avec lui.

– Konrad, elle ne t'a pas abandonné, c'est lui qui refusait de te laisser partir, répliqua Beta. Il nous a séparés. Il était comme ça. On en a parlé je ne sais combien de fois. Tu crois que maman était heureuse de te laisser avec lui ? C'est le moyen qu'il avait trouvé pour se venger d'elle. Il a séparé la famille. Maman ne supportait plus de vivre avec lui et il s'est vengé. Il était comme ça et, à ton âge, tu devrais arrêter de lui trouver des excuses. Notre père n'était qu'un pauvre type et un salaud.

– Je sais comment il était, répondit Konrad. Inutile de t'emporter. Je sais qu'il a mal agi avec maman. Je sais tout ça et tu n'as pas besoin de me le rappeler chaque fois que nous en parlons. Mais il n'était pas aussi mauvais que tu le dis.

– Effectivement, c'était juste une véritable ordure.

– D'après toi, il méritait ce qui lui est arrivé, pourquoi donc ? Tu n'en sais rien. Tu parles sans savoir.

– Chacun son opinion, conclut Beta en se levant comme elle faisait parfois quand elle était énervée contre son frère. Chacun son opinion.

15

Après avoir interrogé Frank Ruddy, Flovent et Thorson se rendirent à Heitt og kalt, un restaurant très apprécié des militaires qui avait ouvert au début de la guerre, rue Hafnarstraeti. Cet établissement proposait aussi bien des *fish and chips* que des plats islandais comme les côtelettes panées, la compote de rhubarbe – *rhubarb pudding* – ou le skyr arrosé de crème liquide qui plaisait tant aux troupes. Le coup de feu était passé et la petite serveuse aux cheveux ondulés débarrassait les tables, perchée sur ses talons hauts. Frank Ruddy resterait sous la garde de la police militaire tant qu'on n'aurait pas vérifié les détails de sa déposition et ses antécédents judiciaires en Amérique. Il leur avait donné le nom de l'autre Islandaise qu'il fréquentait. Flovent comptait aller interroger la jeune femme dans la soirée.

Les deux hommes commandèrent de la morue salée accompagnée de pommes de terre et de rillons de mouton. Ils discutèrent de Frank et de l'homme qu'il aurait aperçu à l'angle de Skuggasund et de Lindargata. Tous deux se demandaient si le soldat ne l'avait pas simplement inventé pour les mettre sur une fausse piste dans l'espoir qu'ils le laissent tranquille. Frank Ruddy était manifestement un fourbe. Après tout, il n'avait pas hésité à mentir à ces jeunes femmes et à les mener en bateau.

– Heureusement, les soldats ne sont pas tous comme ça, déclara Thorson.

– Non, les femmes méritent mieux que les crétins de son espèce.

– John Carroll ? Il a joué le rôle de Zorro, c'est ça ?

– Oui, confirma Flovent en soufflant sur ses rillons brûlants. Il aimait le cinéma et admirait deux acteurs hollywoodiens, Clark Gable et un petit nouveau du nom d'Humphrey Bogart.

– Frank se prend peut-être pour Zorro, ironisa Thorson, il est à la fois aventurier et bourreau des cœurs.

– Un vrai héros !

– Tu crois qu'il a tué cette fille ?

– À mon avis, non, répondit Flovent. C'est un pauvre type sans intérêt, mais je pense qu'il n'a rien à voir avec sa mort. Dans le cas contraire, il n'aurait tout de même pas emmené sa petite amie à cet endroit. Ce serait sacrément bizarre.

– En plus, d'après ses parents, Rosamunda ne fréquentait pas les soldats américains, ajouta Thorson.

– Ça ne veut pas dire grand-chose. Ingiborg cachait sa liaison à sa famille. Ce type de relations déplaît à beaucoup de gens qui ne peuvent pas accepter que leurs filles couchent avec des soldats. Et beaucoup d'entre elles préfèrent rester discrètes.

– Ces rillons de mouton sont délicieux, commenta Thorson.

– On n'en mange pas au Canada ?

– Non, c'est une spécialité islandaise.

– Sans doute. Dis-moi, tu te plais toujours dans l'armée ?

99

– Oui, même si j'espère que cette guerre va bientôt finir pour que je puisse rentrer chez moi.

– Il y a quelqu'un qui t'attend là-bas ?

Flovent n'avait jamais posé de questions personnelles à Thorson, il ne voulait pas être indiscret, mais il était trop tard.

– Non, répondit Thorson en souriant, il n'y a personne.

Voyant qu'il n'était pas contrarié, Flovent continua de l'interroger. Il ne savait pas grand-chose de cet homme, à part que c'était un collègue agréable, intelligent, courageux, fiable et franc.

– Et ici ?

– Non plus, répondit Thorson.

– Après tout, tu as tout juste plus de vingt ans. Ça te laisse tout le temps d'y penser.

– J'ai vingt-quatre ans et tout mon temps, convint Thorson. Et toi ?

– Je ne suis pas marié. Je n'ai jamais eu vraiment le temps de… de m'en occuper.

– Mais il y a bien quelqu'un qui…

– Pas en ce moment, assura Flovent, changeant aussitôt de conversation. Alors, comme ça, tu comptes rentrer chez toi à la fin de la guerre ?

– Oui, je veux retourner dans le Manitoba, continuer mes études d'ingénieur et me rendre utile.

– Tes études ?

– J'aimerais devenir ingénieur des ponts et chaussées. J'étais plongé dans les problèmes de poids et de poussées quand la guerre a éclaté, et on m'a envoyé ici.

– Et la police, tu ne crois pas que tu pourrais t'y rendre utile ?

– Pardon, je ne voulais pas te vexer, répondit Thorson en levant les yeux de son plat de morue. Oui, c'est intéressant d'enquêter sur des crimes, mais je ne pense pas en faire ma profession. Je serai content d'arrêter tout ça à la fin de la guerre.

– Tu es allé voir ta famille depuis ton arrivée ici ?

– Eh bien, il ne reste pas grand monde. Et toi, pourquoi tu t'es engagé dans la Criminelle ?

– La brigade manquait de personnel qualifié quand elle a été créée. J'étais dans la police depuis plusieurs années. On m'a envoyé en Écosse et au Danemark où je me suis familiarisé avec le travail d'enquêteur. Ça tombait plutôt bien. J'avais envie de quitter l'Islande un moment. Puis, j'ai compris que ça me convenait. J'ai beaucoup appris. Nous avons créé la brigade en partant de rien. Nous constituons des fichiers d'empreintes digitales et prenons des photos des délinquants. Tout ça est très nouveau. En fait, depuis le début de la guerre, la brigade est quasi en sommeil et je suis son seul membre actif.

Flovent passait une partie de son temps libre à travailler sur le fichier d'empreintes que la police désirait constituer et qui avait été créé dès 1935, date à laquelle on avait entrepris de relever les empreintes des criminels et délinquants. À la même époque, on avait décidé de prendre des photos des repris de justice grâce à l'énorme appareil Stereoscopic qui se trouvait au commissariat central de la rue Posthusstraeti. C'est ainsi qu'avaient vu le jour les deux fichiers que Flovent se faisait un devoir d'alimenter. Mais tout cela était encore un peu tâtonnant, autant que l'était l'administration elle-même. La création de la Criminelle remontait à une dizaine d'années. Elle comptait seulement quelques policiers et l'un d'eux gérait seul le service scientifique. Ses membres arboraient un insigne rond en argent sur lequel l'inscription POLICE CRIMINELLE remplaçait la devise de la police régulière : « C'est par la loi qu'on bâtit le pays. » Cet insigne était attaché à une chaîne d'argent. Les policiers le gardaient dans la poche de leur pantalon. Flovent n'avait jamais jugé nécessaire de l'en sortir.

– Et alors… en quoi est-ce que ce travail t'amuse ? demanda Thorson.

– Je ne suis pas sûr que ce soit le bon terme. En tout cas, il faut être passionné et convaincu qu'on parviendra à résoudre les enquêtes.

– Ce n'est pas si compliqué dans cette petite société, tu ne crois pas ?

– Au contraire, ça devient de plus en plus complexe, répondit Flovent en souriant. Je me demande où la situation actuelle nous emmène. Notre société paysanne pauvre est brusquement arrachée à ses racines et projetée dans le tourbillon des événements mondiaux. Ça ne présage rien de bon.

Ils terminèrent leur assiette de morue.

– Et toi, qu'est-ce que tu fais de ton temps libre ? demanda Flovent. Tu as des passions ?

– Pas vraiment, répondit Thorson, mais j'aime aller me promener dans les montagnes et ça me fait du bien de me retrouver seul loin de la ville. Je suis monté au sommet de l'Esja et de Keilir. C'est… c'est un beau pays, il suffit d'aller dans la nature pour retrouver sa sérénité, respirer l'air pur, s'allonger dans l'herbe et regarder le ciel.

Flovent souriait. Il avait apprécié Thorson dès leur première rencontre.

– Si Frank Ruddy nous dit la vérité sur cet homme, au coin de la rue, tu crois qu'il a vu l'assassin cacher la fille sous les cartons ? À moins que ce soit lui l'assassin.

– Il a sans doute assisté à la scène.

– Il faut qu'on le retrouve.

– On peut essayer.

– Il nous contactera peut-être ?

– Mais il n'a peut-être rien vu.

– Et il est aussi possible qu'il n'existe pas, rappela Flovent. Frank Ruddy est un fieffé menteur.

– Je ne te le fais pas dire. À mon avis, on ne peut pas exclure que des soldats soient impliqués dans ce meurtre.

– Il y a un détail qui me gêne, j'ignore s'il est important, reprit Flovent.

– Un détail ? Lequel ?

– Cette fugue que Rosamunda a faite il y a trois mois, je me demande si elle a un rapport avec son avortement. J'aurais dû poser la question à ses parents.

– Tu penses qu'elle a passé la nuit avec l'homme qui l'a mise enceinte ? demanda Thorson.

– Il me semble logique d'établir un lien entre les deux événements.

– Tu veux dire qu'elle a passé la nuit chez quelqu'un et qu'elle n'a pas voulu le dire à ses parents ?

– Sans doute.

– Mais pourquoi ? Quelle raison elle avait de leur cacher la vérité ?

– Elle a peut-être eu une aventure qui s'est mal terminée avec un soldat ou, pourquoi pas, avec un Islandais, suggéra Flovent.

– Pourquoi est-ce qu'elle n'a pas voulu de cet enfant ?

– On peut imaginer un tas de raisons. Elle n'était pas mariée, elle voulait continuer à se perfectionner dans son travail avant de s'installer.

– Être une femme moderne ?

– Oui, une femme d'aujourd'hui.

Après avoir quitté le restaurant, ils se rendirent chez les parents de Rosamunda qui les autorisèrent à jeter un œil dans la chambre de leur fille. Ces derniers les interrogèrent sur la progression de l'enquête et leur proposèrent du café et des *kleinur*[1], mais les deux policiers ne voulaient pas les déranger. Ils leur demandèrent si Rosamunda avait déjà parlé du Théâtre national. Le couple ne s'en souvenait pas.

– On voulait lui trouver une machine à coudre, déclara la femme alors qu'ils étaient dans la chambre encombrée de toutes sortes de travaux d'aiguille, de magazines de mode étrangers, de croquis de robes et de chemisiers, et de robes sur lesquelles elle travaillait.

– D'occasion, précisa son mari, c'est assez cher.

– Elle disait toujours qu'une bonne machine à coudre était vite amortie. Sa chambre est dans l'état où elle l'a laissée, excusez le désordre. Cette chère petite n'a jamais été très ordonnée, ajouta la femme, des sanglots dans la voix.

– Beaucoup de jeunes filles tiennent un journal intime, observa Flovent. Vous savez si elle en avait un ?

– Je n'en ai aucune idée, répondit le père qui essayait de consoler sa femme.

– Ça ne vous dérange pas si on le cherche ?

– Je vous en prie, répondit-elle. Vous voyez, elle travaillait sur une robe en velours, une robe fourreau à la Lana Turner qu'elle avait vue dans un film.

La chambre ressemblait à un petit atelier de couture. Rosamunda utilisait une table de cuisine comme plan de travail, un lit simple était accolé au mur, en

1. Beignets islandais qui ressemblent aux bugnes.

face d'un placard. Une valise contenant du tissu, une boîte pleine de boutons, des galons et des rubans était posée dans un coin. Les deux policiers balayèrent la pièce du regard, c'était la chambre d'une jeune femme qui savait ce qu'elle voulait faire et vivait pleinement sa passion.

Flovent toussota.

– Quand elle est rentrée après cette fugue, il y a trois mois, est-ce que Rosamunda vous a paru normale ? Était-elle en bonne santé ? Son comportement avait-il changé ?

– Je n'ai remarqué aucun changement, répondit la femme. Ces derniers temps elle travaillait beaucoup. Elle ne passait pas beaucoup de temps à la maison. Elle partait tôt le matin et rentrait tard le soir, juste pour dormir.

Flovent regarda une dernière fois la chambre. Ils n'y avaient trouvé aucun journal intime à qui Rosamunda aurait confié sa vie quotidienne, ses rêves et ses espoirs, ni rien qui expliquât son terrible sort.

Plus tard dans la soirée, Flovent interrogea brièvement l'autre petite amie de Frank Ruddy. Elle était surprise de découvrir que son Américain de Boston était marié, mais moins d'apprendre qu'il fréquentait une autre Islandaise à Reykjavík.

– Il vient de l'Illinois, précisa Flovent.

– Oui, de Boston, confirma la jeune femme.

– Boston n'est pas dans l'Illinois.

– Ah bon ? C'est quoi l'Illi... je ne sais quoi, je n'ai jamais entendu parler de cet endroit.

– L'Illinois est un État américain, Boston est une grande ville qui se trouve dans un autre État.

Ses parents échangèrent un regard.

105

La gamine âgée de dix-neuf ans habitait encore chez eux avec son jeune frère, dans un appartement en sous-sol du quartier de Skerjafjördur. Frank avait donné aux policiers son nom et son adresse. Il l'avait un jour raccompagnée jusqu'à sa porte. Les parents avaient observé le couple depuis la fenêtre, Frank avait embrassé leur fille et leur avait adressé un signe de la main qu'ils lui avaient retourné. La famille était originaire des campagnes de l'Est.

La jeune fille n'était pas en mesure de les aider dans leur enquête. Elle ne savait presque rien de Frank si ce n'est qu'il se comportait en gentleman, qu'il avait toujours des cigarettes et des chewing-gums et qu'il l'invitait à danser. Même si elle n'était pas à l'aise en anglais, il lui avait clairement laissé entendre qu'il voulait l'épouser et l'emmener en Amérique.

16

Le lendemain, Flovent et Thorson se rendirent à l'atelier où Rosamunda travaillait comme apprentie. La patronne s'attendait à recevoir la visite de la police après ce drame affreux, ainsi qu'elle le qualifiait. Cette quadragénaire svelte et survoltée parlait à toute vitesse. Elle ne comprenait pas ce qui avait pu se passer, Rosamunda était une jeune fille tellement adorable et elle avait des mains en or.

– C'était une excellente couturière, elle savait tout faire. Elle était capable de rapiécer n'importe quel vêtement et de le remettre à neuf. On n'y voyait que du feu. Et encore je ne vous parle pas des robes magnifiques qu'elle a confectionnées.

– Vous connaissez quelqu'un qui aurait pu lui vouloir du mal, une personne avec qui elle se serait disputée ? demanda Flovent en avançant dans l'atelier.

Il ne comprenait rien à ces entassements de vêtements féminins, de robes, de jupes, de chapeaux et de sous-vêtements qui encombraient les lieux et attendaient d'être réparés. La journée de travail était terminée. Seule la patronne était encore présente. Quatre machines à coudre électriques étaient alignées sur des tables, parmi les chutes de tissu et les aiguilles. L'arrière-boutique abritait deux vieilles machines à pédale. Des rouleaux de tissu, des rubans et du matériel de couture reposaient çà et là, parmi les magazines de mode et les patrons de robes.

– Non, je ne vois vraiment personne, répondit-elle.

– Peut-être une cliente ?

– C'était une petite adorable, je n'arrive pas à imaginer que quelqu'un ait pu lui vouloir du mal.

– Je suppose que la plupart de vos clients sont des femmes, reprit Flovent.

– En effet.

– Il y a aussi des soldats parmi eux ? glissa Thorson.

– Des soldats qui viennent à mon atelier, alors là, non, pas du tout !

– Ils ne sont pas les bienvenus ?

– Il m'est arrivé d'en voir quelques-uns, mais ils se contentent d'accompagner leur fiancée et n'achètent pas mes services, si c'est ce que vous voulez dire.

– Vos clients réguliers sont donc islandais ?

– Absolument, et ils sont nombreux, ou plutôt elles. Je travaille avec certaines de mes clientes depuis des années. Nous offrons un service de très haute qualité, j'ai toujours été intransigeante là-dessus et je peux vous assurer que mon atelier est l'un des meilleurs de Reykjavík.

– Est-ce que Rosamunda fréquentait un soldat ? demanda Thorson.

– Pas à ma connaissance.

– Et d'autres hommes ?

– Je ne crois pas. En tout cas, elle n'en a jamais parlé. Je ne savais pas grand-chose de sa vie privée. Elle travaille chez moi depuis plusieurs années et elle est irréprochable. J'emploie un certain nombre de couturières, j'ai une autre gamine comme apprentie, et autant vous dire que Rosamunda est… ou plutôt, était bien plus adroite qu'elle. On ne peut pas les comparer.

Flovent nota le nom de l'autre apprentie. La patronne l'autorisa à faire un tour dans l'arrière-boutique avec son collègue. Rosamunda était venue voir la propriétaire de l'atelier quelques années plus tôt pour lui demander du travail. Elles ne se connaissaient pas du tout. À cette époque, une employée venait de la quitter et elle avait décidé de prendre la jeune fille à l'essai. L'expérience avait été plus que concluante. Pendant sa dernière journée de travail, elle avait terminé la robe de soirée d'une cliente régulière, mariée au directeur d'une banque. Cette dernière achetait ses tenues au Magasin du Nord chaque fois qu'elle allait à Copenhague avant cette fichue guerre. Elle affirmait que l'atelier de couture n'avait rien à envier au Magasin du Nord pour les retouches.

Vous m'en direz tant, pensa Flovent en notant également le nom de la cliente.

– Oui, j'essaie de… on peut dire que ma clientèle est vraiment exigeante. Et c'est très bien comme ça.

Flovent hocha la tête.

– En ce moment, il y a pénurie générale, soupira la couturière, nous économisons comme nous le pouvons, nous reprenons même le tissu de vieux vêtements pour en faire de nouveaux. Tout est gris ou noir. Il y a des lustres que je n'ai pas vu de beaux rubans de soie.

Rosamunda n'avait apparemment laissé aucun objet personnel dans l'atelier. Elle avait travaillé sur une des machines à pédale. La robe de soirée noire et austère de la femme du banquier était accrochée à une patère juste à côté.

– Vous savez où elle est allée après sa dernière journée de travail ? demanda Flovent.

– J'ai supposé qu'elle rentrait chez elle, elle n'a rien laissé entendre d'autre.

– C'était son habitude ?

– Il me semble. On ne parlait pas de nos vies privées. Je préfère m'en tenir à des relations professionnelles, cela me semble nécessaire, surtout en ce moment.

– Le vouvoiement était de rigueur entre vous ?

– Absolument.

– Donc, vous en savez très peu sur elle en dehors de son travail.

– Très peu, en effet.

– A-t-elle déjà évoqué le Théâtre national ? demanda Thorson.

– Le Théâtre national ? Non, pourquoi donc ? Vous me posez la question parce que c'est là-bas qu'on a retrouvé son corps ?

– Elle aurait pu y faire référence à un moment donné, vous êtes sûre qu'elle ne l'a jamais fait ?

– Elle n'a jamais parlé de cet endroit, j'en suis certaine.

– Vous vous souvenez d'un jour où elle ne serait pas venue travailler, il y a quelques mois ? reprit Flovent.

– Non, ça ne me dit rien, répondit la couturière.

Thorson accompagna également Flovent quand il alla interroger l'autre apprentie. Elle avait le même âge que Rosamunda et la connaissait mieux que la patronne. Mince et jolie, les cheveux mi-longs et noir de jais, elle avait les yeux marron et ses sourcils noirs se rejoignaient presque. Sa peau d'un blanc laiteux faisait ressortir ses cheveux sombres. Elle louait une petite chambre en sous-sol à deux pas du centre. Lorsqu'ils arrivèrent, elle remmaillait un bas de soie. Très amie avec Rosamunda, elle leur expliqua que la nouvelle de son décès l'avait profondément atteinte et qu'elle était sur le point d'aller voir la police pour lui révéler ce qu'elle savait de la victime.

– C'est tellement affreux. Je n'arrête pas de penser à elle. À ce qu'elle… à ce qu'elle a pu ressentir et à ce qui lui est arrivé. Qu'est-ce qui s'est passé exactement ? Comment des choses pareilles sont-elles possibles ?

– C'est ce que nous essayons de découvrir, répondit Flovent d'un ton apaisant.

– Vous avez interrogé la bonne femme de l'atelier ? s'enquit la gamine.

Flovent répondit qu'ils étaient effectivement passés voir cette dame.

– Elle faisait travailler cette pauvre Rosamunda comme une esclave jusque tard le soir, et sans la payer plus.

– Ah bon ? On nous a dit que Rosamunda était très douée, poursuivit Flovent.

– Oh que oui, convint la jeune fille. Et la vieille le savait. Rosamunda ne comptait pas s'attarder chez elle, elle voulait créer son propre atelier et sa boutique de confection. D'après moi, la vieille commençait à s'en douter et à craindre qu'elle s'en aille. J'en suis sûre.

– Elles se sont disputées ?

– Non, Rosamunda ne lui en a jamais parlé, en tout cas pas à ma connaissance. Ou alors, elle ne l'a fait que très récemment. Rosamunda rêvait de devenir créatrice de mode, comme celle qui travaille dans la boutique de Haraldur. Elle voulait même partir à l'étranger après la guerre pour étudier.

– Vous connaissez ses parents ? demanda Thorson.

– Je ne les ai rencontrés qu'une seule fois, ces gens-là vivent encore au Moyen Âge. Elle n'en disait que du bien. Vous savez qu'ils l'avaient adoptée, non ?

– Qu'est-ce qui vous fait dire qu'ils vivent au Moyen Âge ?

– J'ai l'impression que Rosamunda a reçu une éducation plutôt stricte et, surtout, ils pratiquent le spiritisme.

– Le spiritisme ? glissa Thorson.

– C'est Rosamunda elle-même qui m'a dit qu'ils se passionnaient pour ces choses-là. Ils vont à des séances chez des médiums et ont tout un tas de livres et de revues où il est question de revenants et de gens qui communiquent avec l'au-delà.

– Et Rosamunda, elle s'y intéressait aussi ?

– Pas du tout. Elle n'y croyait pas. Pour elle, tout ça était ridicule. Et quand ce maudit bonhomme lui a dit que…

– Que quoi ?

– Justement, je m'apprêtais à aller vous voir pour vous informer de quelque chose qui lui est arrivé, mais qu'elle ne voulait pas ébruiter. Elle m'avait demandé de n'en parler à personne.

– De quoi s'agit-il ?

– Elle a refusé de me donner le nom de cet homme et de me raconter ce qui s'est passé exactement. Elle m'a seulement dit qu'il lui était arrivé une chose terrifiante, une chose affreuse. Elle n'a pas envisagé une seconde de garder l'enfant quand elle a compris qu'elle était enceinte de lui. Je ne sais pas…

La jeune fille hésita.

– Cet homme l'a violée, reprit-elle. Rosamunda est venue chez moi juste après et elle est restée ici deux jours avant de rentrer chez elle. Elle était tellement mal…

– Cela remonte à trois mois, n'est-ce pas ? vérifia Flovent.

La jeune fille hocha la tête.

– Elle me l'a décrit comme un véritable monstre. Elle ne pouvait pas rentrer chez elle, elle est restée chez moi le temps de se remettre un peu.

– Elle ne vous a pas dit qui c'était ? demanda Thorson.

– Non, elle m'a juste dit qu'il était complètement fou. Elle m'attendait à la porte quand je suis rentrée. Ses vêtements étaient déchirés. C'était à faire peur. Il lui a conseillé de dire que c'était l'œuvre des elfes. Elle n'avait qu'à raconter qu'elle était allée se promener sur la colline d'Öskjuhlíd et que les elfes l'avaient attaquée. Vous voyez, il était vraiment fou.

– Les elfes ?

– Je voulais qu'elle porte plainte, poursuivit la jeune fille. Je voulais qu'elle me donne son nom, qu'elle le montre dans la rue, qu'elle dise à tout le monde ce qu'il avait fait et qu'elle ne lui laisse aucun répit.

– Mais pourquoi les elfes ? Elle s'intéressait à ça ? demanda Flovent.

– Non.

– Rosamunda croyait à ces histoires ? reprit Thorson.

– Non. Pas du tout.

– Qu'est-ce qu'elle voulait dire alors ? poursuivit Flovent.

– Je n'en sais rien. Elle ne m'en a pas reparlé. Elle m'a seulement dit que cet homme était complètement fou.

Flovent et Thorson se consultèrent du regard.

– Savez-vous si elle avait gardé contact avec sa famille dans le Nord ? demanda Flovent.

– Très peu. Je crois que deux de ses frères sont venus s'installer à Reykjavík. Si je me souviens bien, ils travaillent pour l'armée dans le fjord du Hvalfjördur.

– Que faisait-elle le soir, après sa journée de travail ? demanda Thorson.

– À mon avis, elle rentrait chez elle. Parfois, elle finissait très tard, je dirais que c'était bien trop souvent le cas. Il nous arrivait d'aller au cinéma ou de sortir danser à l'hôtel Borg toutes les deux, mais la plupart du temps elle trimait comme une esclave pour la vieille. Après ça, elle a totalement arrêté de sortir.

– Elle connaissait quelqu'un à l'entrepôt installé dans le futur Théâtre national ?

– Non, ça m'étonnerait.

– Et un soldat qui s'appelait Frank Carroll ? reprit Flovent.

– Elle ne m'a jamais parlé d'aucun Frank.

– Il s'est peut-être présenté comme Frank Ruddy.

La jeune fille secoua la tête.

– Elle n'était pas, comme on dit, dans la situation ? demanda Thorson.

– Alors là, pas du tout.

– Elle avait un petit ami ? insista Flovent.

– Non. Ou bien c'était si récent que je n'étais pas au courant.

– Elle n'a jamais fréquenté aucun garçon ?

– Non, ce n'était pas son genre.

– Vous dites qu'elle n'a pas envisagé une seconde de garder l'enfant. Vous savez à qui elle s'est adressée pour l'avortement ?

– Elle n'a pas voulu me le dire. Elle avait honte et refusait d'en parler. Quant à moi, j'évitais soigneusement le sujet.

– Mais vous lui avez parlé après l'avortement ?

– Oui, elle était accablée. Elle se sentait très mal. En fait, j'ai…

– Quoi ?

– Je ne connais personne qui fait ce genre de choses en ville, mais ma mère connaît une femme qui sait fabriquer des potions à base de toutes sortes de plantes. J'en ai parlé à Rosamunda et elle m'a dit qu'elle irait la voir.

– Qui c'est ?

– Elle s'appelle Vigga et vit dans le quartier de Skuggahverfi. Je pense que Rosamunda s'est adressée à elle.

Thorson nota le nom sur son calepin.

– Et elle ne vous a pas révélé l'identité de son violeur ? insista Flovent.

– Non, répéta la fille aux cheveux noir de jais en fronçant les sourcils. Je me demande pourquoi elle protégeait cette ordure. Vraiment, je ne comprends pas.

17

Konrad téléchargeait les pages des journaux les unes après les autres et parcourait les articles sur les attaques aériennes à Berlin et le cessez-le-feu en Italie. Ils traitaient dans leur grande majorité de la guerre. D'autres parlaient de querelles politiques et de naufrages. *L'Odinn* avait sombré avec ses cinq membres d'équipage. La nation islandaise s'apprêtait à fonder la république sur le site de l'ancien parlement en plein air de Thingvellir. On trouvait tout cela sur Internet. Konrad scrutait l'écran, en quête d'articles publiés après la découverte du corps de la jeune fille derrière le théâtre, mais il en trouvait très peu en dehors de ceux que Thorson avait conservés chez lui, et ils ne lui apprenaient rien de plus qu'il ne savait déjà. Il se souvenait que les militaires avaient instauré la censure pendant la guerre. La presse ne devait rien publier qui puisse servir aux Allemands, mais ça n'avait sans doute pas influé sur le traitement qu'elle avait réservé à cette affaire.

Il s'était plongé dans les anciens procès-verbaux de la Criminelle sans rien y trouver, ou presque. Apparemment, le dossier avait été perdu et il n'y avait eu aucun procès. Il trouva toutefois dans les archives de la police un document avec la déposition de la femme qui avait découvert le corps. Elle avait vu une jeune fille s'enfuir à toutes jambes à l'arrière du Théâtre national. Le nom de cette jeune fille figurait en marge et Konrad l'avait noté sur un bout de papier.

L'enquête avait peut-être finalement été confiée aux autorités militaires. À cette époque, il y avait en Islande des soldats norvégiens, canadiens, britanniques et américains, ces derniers constituant le gros des troupes. Si l'assassin était un militaire, cela expliquait peut-être qu'on ne trouve pratiquement aucune trace de l'affaire dans la presse islandaise et dans les dossiers de la police.

Konrad chercha d'autres articles datant de début 1944, l'année de la fondation de la jeune république d'Islande, qui était également celle de sa naissance. Son père lui avait dit que les journaux avaient parlé de la fameuse séance de spiritisme qui s'était tenue à leur domicile. Il n'avait jamais vraiment tenté d'en savoir plus. Il décida de profiter de l'occasion pour parcourir les principaux journaux en quête d'écrits sur ce faux médium et son aide de camp.

Il en avait entendu parler pour la première fois quand Kristjana, sa tante, avait surgi comme une bourrasque de son village du nord de l'Islande pour sermonner son frère sur « cette séance de spiritisme » en lui disant qu'il aurait mieux fait de ne pas se mêler de choses auxquelles il n'entendait rien. Une dizaine d'années s'étaient écoulées depuis. Un journal avait publié l'avis de décès du père adoptif de Rosamunda, mort à l'hôpital d'une maladie qui l'avait rapidement emporté. Kristjana n'avait pas mâché ses mots, elle s'était montrée intransigeante, avait parlé d'honneur et reproché à son frère de n'être qu'un pauvre type et un salaud. Il aurait dû avoir honte de son comportement. Au bout d'un moment, le père de Konrad en avait eu assez et avait prié sa sœur de bien vouloir la fermer et, si elle n'en était pas capable, de plier bagage et rentrer chez elle.

Son père n'avait organisé aucune séance chez eux depuis lors. Il avait quitté la Société de spiritisme au sein de laquelle il sélectionnait ses victimes et avait renoncé à toute collaboration avec les médiums et les voyants. Quand Kristjana était venue leur rendre visite, les parents de Konrad étaient déjà séparés. Sa mère était partie, épuisée par leur vie commune, par les trahisons de son mari, ses tromperies et ses mauvaises fréquentations. Imprévisible, il était incapable de garder un travail et buvait plus que de raison en mauvaise compagnie. Il l'avait même battue et l'humiliait régulièrement devant ses amis. Un jour, elle lui avait annoncé que c'était fini, elle voulait divorcer et emmener les enfants. Tu fais ce que tu veux, avait hurlé le père, tu peux te tirer d'ici et emmener ta fille, mais tu ne m'enlèveras pas mon fils ! Cela ne l'avait pas arrêtée. Elle espérait toutefois qu'avec le temps, son ex-mari s'adoucirait et lui confierait également Konrad. Cet espoir avait été déçu, et c'était un sujet de querelle permanent entre eux.

Après la visite de Kristjana, Konrad avait interrogé son père sur cette séance de spiritisme.

– Fiche-moi la paix avec tes questions, lui avait-il répondu en lui passant la main dans les cheveux. Ne t'inquiète pas. Ma sœur a toujours été un peu dérangée.

Konrad continua à télécharger les pages des journaux de l'année 1944. Son regard s'arrêta sur un gros titre : LA SÉANCE DE SPIRITISME TOURNE À LA CATASTROPHE. L'article expliquait de manière circonstanciée qu'au terme d'une séance qui s'était tenue dans le quartier de Skuggahverfi, les participants avaient compris qu'ils étaient victimes d'une escroquerie. Un couple d'âge mûr qui venait de subir une terrible perte en avait été totalement bouleversé. L'identité des personnes impliquées n'était pas précisée. Le journaliste se contentait de mentionner le médium et son assistant, un père de famille qui avait prêté son domicile pour la séance. Il expliquait également que les deux hommes avaient soutiré des informations aux clients pour les berner en leur faisant croire que ces renseignements parvenaient au voyant depuis l'au-delà. C'était là un fort vilain tour, concluait le journaliste. Le couple qui avait fait les frais de la tromperie avait récemment perdu quelqu'un de proche et…

Konrad en avait assez lu, il referma la page sans chercher à en savoir plus. Tout à coup, il n'avait plus envie de savoir ce que les journaux avaient écrit. Il laissa son ordinateur pour aller se faire un café dans la cuisine. Il sortit de sa poche le bout de papier sur lequel il avait noté le nom inscrit en marge du document trouvé dans les placards de la police. C'était un prénom assez peu commun en Islande, sans doute d'origine danoise. Il retourna s'installer devant son ordinateur et consulta le site de l'annuaire téléphonique. Une seule femme portait ce prénom en Islande.

– Qui ne tente rien n'a rien, murmura-t-il en s'emparant de son portable pour composer le numéro.

Il laissa retentir quelques sonneries.

– Oui ? répondit une voix âgée mais claire à l'autre bout de la ligne.

– Vous êtes bien Ingiborg ?

– Elle-même.

– Ingiborg Isleifsdottir ?

– Oui, c'est moi. À qui ai-je l'honneur ?

18

Flovent trouva rapidement la maison à un étage avec sous-sol et grenier aux murs recouverts de tôle ondulée, située à l'orée de Skuggahverfi, le quartier des Ombres. Il gravit les quelques marches et frappa à la porte sans que personne vienne lui ouvrir. Il se rendit donc au petit jardin qu'il avait aperçu derrière la maison où la propriétaire cultivait un potager. Il était sur le point de partir quand une femme vêtue d'un tricot usé, d'un pantalon crasseux et chaussée d'une paire de bottes d'où dépassaient de grosses chaussettes en laine ouvrit la porte du sous-sol. Son épaisse chevelure lui faisait une tête énorme. Elle tenait un seau vide à la main.

– Qui tu es ? lui lança-t-elle en claquant la porte du sous-sol et en refermant le cadenas.

– Excusez-moi, vous êtes bien Vigga ?

– De quoi je me mêle ?

– Je travaille pour la police de Reykjavík, répondit Flovent. J'enquête sur la jeune fille retrouvée morte derrière le Théâtre national. Vous en avez sans doute entendu parler. Elle s'appelait Rosamunda.

– Je ne sais rien de cette histoire.

– Vous êtes bien Vigga ?

– Oui.

– Vous me permettez de vous poser quelques questions ? demanda Flovent.

– Je n'ai rien à vous dire, rétorqua Vigga en gravissant l'escalier de sa maison, n'ayant manifestement pas envie d'être dérangée.

– On m'a dit que vous vous y connaissiez en flore islandaise, insista-t-il.

– En quoi ça vous regarde ?

– Et que vous connaissiez la médecine par les plantes.

– Pas vraiment.

– Celles qui guérissent et celles qui détruisent…

– Bon, j'ai autre chose à faire, s'agaça Vigga. Vous feriez mieux de sortir de mon jardin.

Elle rentra chez elle, referma la porte au nez du policier qui resta là, ahuri. Refusant d'abdiquer, il gravit une seconde fois les marches et frappa à la porte que Vigga entrouvrit après un long moment.

– Je croyais vous avoir demandé de partir !

– On m'a dit que Rosamunda est venue vous voir, répondit Flovent. Je voudrais vérifier si c'est vrai et savoir ce qu'elle vous a dit.

Il sortit de sa poche la photo que les parents de Rosamunda lui avaient remise et la lui montra.

– Il s'agit de cette jeune fille.

Vigga observa longuement la photo puis, impassible, leva vers lui ses petits yeux de félin, son front haut, ses cheveux hirsutes et ses lèvres tellement fines qu'elles étaient presque invisibles. Son visage dur portait la marque des difficultés qu'elle avait traversées.

– Elle est venue ici, reconnut-elle.

– Que voulait-elle ?

– Elle était très malheureuse, la pauvrette. Elle ne savait plus où elle en était.

Vigga le regarda intensément.

– Bon, entrez, dit-elle en ouvrant grand la porte pour retourner dans la maison. Je suppose que je n'arriverai pas à me débarrasser de vous. Je n'ai pas de café et ne vous avisez pas de me demander un petit verre.

– Je n'ai besoin de rien, assura Flovent en la suivant dans la cuisine. Il s'assit sur une chaise. Vigga s'installa à côté du vieux poêle à charbon. Elle conservait chez elle des herbes sèches sauvages, des lichens des rennes et du thym des montagnes. La fenêtre de la cuisine donnait sur la rue où une femme poussait un landau.

– J'essaie d'avancer dans la fabrication de couleurs pour un peintre qui vit dans cette ville, expliqua Vigga, voyant que Flovent s'intéressait à ses plantes. Vous ne le connaissez pas. Il est plutôt discret.

– Les herbes des montagnes ont de grandes vertus curatives, n'est-ce pas ? Vous fabriquez des remèdes ?

– Ça m'arrive, quand on me le demande.

– Et Rosamunda vous a demandé de l'aider ?

– Elle m'a fait part de son problème, ça n'est pas allé sans mal. Je lui ai tout de suite dit que je ne pouvais rien pour elle. La pauvre gamine était bouleversée en arrivant, mais au bout d'un moment elle s'est calmée. Elle était assise là où vous êtes. Je lui ai offert une tisane que je fais moi-même. J'étais désolée pour elle. Je reçois parfois la visite de jeunes femmes qui me voient comme une magicienne capable de régler leur problème. Tout cela, c'est à cause de ces soldats, si vous voyez ce que je veux dire. Je lui ai conseillé de s'adresser à une femme que je connais, mais je ne sais pas si elle est allée la voir.

– Une femme ? Qui ça ?

– Je ne vous le dirai pas. Inutile d'essayer de me tirer les vers du nez.

– De quoi avez-vous parlé ?

– Principalement des elfes. C'est elle qui a abordé le sujet et je lui ai raconté l'histoire de cette gamine originaire du fjord d'Öxarfjördur, dans le nord du pays.

– De quelle gamine ?

– Celle qui a disparu.

– Qui était-ce ?

– Une jeune fille de la campagne, répondit Vigga. Je l'ai rencontrée quand j'étais cuisinière aux Ponts et Chaussées. Si je me souviens bien, elle s'appelait Hrund.

– Et ?

Vigga prit dans sa bouche un brin de thym arctique, ajouta un peu de lichen des rennes au mélange que contenait la casserole posée sur la cuisinière puis se mit à lui raconter l'histoire de cette jeune fille d'une vingtaine d'années originaire du nord de l'Islande. Elle avait passé son enfance dans une ferme pauvre, entourée de nombreux frères et sœurs, avait reçu une éducation chrétienne et fréquentait un jeune homme des environs. Un jour, on l'avait envoyée chez sa sœur aînée qui vivait à proximité. Elle était arrivée à pied à l'heure prévue, s'était acquittée de sa tâche et avait pris le chemin du retour, mais n'était rentrée chez ses parents que le lendemain, bouleversée, pleurant à chaudes larmes et incapable d'expliquer où elle avait passé tout ce temps, comment elle avait perdu ses sous-vêtements, pourquoi la manche de son tricot était déchirée ni pourquoi elle avait des bleus et des éraflures sur le cou. Terrifiée à l'idée d'être seule, elle ne sortait plus de la maison. Elle disait qu'elle s'était perdue et qu'elle ne se rappelait pas ce qui lui était arrivé. Elle avait passé la nuit dehors et n'avait retrouvé le chemin conduisant chez ses parents que le lendemain matin.

Deux jours plus tard, bien qu'à peu près remise, elle était toujours réticente à raconter ce qui s'était passé. Étant donné son état, les paroles apaisantes et les réprimandes n'avaient aucun effet sur elle. Seul le temps permettrait de découvrir la vérité. En tout cas, chacun comprenait parfaitement qu'elle était traumatisée.

– La famille aurait sans doute dû surveiller cette petite d'un peu plus près, poursuivit Vigga, car un matin son lit était vide. Elle s'était enfuie dans la nuit et n'est jamais revenue. On a demandé aux fermes voisines, mais personne ne l'avait aperçue. Puis on a lancé des recherches de grande envergure qui n'ont donné aucun résultat.

– C'était après l'arrivée de l'armée anglaise ?

– Oui.

– Des troupes britanniques stationnaient dans les parages ? demanda Flovent.

– Oui, il y avait des soldats à Kopasker. On les voyait régulièrement.

– Et cette gamine en fréquentait ?

– Je ne crois pas, personne n'a jamais parlé de ça.

– Dans ce cas, ce n'est pas impossible.

– Je ne sais pas.

– Que disaient les gens ?

– On entendait des tas de rumeurs, qu'elle n'avait pas toute sa tête, qu'elle avait inventé cette histoire pour faire diversion et pour que n'éclate pas au grand jour une faute qu'elle tenait à cacher.

– Quelle faute ?

– Je n'en sais rien, répondit Vigga en tournant la cuiller dans la casserole. Personne ne le savait vraiment.

– À votre avis, qu'est-ce qui lui est arrivé ?

– Je ne sais pas. Certains pensent qu'elle s'est jetée du haut de la cascade de Dettifoss. Mais ce ne sont que des hypothèses. Personne ne sait ce qu'elle est devenue.

– Personne n'a imaginé que les soldats aient pu être responsables de sa disparition ?

– On n'a pas cherché plus loin. On a considéré que la pauvre gamine s'était suicidée et voilà tout. Je suppose que ça n'a même pas effleuré l'esprit des gens. Tout le monde s'accordait à dire que c'était terrible, mais il n'y a pas eu d'enquête. Et je suis surprise de voir que ça vous intéresse.

– Pouvez-vous me rappeler son prénom ?

– Hrund, elle s'appelait Hrund.

– Et elle avait des problèmes ?

– Non, pas du tout. Je… bien sûr, elle croyait aux forces naturelles, au pouvoir des pierres, des plantes et aux histoires d'elfes qu'elle buvait comme parole d'Évangile. Elle était un peu simplette. Enfin, c'est ce qui se disait.

– Donc, tout cela a laissé les gens du cru perplexes ?

– Je crois, oui. Tout ce qu'elle a dit…

La tisane allait déborder. Vigga la tournait sans relâche avec sa cuiller en bois.

– Oui ?

– Ce que c'est chaud, remarqua-t-elle en soufflant sur la casserole. Tout ce qu'elle a dit, nous le tenons de sa sœur cadette. Elles étaient assez proches et elle lui a raconté ce qui s'est passé cette nuit-là. Elle lui a raconté des bêtises, une histoire d'elfes dont elle aurait croisé la route.

– Une histoire d'elfes ?

– Oui. Elle a raconté à sa sœur qu'un elfe l'avait attaquée et lui avait joué un mauvais tour. Il s'en était pris à elle et l'avait violée. Rosamunda m'a fait répéter cette histoire trois fois. Elle n'en croyait pas ses oreilles. Puis cette pauvre petite est partie, elle s'est enfuie de chez moi sans même me dire au revoir.

Comme Flovent ne répondait rien, Vigga arrêta d'agiter sa cuiller dans la casserole pour se retourner. Il s'était levé et la fixait comme s'il avait face à lui une créature venue de l'au-delà.

19

– Eh bien, qu'y a-t-il ? s'inquiéta Vigga debout à côté de sa casserole de tisane. Le feu crépitait sur la cuisinière. La femme au landau passa à nouveau devant la fenêtre, sur la route du retour.

– Elle a vraiment parlé d'elfes ? Elle a dit qu'un elfe l'avait attaquée ?

– Ce sont les propos rapportés par sa sœur, répondit Vigga. Elle a parlé d'un elfe qu'elle aurait croisé sur sa route. Bien sûr, c'était assez embrouillé et incroyable, sauf pour ceux qui croient à ce genre de sornettes. Pour ma part, je ne crois ni aux elfes ni aux puissances occultes.

– Et personne n'a prêté attention à ce qu'elle a dit ?

– Je ne crois pas.

Flovent ne savait pas quoi penser. Deux jeunes filles vivant dans deux régions éloignées racontaient la même histoire, l'une d'elles avait été retrouvée derrière le théâtre, l'autre avait peut-être mis fin à ses jours. Toutes deux parlaient d'elfes, chacune à sa manière. Pouvait-il s'agir d'une simple coïncidence ? Personne à part lui, Thorson et l'amie de Rosamunda n'était au courant du récit que cette dernière avait confié sur l'homme qui l'avait agressée et lui avait conseillé de mettre ça sur le dos des elfes. Ce détail ne figurait pas dans leurs procès-verbaux.

– Ça remonte à quand ?

– C'est arrivé il y a trois ans.

– Et comment les gens de là-bas ont-ils expliqué ses propos ?

– Certains ont dit qu'elle avait perdu la tête. D'autres ont ressorti toutes sortes d'histoires de fantômes, de revenants et d'elfes. Ces croyances sont profondément ancrées en nous.

– Comment ça ?

– Les croyances populaires sur les êtres cachés, les lieux enchantés, les palais sublimes nichés à l'intérieur des rochers et des montagnes et les êtres humains qui y ont disparu. On m'a dit que cette jeune fille était fascinée par ces contes merveilleux, mais je me permets de douter qu'elle ait été agressée par un elfe.

– Elle croyait vraiment à ces histoires ? Elle croyait à l'existence des elfes ?

– Oui, je l'ai entendu dire. Elle connaissait des pierres et des rochers où vivaient des elfes tout près de chez elle. Évidemment, on trouve ce genre de pierres près de toutes les fermes, qu'on croie à ces histoires ou non.

– À votre avis, qu'est-ce qui s'est passé ? demanda Flovent.

– Ce n'est pas à moi de le dire, répondit Vigga.

– Certes, mais étant donné ce que vous savez...

– Quelle idée de me poser ce genre de questions, je ne sais pas ce qui est arrivé là-bas, s'agaça Vigga. Les gens pensaient qu'elle avait fricoté avec un soldat et qu'elle avait préféré mentir en mettant ça sur le dos d'un elfe. Vous savez bien ce qu'on dit de cette fameuse situation. En tout cas, si elle fréquentait un militaire, il ne s'est jamais manifesté. Le garçon qu'elle voyait dans sa campagne a rejeté toute responsabilité dans sa disparition. Il a juré ses grands dieux qu'il ne lui avait pas fait de mal.

– Et ce serait un elfe qui l'aurait violée ?

– C'est ce qui se disait, mais je ne sais pas si c'est vrai.

– Rosamunda a mal réagi quand vous lui avez raconté ça ?

– Très mal. Je lui ai dit que cette jeune fille avait été agressée et que son agresseur lui avait conseillé de mettre ça sur le dos des elfes. Ce n'était pas si terrible. Elle est devenue blême et s'est sauvée brusquement.

Flovent s'accorda un instant de réflexion. Si le drame du fjord d'Öxarfjördur avait eu lieu trois ans plus tôt, se pouvait-il que l'homme qui avait violé Rosamunda en ait eu des échos ? Quel secret cachait cette jeune fille du nord de l'Islande ? Était-il possible que ces deux affaires n'aient rien à voir l'une avec l'autre ? La réaction de Rosamunda indiquait pourtant que les deux histoires étaient liées. Flovent ne croyait pas un mot des explications fournies par cette jeune fille du Nord. Elle avait été violée par un homme et les elfes n'avaient rien à voir avec ça. Les deux jeunes femmes avaient probablement été agressées par le même individu. La première avait cru à cette histoire d'elfes tandis que Rosamunda l'avait jugée absurde.

– Cette jeune femme avait subi une agression, c'est évident, ses vêtements étaient déchirés, elle avait des bleus et des griffures sur le cou, fit remarquer Flovent.

– Effectivement, convint Vigga, mais personne n'a jamais pris le temps de chercher à comprendre ce qui s'est réellement passé.

– Vous dites que des troupes anglaises station-naient dans le périmètre. Savez-vous s'il y avait là-bas d'autres gens qui n'étaient pas originaires de la région, des personnes de passage, des gens qui… ?

– Qu'est-ce qui vous faire croire que c'est un étranger qui l'a agressée ?

– Je ne crois rien du tout, mais il me semble logique d'envisager cette hypothèse, corrigea Flovent.

– Les troupes britanniques étaient dans le coin, reprit Vigga. Je ne connaissais aucun soldat et je ne sais pas si ceux qui vivaient dans les fermes étaient en contact avec eux. Et il y avait aussi les ouvriers des Ponts et Chaussées qui constituaient un groupe conséquent. Il n'y avait que des hommes en dehors de moi et de mes collègues cantinières. Je dirais qu'ils étaient une trentaine, peut-être même quarante. J'ignore qui d'autre était de passage là-bas. Je suppose que les fermes accueillaient un certain nombre de gens, comme c'est le cas en été.

– Y compris celle où vivait cette jeune fille ?

– Bien sûr, répondit Vigga.

– Certains venaient de Reykjavík ?

– Vous voulez dire, en dehors de moi ? Il y avait notre contremaître, il est d'ici. Et deux ou trois autres ouvriers. À part ça, les cantonniers étaient surtout des gars du Nord, ils venaient de Husavik et de Kopasker, il y avait même quelques snobs originaires d'Akureyri.

Flovent fit une halte rue Frikirkjuvegur pour noter les renseignements qu'il avait recueillis au fil de la journée. Il appela Thorson à son bureau. Le standard l'informa qu'on l'avait appelé pour une intervention : on ignorait à quelle heure il serait de retour. Flovent rentra donc chez lui en passant par Tjarnarbru, le pont qui enjambe le lac de Tjörnin. Comme il le faisait assez souvent en quittant le centre, il s'arrêta au cimetière, rue Sudurgata, pour se recueillir sur la tombe de sa mère et de sa sœur, récita une petite prière et reprit sa route vers la rue Framnesvegur.

Il occupait un petit appartement avec son père dans une maison en bois divisée en deux. La façade donnait sur le golfe de Faxafloi. Depuis ses fenêtres, Flovent avait vu la flotte britannique entrer dans le port un matin de mai 1940. L'intrusion militaire ne l'avait pas surpris et, puisque le pays était voué à être occupé, il était préférable qu'il le soit par les Tommies plutôt que par les nazis du Troisième Reich.

Son père avait longtemps été docker et travaillait encore au port, où il assurait l'entretien d'une petite remise à outils. Il aurait pu être mieux payé s'il avait accepté de travailler pour l'armée, mais l'idée le rebutait. Endormi dans la cuisine, il se réveilla à l'arrivée de son fils.

– Tu es rentré, mon petit ? demanda-t-il en s'asseyant. J'ai dû m'assoupir. Tu as mangé ? J'ai fait du riz au lait et coupé quelques tranches de *lifrarpylsa*.

Ils s'installèrent pour manger un morceau. Sachant que son père s'intéressait à son travail, Flovent l'informa des avancées de l'enquête sur le meurtre de Rosamunda. Il savait qu'il serait discret et avait totalement confiance en lui en toute circonstance.

– Des elfes ? s'étonna le vieil homme. C'est étrange qu'elle en ait également parlé alors qu'elle vivait dans le Nord.

– Il existe probablement un lien entre ces deux affaires, poursuivit Flovent. Ce serait étonnant que deux jeunes femmes vivant chacune à un bout du pays racontent des histoires aussi semblables. Je crois qu'il ne faut pas écarter cette hypothèse.

– Il y a peut-être des histoires qui parlent de viols commis par des elfes.

– Je ne sais pas, répondit Flovent. Il faudrait chercher dans les recueils de contes populaires ou dans les archives. Je peux vérifier si on a des précédents, si quelqu'un a déjà mentionné ce genre de sottises.

– Il ne faut rien exclure, poursuivit son père. Alors, comme ça, elle se serait jetée dans la cascade de Dettifoss ?

– Personne ne sait ce qu'elle est devenue, répondit Flovent.

– Peut-être qu'elle a vraiment vu des elfes, même si toi et moi nous ne croyons pas à tout ça. Ce n'est pas sans raison que nous avons tous ces contes populaires où il est question d'elfes des rochers ou d'elfes de lumière, de géants et de revenants. À ta place, j'explorerais cette piste et je m'abstiendrais de prendre cette jeune fille pour une petite simplette.

– Ce n'est pas ce que je fais.

– Je sais, mon petit. Ta mère était sensible à ce genre de choses et je suis sûr qu'elle aurait cru cette jeune fille. Tu es passé au cimetière ?

– Oui.

– Que Dieu les garde, observa son père, comme il le faisait presque chaque fois qu'ils abordaient le sujet.

À l'époque, la famille occupait un petit appartement en sous-sol mal isolé dans une arrière-cour de la rue Hverfisgata. C'était l'hiver le plus froid qu'on avait connu de mémoire d'homme, tout le monde disait que c'était un hiver tout à fait exceptionnel. La banquise avait atteint les côtes islandaises, les ports étaient bloqués, on pouvait se rendre à pied jusqu'à l'île de Videy et la température atteignait régulièrement les moins trente. Depuis des jours, Flovent et ses parents vivaient blottis les uns contre les autres à côté du poêle à charbon, emmitouflés dans tous les vêtements qu'ils possédaient. Son père faisait brûler dans le poêle tout ce qu'il trouvait.

Mais ce n'était là que le début de cette désastreuse année 1918. Après un bref été, l'automne arriva, apportant l'épidémie dont on disait qu'elle ravageait le monde et faisait des millions de victimes. Leur appartement en sous-sol les avait malgré tout protégés du froid, mais pas de la grippe espagnole. Sa mère était tombée malade et avait été emportée après avoir accouché d'une petite fille mort-née. Elles étaient enterrées dans une fosse commune au cimetière. Flovent avait également contracté le virus, mais il avait survécu. Son père avait été épargné, sans doute immunisé par la grippe qui avait sévi en Islande en 1894.

La plupart de ceux qui avaient été emportés par l'épidémie vivaient à Reykjavík. Les morgues de la ville avaient rapidement été pleines et on avait creusé des fosses communes dans le cimetière. Lors d'une affreuse journée, au plus fort de l'épidémie, on avait inhumé une vingtaine de corps, parmi lesquels ceux de la mère et de la sœur de Flovent. Flovent était alors tellement faible qu'il n'avait pas pu assister à la cérémonie. Parfois, six cercueils étaient alignés devant l'autel de la cathédrale.

Les autorités avaient établi un plan d'urgence. On avait divisé la ville en treize secteurs, les internes en médecine avaient reçu une autorisation provisoire d'exercer et allaient de maison en maison pour porter secours aux habitants en détresse. Les gens mouraient, impuissants, dans leurs lits, quelques jours seulement après avoir contracté la maladie. On trouvait des enfants qui veillaient seuls les corps de leurs parents défunts. D'autres étaient alités, gravement malades, incapables de se déplacer.

Même si le père de Flovent avait perdu sa femme et sa fille, ou peut-être justement pour cette raison, il n'avait pas hésité à porter secours à ses semblables. Après avoir soigné son fils, il avait œuvré jour et nuit pour aider les médecins et les infirmières tandis que les cloches des églises sonnaient sans relâche, signalant la perte d'êtres chers tandis que les larmes de douleur se propageaient de maison en maison dans le froid glacial.

– Que Dieu les garde, répéta son père en le regardant, que Dieu les garde à tout jamais.

20

Konrad se gara devant la belle villa du quartier ouest qui comportait un étage et un sous-sol, érigée dans les années prospères d'après-guerre. L'arrière de cette riche bâtisse revêtue d'un crépi en sable de mer noir et gris, comme nombre de maisons de cette époque, donnait sur un grand jardin délimité par de hauts sorbiers et un bel érable.

Ingiborg lui avait donné l'adresse au téléphone. La maison appartenait à son fils et elle occupait le petit appartement en sous-sol qu'il avait spécialement aménagé pour elle. Elle était seule en ce moment. Son fils avait emmené sa famille en vacances en Europe et elle n'avait pas voulu les accompagner. Trop vieille et trop fatiguée, elle n'appréciait guère les voyages.

Elle vint ouvrir à Konrad et l'invita à entrer, elle était en train d'écouter un livre audio. Sa vue était si faible qu'elle ne pouvait quasiment plus lire, dit-elle en désignant la grosse lampe et la loupe posées à côté d'un journal sur la table de cuisine. Elle marchait à l'aide d'une canne, légèrement voûtée, les cheveux blancs. Elle lui proposa un café qu'il accepta volontiers. Une chaleur étouffante régnait dans l'appartement dont la fenêtre du salon donnait sur le jardin. Un déambulateur à quatre roues attendait dans le vestibule.

– Quand vous m'avez annoncé au téléphone que vous étiez de la police, j'ai été très surprise. Je n'ai plus eu ce genre de visite depuis ma jeunesse, et c'était aussi pour l'affaire qui vous amène ici, le meurtre de cette pauvre gamine.

– J'imagine que ce n'était pas drôle d'être mêlée à ça, observa Konrad.

– Le pire, c'était d'avoir découvert le corps. Inutile de vous dire que c'était un sacré traumatisme.

– Je veux bien vous croire.

– J'ai fait n'importe quoi, je me suis enfuie comme une imbécile et on m'a menée en bateau. Mais ça m'a servi de leçon. Il faut tirer des enseignements de ses erreurs, sinon elles ne servent à rien.

Ingiborg posa sa canne pour saisir la cafetière.

– Vous avez besoin d'aide ? proposa Konrad.

– Non, je suis encore capable de faire du café.

Konrad ménagea son interlocutrice et prit tout son temps. Ils discutèrent un moment de l'actualité, de politique et des émissions télévisées préférées de la vieille dame. Elle regardait beaucoup la télé et se passionnait pour les soap-opéras. D'un caractère enjoué, elle semblait prendre plaisir à la conversation. Elle suivait l'actualité et appréciait de recevoir la visite d'un homme qui s'intéressait à ce qu'elle disait. Malgré ça, il percevait chez elle une vague inquiétude et une forme de méfiance. Le passé revenait la visiter, elle se tenait sur ses gardes. Quand il l'avait appelée au téléphone, il avait vite obtenu confirmation qu'elle était bien la jeune femme mentionnée dans l'une des coupures de presse, celle qui avait découvert le corps à côté du Théâtre national, la fille du haut fonctionnaire.

– Vous en avez gardé un souvenir très net ? demanda-t-il, en terminant sa tasse de café. Ingiborg l'invita à se resservir.

– Je n'ai jamais pu aller voir un spectacle sans y penser. Je n'oublierai jamais le moment où nous l'avons découverte, aussi longtemps que je vivrai. C'est le genre de choses qui vous poursuit votre vie durant. Je la revois couchée à terre, les yeux entrouverts, dans ce froid glacial. Mais pourquoi venir m'interroger sur cette malheureuse après toutes ces années ?

– Comme je vous l'ai dit au téléphone, je m'intéresse à cette affaire car j'enquête sur un décès récent, expliqua Konrad. Vous avez peut-être appris la nouvelle en lisant les journaux : un homme un peu plus âgé que vous a été retrouvé mort à son domicile.

– Oui, ça me dit quelque chose, acquiesça Ingiborg.

– En fouillant son appartement, nous avons découvert d'anciennes coupures de journaux. Ce vieil homme semble avoir rassemblé des informations autour de ce crime peu avant son décès et je voudrais savoir pourquoi. J'ai trouvé votre nom dans un vieux procès-verbal…

– Ça ne me surprend pas.

– Vous savez si l'enquête a abouti ? demanda Konrad. La police a-t-elle fini par trouver l'assassin ?

– Je pensais que vous étiez au courant.

– Malheureusement, cette information ne figure pas dans nos archives, on n'y trouve quasiment aucune trace de cette affaire et, apparemment, il n'y a jamais eu de procès.

– De mon côté, j'ignore comment ça s'est terminé. Quelques semaines plus tard, on m'a… j'ai déménagé à la campagne et j'y suis restée plusieurs années. Puis je suis rentrée à Reykjavík pour me fiancer.

Ingiborg souriait à Konrad. Son coup de téléphone l'avait surprise, elle ne s'attendait pas à entendre à nouveau parler de Rosamunda après toutes ces années. Sa courtoisie lui avait rappelé celle de Flovent et de Thorson, ces policiers qui étaient venus l'interroger chez elle et s'étaient montrés si compréhensifs. Elle espérait que Konrad se contenterait de ce qu'elle venait de lui dire. Dans le cas contraire, elle devrait dévoiler à cet inconnu pourquoi Isleifur, son père, l'avait envoyée loin de Reykjavík après sa liaison avec Frank Ruddy. Ni les arguments, ni les larmes, ni les imprécations d'Ingiborg n'avaient pu infléchir la décision d'Isleifur et même sa mère n'avait pu modérer son intransigeance. Le haut fonctionnaire était convaincu que sa fille se remettrait de ce drame chez son frère qui vivait dans les fjords de l'Est et que les mauvaises langues se tairaient si elle disparaissait. Son frère était grand propriétaire là-bas et elle y serait heureuse. À son retour, l'occupation aurait pris fin et la plupart des soldats seraient partis. Son père considérait l'avoir sauvée d'une catastrophe et il lui facilitait la vie une seconde fois en lui présentant un jeune homme qui avait travaillé avec lui aux préparatifs de la fondation de la république, et qui avait d'excellents contacts au sein de l'administration. On lui avait accordé un très précieux permis d'importer assorti d'un prêt et il s'apprêtait à créer une puissante compagnie d'importation de produits américains. Ton avenir est assuré, ma petite, réfléchis, lui avait-il dit.

– C'est mon mari qui a construit cette maison, précisa Ingiborg. Il est mort il y a quelques années, il était grossiste.

– C'est une belle bâtisse, répondit Konrad, histoire de dire quelque chose.

– Oui, mais elle était bien trop grande pour nous trois. Nous n'avons eu qu'un seul enfant. Mon fils m'a très bien installée ici, je n'ai pas à me plaindre. Je ne manque de rien. Je n'ai jamais manqué de rien, en tout cas, pas de ce que les gens considèrent comme important.

Konrad percevait une certaine amertume dans ses paroles. Il se demanda si elle avait connu le bonheur depuis le jour où elle avait découvert Rosamunda derrière le Théâtre national.

– Vous n'étiez pas seule quand vous avez trouvé le corps, n'est-ce pas ? risqua-t-il.

Pour la première fois depuis le début de leur conversation, Ingiborg ne répondit pas à sa question.

– Je comprends que ce soit difficile de replonger dans cette histoire, poursuivit-il après un long silence.

– J'étais… en effet, ce n'est pas facile.

Il y eut à nouveau un silence que Konrad s'abstint de rompre.

– C'était un soldat, déclara brusquement Ingiborg.

– Qui donc ?

– Vous avez raison, je n'étais pas seule quand j'ai trouvé le corps. Il m'avait dit qu'il s'appelait Frank Carroll, mais c'était un mensonge, comme tout ce qui sortait de sa bouche. En fait, il s'appelait Frank Ruddy et ce n'était pas un gars très intéressant. Un soldat américain avec qui je m'étais liée à cette époque. Un pauvre type. Un menteur. Il est allé jusqu'à me mentir sur son identité. Puis, j'ai découvert qu'il avait une femme aux États-Unis, et même des enfants. Sans parler du fait qu'il fréquentait une autre fille de Reykjavík en même temps que moi.

Les mots semblaient jaillir de sa bouche, laissant affleurer une amertume et une colère anciennes.

– Un pauvre type de la pire espèce, reprit Ingiborg. Ces deux policiers adorables m'ont dit comment il était. Ils avaient compris qu'il m'avait prise pour une…

La vieille femme s'interrompit.

– Je ne voulais pas vous raconter ça, s'excusa-t-elle. Quand vous m'avez appelée pour me parler de cette histoire, je ne pensais pas que j'allais vous confier tout ça.

– Ne vous inquiétez pas, répondit Konrad. Vous faites comme vous voulez.

– J'étais… j'étais très malheureuse quand j'ai appris la vérité sur Frank. Flovent, l'un de ces deux policiers, a tenu à me voir en privé pour m'expliquer le genre d'homme qu'il était. Pardonnez-moi, mais ça me gêne de remuer ces souvenirs. Vous feriez peut-être mieux de partir. Je crains de ne pas pouvoir vous aider plus que ça.

– D'accord, je comprends, assura Konrad. Je ne voulais pas vous froisser.

Ingiborg se leva pour le saluer.

– Vous pouvez m'en dire un peu plus sur Flovent ? demanda-t-il en se levant également. Il se rappelait avoir lu ce nom dans un des articles trouvés chez Stefan. C'était lui qui était chargé de l'enquête ?

– Oui, c'était bien lui. Il travaillait avec un autre homme de la police militaire. Un certain Thorson. Un jeune homme sympathique et tout à fait charmant.

– Thorson ?

– Oui.

– Vous avez bien dit Thorson ?

Konrad était interloqué.

– Oui, c'est bien son nom.

– Il a aussi enquêté sur le meurtre de cette jeune fille ?

140

– Oui, ils travaillaient ensemble : Flovent et Thorson.

– Vous savez ce qu'il est devenu ?

– Non. Il était canadien. Je suppose qu'il est reparti chez lui après la guerre.

– Et il était policier en Islande ?

– Oui, il travaillait dans la police militaire.

– Et il a enquêté sur le meurtre de Rosamunda ?

– Oui.

Konrad semblait ne pas comprendre ce que lui disait la vieille femme, qui finit par perdre patience.

– Enfin, qu'est-ce qui vous étonne à ce point ?

– Vous n'êtes pas au courant ? demanda-t-il.

– Au courant de quoi ?

– Thorson est mort récemment. C'est l'homme qu'on a découvert assassiné à son domicile. Il avait pris le nom de Stefan Thordarson. C'est lui qui gardait ces coupures de presse sur le meurtre de Rosamunda et qui cherchait des renseignements sur elle après toutes ces années.

Ingiborg se figea.

– C'était Thorson ?

– Oui.

– Mais qui donc pouvait lui vouloir du mal ?

– Nous l'ignorons. Je pensais que vous pourriez peut-être nous aider.

La vieille femme s'affaissa dans son fauteuil.

– Vous pouvez m'en dire davantage sur lui ? demanda Konrad en se rasseyant.

– Je ne devrais pas... mon fils... Je ne peux pas vous raconter tout ça. Je ne vous connais pas.

– Ce que vous me direz restera entre nous.

– Non, je préférerais que vous partiez. Je... je vous en ai assez dit. Je suis fatiguée. S'il vous plaît, laissez-moi.

– D'accord.

Konrad tardait à se lever. La vieille femme semblait inquiète et, malgré ce qu'elle venait de lui dire, il avait l'impression qu'elle n'avait pas terminé.

– C'était… il y a des choses qui arrivent, vous vous retrouvez seul et démuni face à elles, les années passent et ces événements vous poursuivent toute votre vie.

– Vous voulez savoir comment Thorson est mort ? On l'a étouffé dans son lit. Son assassin lui a plaqué un oreiller sur le visage et…

– Je vous en prie, épargnez-moi ces détails.

– Est-ce que vous avez entendu parler d'une autre jeune fille qui aurait vécu la même chose que Rosamunda ? poursuivit Konrad.

– Une autre fille ?

– Peut-être que Thorson s'est aussi renseigné sur elle avant de mourir. Une autre fille qui a disparu à la même époque. On m'a dit que son corps n'avait jamais été retrouvé.

– Et elle aurait connu le même sort ?

– Ça vous dit quelque chose ?

– Non, répondit Ingiborg, pensive. Thorson m'a dit que la jeune fille trouvée à côté du théâtre avait raconté à une de ses amies une histoire d'elfes, je ne me souviens plus exactement.

– Une histoire d'elfes ?

– Oui, exactement comme la femme que je suis allée voir. En revanche… je ne sais pas s'il faut y croire, ni si cela a quelque chose à voir avec cette histoire…

– Excusez-moi, mais je ne vous suis pas.

Ingiborg soupira.

– Si je vous raconte ça, c'est seulement pour Thorson et dans l'espoir que ça vous aidera dans votre enquête. Il a été très gentil avec moi. En fait, il m'a beaucoup soutenue à travers toutes ces épreuves.

Ingiborg s'interrompit.

– Je ferais peut-être mieux de… je n'en ai jamais parlé à personne depuis.

– De quoi ?

– J'ai parlé de cette femme à Thorson, je lui ai dit ce qu'elle faisait et je sais qu'il est allé la voir avec Flovent. Thorson pensait que Rosamunda s'était adressée à elle pour la même raison que moi. Cette femme qui vivait sur la colline. Voilà bien une chose que… que je n'oublierai jamais…

21

Par une froide journée de février, peu après avoir identifié Frank au quartier général de la police militaire, Ingiborg enfila son manteau le plus chaud, mit un joli chapeau et remonta la rue Frikirkjuvegur jusqu'au numéro 11 où elle demanda à voir Flovent. Elle n'était jamais entrée dans cette grande bâtisse qui hébergeait l'embryon de ce qui deviendrait la Criminelle de Reykjavík. La secrétaire qui l'accueillit lui demanda de patienter.

Quelques instants plus tard, Flovent arriva et l'invita à entrer dans son bureau.

– Je ne sais pas à qui m'adresser, déclara-t-elle en s'asseyant en face de lui et en lançant des regards curieux alentour. La pièce était assez petite. Une fenêtre donnait sur la cour arrière du bâtiment où se trouvait autrefois une écurie. La ville était plongée dans la pénombre hivernale. La seule source de lumière était la lampe de bureau qui éclairait des documents que Flovent était en train de relire, un relevé d'empreintes digitales et des clichés du corps de Rosamunda, pris derrière le théâtre.

Frank avait été placé en garde à vue par la police militaire américaine. Ingiborg ne l'avait pas revu depuis. Flovent indiqua qu'il resterait sous les verrous pendant qu'on vérifiait ses déclarations.

– Que puis-je faire pour vous ? demanda-t-il.

– Que va devenir Frank ?

– Je ne sais pas. S'il apparaît qu'il n'est pas l'assassin et s'ils ne trouvent aucun autre motif de le retenir, ils le libéreront.

– Et il restera dans l'armée ?

– Je suppose.

– À Reykjavík ?

– Je ne peux pas répondre à votre question. C'est peut-être un pauvre type sans intérêt et un menteur, mais ces défauts ne sont pas considérés comme des crimes. On parle d'un débarquement imminent sur les côtes européennes et d'envoi de troupes vers la Grande-Bretagne. J'imagine qu'il partira là-bas avec son régiment.

– Il faut que je le voie, annonça Ingiborg. À tout prix.

Flovent haussa les sourcils, surpris.

– Je pensais que vous ne voudriez plus jamais avoir affaire à lui.

– En effet, je ne veux pas, je n'ai pas envie de le revoir, mais je dois lui parler. Je me suis dit que vous pourriez peut-être arranger ça. Puisqu'il est encore en prison là-bas.

– Je peux en discuter avec Thorson. Puis-je vous demander de quoi vous voulez lui parler ?

– C'est… c'est personnel, répondit Ingiborg.

– Ce n'est pas en rapport avec l'enquête ?

– Pas du tout. C'est une histoire entre lui et moi.

Ingiborg n'osait pas regarder Flovent dans les yeux. Elle observait les photos de la jeune fille posées sur son bureau et ne voulait pas lui avouer pourquoi elle avait tant besoin de parler à Frank Ruddy au plus vite même si l'idée de le revoir lui déplaisait au plus haut point. Elle ne se sentait pas bien depuis plusieurs jours. Elle avait des nausées matinales, elle manquait d'énergie et soupçonnait de plus en plus clairement ce qui lui arrivait. Cela ne tenait pas uniquement au fait qu'elle avait été trahie par cet Américain tombé si bas qu'il avait cru nécessaire de prendre le nom de famille d'une vedette de cinéma pour la séduire. Certes, le choc l'avait privée d'une partie de son énergie et elle était très malheureuse, mais cela n'expliquait pas ses troubles physiques qui duraient depuis déjà quelques semaines. Son état l'inquiétait beaucoup. Elle aurait aimé pouvoir en parler à sa mère, mais c'était exclu, étant donné la situation. Ses parents en avaient assez supporté. Elle avait voulu faire part de ses inquiétudes à Frank lors de l'affreuse soirée où ils s'étaient faufilés derrière le théâtre mais n'en avait pas eu le temps. Malgré tout, il lui semblait maintenant nécessaire de l'en informer.

Quelques jours plus tôt, Flovent avait donné rendez-vous à Ingiborg pour dresser un bilan de ce que la police savait concernant Frank alors que rien ne l'obligeait à le faire. Elle avait compris que le policier ne voulait que son bien et avait failli lui confier ses inquiétudes. Flovent s'était montré respectueux et compréhensif, il éprouvait pour elle une compassion évidente. Il faisait de son mieux pour atténuer la douleur causée par le comportement de Frank. Quand ils s'étaient quittés, Flovent lui avait dit qu'elle pouvait s'adresser à lui quel que soit le problème, il essaierait de l'aider.

– D'accord, répondit-il. Je vais appeler Thorson et voir ça avec lui.

Deux heures plus tard, Thorson la reçut au camp de Laugarnes et l'accompagna à la prison militaire. Tout comme Flovent, il ignorait pourquoi elle tenait à voir Frank. Son collègue de la police islandaise lui avait dit que c'était personnel. Cela n'avait rien à voir avec l'enquête, c'était une affaire privée. Thorson n'avait pas mis sa parole en doute. Il avait proposé à la jeune femme de lui servir d'interprète, mais elle lui avait vite fait comprendre que c'était inutile.

Il lui avait demandé de patienter dans un petit local. La prison était installée dans un baraquement du camp de Laugarnes, l'un des plus grands d'Islande. Il y avait là les quartiers des soldats, des bureaux, un mess, un magasin, un dispensaire, un commissariat et une prison. Ces camps militaires avaient poussé comme des champignons en ville, avec leurs baraquements aux toits en arc de cercle, chacun formait comme un petit village sur cette terre déserte et battue par les vents à la limite du monde.

Frank sembla très surpris quand on l'amena dans le local.

– *You ?!* lança-t-il, manifestement persuadé qu'il ne reverrait plus jamais Ingiborg.

La porte se referma et il s'installa sur une chaise.

– *Let me tell you, I was never going to lie to you, it was just… I just…* bredouilla-t-il.

– Peu importe, répondit Ingiborg dans son mauvais anglais.

Elle n'était pas venue là pour entendre d'autres mensonges, mais pour lui annoncer une chose que, selon elle, il avait le droit de savoir. Ce qu'elle ferait par la suite dépendait de sa réaction. Pendant ses longues insomnies, elle avait certes envisagé de ne rien lui dire du tout, mais en fin de compte il lui avait semblé qu'elle devait être honnête avec lui.

– *I have... baby*, annonça-t-elle en posant sa main sur son ventre pour s'assurer qu'il comprenne bien.

Frank demeura impassible.

– C'est le tien... *your*...

– *My what ?* répondit Frank.

– *Baby*.

Frank la dévisagea.

– *No way*, rétorqua-t-il. *Hell, no way !*

– *Yes.*

– *Oh no. No, no...*

– Comment ça ? répondit Ingiborg, atterrée.

– *You come with that shit...* Ça ne me concerne pas. C'est un mensonge, un putain de mensonge ! dit-il en anglais.

– Mais c'est toi le père, protesta Ingiborg en tapotant son ventre.

– *That's a lie !*

– *No.*

– *I am not doing this ! This is not my problem !*

Frank se leva d'un bond et tambourina à la porte du local. Le garde le fit sortir. Thorson apparut derrière lui et entra dans la pièce au moment où le soldat retournait en cellule.

– Il y a un problème ? s'enquit-il.

– Non, je ferais mieux d'y aller, répondit Ingiborg.

– Qu'est-ce qu'il vous a dit ?

– Rien. Ne vous inquiétez pas, tout va bien.

Ingiborg avait redouté la réaction de Frank, elle avait maintenant la confirmation qu'elle ne pouvait pas compter sur lui, ce qui était presque un soulagement. Ils s'étaient retrouvés deux fois sur la colline d'Ösk-juhlid, où ils avaient fait l'amour sur une couverture en laine. Il avait promis de faire attention. Elle n'avait pas aimé, ni la première ni la seconde fois.

– Permettez-moi de vous reconduire chez vous, proposa Thorson. J'ai ma voiture de service.

– Non, merci mille fois, je peux marcher. Merci de m'avoir autorisée à le voir. Comme ça, c'est définitivement réglé.

Ingiborg luttait contre les larmes. Thorson lui prit la main pour la consoler.

– Vous n'êtes pas la première à avoir été trahie par un soldat. Vous n'avez pas eu de chance. Frank est un sale menteur. Heureusement, ils ne sont pas tous comme lui.

– Sans doute.

– Qu'est-ce qui vous rend si malheureuse ?

– Je ne sais pas quoi faire. Il…

– Pourquoi vouliez-vous revoir cet imbécile ? Je pensais que c'était la dernière chose dont vous aviez envie.

– J'avais besoin de lui parler…

– Pourquoi ? C'est en rapport avec l'enquête ?

Ingiborg secoua la tête.

– Ça n'a rien à voir.

– De quoi s'agit-il ? Pourquoi cette tristesse ?

– Je ne peux pas vous le dire. Il faut que je rentre chez moi.

– Vous ne pouvez pas… ? Vous êtes… ?

Ingiborg fondit en larmes.

– Il vous a mise enceinte ?

Elle hocha la tête.

– Je… je crois… non, en fait, j'en suis sûre…

Elle n'avait pas prévu de lui faire cette confidence, elle avait imaginé qu'elle rentrerait simplement chez elle avec son secret et qu'elle monterait s'enfermer dans sa chambre. Désemparée, elle n'avait personne à qui demander conseil. Un jour ou l'autre, elle serait bien forcée d'avouer son état à sa mère et cette perspective l'angoissait. Mais ce ne serait rien par comparaison à la colère de son père quand elle lui avouerait qu'elle portait l'enfant d'un soldat américain. Elle regardait Thorson. Les mots avaient franchi ses lèvres sans même qu'elle s'en rende compte et cette confidence lui apportait un léger soulagement. Flovent et Thorson étaient bienveillants à son égard. Ces deux hommes lui inspiraient confiance.

– Vous avez consulté un médecin ?

– Non, c'est inutile. Je suis sûre que je suis enceinte.

– Vos parents sont au courant ?

– Mon Dieu, non !

– Vous devriez le leur dire.

– Je n'ose pas. Je ne sais pas quoi faire.

– Vous devriez au moins vous faire examiner par un médecin pour en avoir la confirmation, conseilla Thorson. Et vous devriez aussi parler à une personne de confiance. Frank n'a pas sauté de joie en apprenant la nouvelle, n'est-ce pas ?

– Il a cru que je lui mentais. C'est faux. Il est le seul... le seul père possible.

– Je suppose que vous avez réfléchi aux possibilités qui s'offrent à vous.

– Je veux garder cet enfant, répondit Ingiborg. Je refuse de m'en débarrasser.

22

Konrad écoutait Ingiborg lui relater sa conversation avec Thorson. Il hésitait à lui demander si elle avait tenu parole et gardé cet enfant. Il ne la connaissait pas, mais savait que, pour sa part, il ne manquerait pas de se mettre en colère si quelqu'un lui posait une question aussi intime. Il préféra donc s'abstenir.

– Thorson vous a beaucoup soutenue, observa-t-il.

– Il était adorable, absolument adorable.

– Par la suite, il s'est installé en Islande. Vous l'avez revu après la guerre ?

– Non, jamais. J'avais quitté Reykjavík. Je ne l'ai jamais croisé en ville après mon retour. Je le croyais reparti au Canada.

– À ce qu'on m'a dit, il a longtemps vécu à Hveragerdi avant de venir s'installer dans la capitale il y a environ vingt-cinq ans.

– Il a fondé une famille ?

– Non, je ne crois pas.

– Et Flovent ?

– J'ignore presque tout de lui, avoua Konrad. Il a été parmi les premiers membres de la Criminelle de Reykjavík. Je connais son nom : il appartient à l'histoire de la brigade, mais je ne l'ai jamais rencontré personnellement, il l'avait quittée bien avant mon arrivée.

– J'étais enceinte et je ne savais pas vers qui me tourner. J'avais entendu mes amies parler de femmes qui aidaient celles qui se retrouvaient dans mon état. Puis, Frank m'a transmis un message qui montrait bien le genre d'homme qu'il était. Un de ses amis est venu me voir pour me donner le nom d'une personne à qui je pouvais m'adresser. Frank savait très bien ce qu'il voulait. Il ne voulait pas entendre parler de cet enfant et, même, il me donnait le nom d'une femme qui pourrait me tirer d'embarras si j'optais pour cette solution. J'ignore comment il la connaissait. J'espérais juste que ce n'était pas à la suite d'une autre expérience de ce type.

– Vous êtes allée la voir ? risqua Konrad.

– Oui, avoua Ingiborg après un silence.

– Donc, vous avez changé d'avis ?

– Je ne voyais pas d'autre solution. Et je n'avais pas beaucoup de temps si je voulais…

– Mais vous souhaitiez garder cet enfant ?

Ingiborg le fixa, consternée.

– Excusez-moi, je ne voulais pas…

– Qu'est-ce que vous croyez ?! s'emporta la vieille dame.

La femme que Frank lui avait conseillée habitait dans une petite ferme en pierre sur les collines à l'est de la rivière d'Ellidaa, à l'orée de la ville. C'était assez loin de chez elle. Elle dut marcher longtemps avant d'y arriver. Elle avait caché son état à ses parents, avait tu sa peur, son angoisse et sa détresse, et ne s'était pas non plus confiée à ses amies. Elle avait honte de ce qui lui arrivait, et plus encore de la manière dont Frank s'était conduit en lui mentant et en la prenant pour une idiote.

Elle franchit le pont d'Ellidaa avec un goût amer dans la bouche et s'accorda une halte pour se reposer, assise sur un rocher. Comment Frank connaissait-il l'existence de cette femme ? Lui avait-il déjà envoyé une jeune fille ? Les soldats la connaissaient-ils pour des raisons évidentes ? Pouvait-elle se fier aux conseils de Frank ? De Frank !! Comment avait-elle pu tomber si bas ?

Elle reprit la route, avançant d'un pas de plus en plus hésitant au fur et à mesure qu'elle approchait. La ferme ne payait pas de mine, les taches blanches qui parsemaient les murs montraient qu'ils avaient jadis été blanchis à la chaux. La vieille étable en tourbe accolée à la maison d'habitation était entourée d'un grillage derrière lequel des poules allaient et venaient sous l'œil jaloux d'un coq qui se tenait droit comme un piquet. Deux gamins jouaient sur le toit et regardaient Ingiborg sans rien dire. L'air était doux. La vue était belle. Au nord, on apercevait le mont Esja recouvert de neige.

Fuyant le regard des enfants, Ingiborg frappa à la porte. Une femme dans la cinquantaine vint lui ouvrir.

– Bonjour, dit Ingiborg.

– Qu'est-ce que tu veux ?

– On m'a conseillé de m'adresser à vous.

– Tu me vouvoies ? Tu es une vraie dame. Je ne vouvoie personne et tu devrais aussi t'en abstenir.

– Excusez-moi… je… je ne sais pas trop comment m'exprimer… On m'a dit que vous aidiez celles qui sont… dans mon état.

La fermière la contemplait derrière sa porte entrouverte.

– Tu es enceinte ? demanda-t-elle.

Sa question était directe, banale, dénuée de toute trace de jugement ou de consternation. Ingiborg se contenta de hocher la tête, avouant deux crimes simultanément : sa chute et celui qu'elle s'apprêtait à commettre.

– Comment tu m'as trouvée ? s'enquit la femme.

– Quelqu'un m'a parlé de toi.

– Tu m'en diras tant… Qui ça ? Qui t'a envoyée ici ? Tes parents ? Sûrement pas ton médecin. Peut-être ton petit ami ?

Ingiborg hocha la tête.

– C'est un soldat ?

– Oui, murmura-t-elle.

– Allez, entre, dit la fermière en ouvrant plus grand sa porte. Voyons ce qu'on peut faire.

Elle l'invita dans sa cuisine et lui proposa un remontant. Ingiborg déclina d'un mouvement de tête. La pièce, petite et pauvrement meublée, était prolongée par une remise à provisions. La fermière se remit à nettoyer ses œufs dans l'évier et les plaça dans une boîte.

– Tu es à combien de semaines ? s'enquit-elle. Petite, les cheveux relevés en chignon, elle avait des mains démesurées, déformées par les rhumatismes. Son auriculaire et son annulaire étaient recroquevillés à l'intérieur de sa paume, inutiles. Ingiborg évitait de regarder ces mains aux doigts longs et sales qui lui rappelaient les serres d'un oiseau.

– Je ne sais pas exactement.

– Tout de même pas plus de douze, hein ?

– Non, ça ne fait pas aussi longtemps. Je dirais plutôt huit ou neuf.

– Parfait, c'est parfait, observa la fermière en s'essuyant les mains et en se tournant vers elle.

Ingiborg était immobile.

– Tu ne dois pas être effrayée. C'est une intervention extrêmement simple et je ne suis pas une incapable.

Ingiborg fixait les doigts de la fermière en se disant qu'elle n'aurait jamais dû entrer dans sa maison.

– Je… je ne savais pas combien vous preniez… combien je devais emporter…

– Tu crois que je fais ça pour l'argent ?

– Non, enfin, je ne sais pas.

La fermière la jaugea longuement du regard.

– Tu veux peut-être encore réfléchir.

Ingiborg hocha la tête.

– J'ai l'impression de faire une erreur.

– C'est à toi de voir. Tu ne devrais pas être ici si tu n'es pas sûre de ta décision. Il faut que tu n'aies aucun doute. Une jeune fille est venue ici l'autre jour, elle était comme toi, terrifiée, et elle m'a donné une drôle d'explication à son état, même si j'en ai entendu des vertes et des pas mûres.

– Une drôle d'explication ?

– Elle travaillait dans un atelier de couture. Elle a essayé de me mentir en me disant qu'elle ne connaissait pas de soldats. Elle était complètement désorientée après mon intervention, elle m'a dit qu'une espèce de monstre l'avait prise de force et lui avait raconté je ne sais quelles sornettes en lui parlant d'elfes.

Ingiborg s'efforçait de ne pas regarder les doigts difformes de la fermière.

– Tu devrais rentrer chez toi, reprit-elle en recommençant à nettoyer ses œufs. Rentre chez toi et réfléchis. Si tu veux, tu peux revenir, et nous verrons si je peux faire quelque chose pour toi, il te reste encore un peu de temps.

Les paroles d'Ingiborg se tarirent, suivies d'un long silence. Elle revoyait la fermière aux mains difformes et la petite ferme en pierre.

– Vous y êtes retournée ? risqua Konrad au bout d'un moment.

– Non, et je n'ai jamais revu cette femme. Mes parents ont compris en voyant mon ventre s'arrondir et j'ai été forcée de leur avouer le péché que j'avais commis avec Frank. Ils m'ont envoyée à la campagne. J'ai accouché de cet enfant, on me l'a enlevé et on l'a donné. J'ignore à qui. Je n'ai jamais posé la question.

– Vous aviez quand même votre mot à dire, non ?

– J'ai accepté sans protester, répondit Ingiborg. Je les ai laissés décider pour moi au lieu de faire ce que je voulais. Le pire, c'est que je ne savais pas sur quel pied danser. Je ne savais ni quoi faire ni ce que je voulais. Dans un sens, c'était plus simple de remettre tout ça entre leurs mains en espérant que le temps effacerait les traces. C'était peut-être encore pire qu'un avortement. Je ne sais pas. J'ai toujours fait de mon mieux pour ne pas y penser. J'ai cédé aux exigences de mon père. J'ai fait ce qu'il m'a dit. Je n'avais pas le choix. Au moins, cette fermière a été honnête avec moi. La suite n'était qu'une succession de faux-semblants. Mon mari n'a jamais été au courant. Mon fils non plus. Je vous fais confiance, gardez ça pour vous.

– Bien sûr, répondit Konrad. Vous n'êtes pas la seule à avoir vécu ce genre d'expérience.

– Certainement, non, je ne suis pas la seule.

– Vous avez revu Frank ?

– Non. Jamais.

– Quand cette femme vous a parlé d'elfes, qu'est-ce qu'elle voulait dire ?

– Je l'ignore. Thorson m'avait rapporté que Rosamunda travaillait dans un atelier de couture et qu'elle confectionnait de très belles robes. Il m'a semblé logique de l'informer et je lui ai téléphoné. Lui et Flovent savaient qu'elle avait avorté, mais ils ignoraient où.

– Et c'était bien chez cette femme ?

– J'imagine, répondit Ingiborg. Je n'ai plus jamais entendu parler de tout ça.

23

La jeep avançait sans grande difficulté sur la route défoncée qui montait vers la ferme sur la colline de l'autre côté de la rivière Ellidaa. Flovent vit les deux visages qui les épiaient derrière la fenêtre disparaître subitement dès qu'ils descendirent de voiture.

Sur le trajet, il avait informé Thorson de sa visite chez Vigga. Ce dernier avait été surpris d'apprendre qu'une autre jeune fille vivant à l'autre bout du pays avait été violée et que, comme Rosamunda, elle avait mentionné des elfes avant de disparaître subitement, sans doute en mettant fin à ses jours.

– Incroyable ! s'était exclamé Thorson.

– C'est pourtant vrai.

– Tu crois que ces affaires sont liées ?

– C'est possible, on peut facilement imaginer que le même homme s'en soit pris à ces deux jeunes filles.

– Et le lien serait cette histoire d'elfes ?

– Oui. Rosamunda a peut-être découvert en allant chez Vigga qu'elle n'était pas la seule victime. Apparemment, leur agresseur voulait qu'elles fournissent la même explication.

– L'une d'elles se laisse berner et l'autre considère que ce sont des sornettes.

– Mais le résultat est le même, avait repris Flovent. Toutes deux refusent de dénoncer cet homme, soit pour le protéger, soit parce qu'elles ont peur.

– Et pourquoi donc ?

– Pour une raison que nous ignorons, cette jeune femme du Nord était disposée à expliquer ce qu'elle avait vécu en s'accrochant à ce mensonge. Elle croyait sans doute à l'existence des elfes et d'un peuple invisible. Elle devait connaître les histoires où il est question des rapports entre les humains et les elfes. Il en existe un tas, elles sont même réunies dans des livres. On peut supposer qu'elle connaissait ces contes populaires et qu'elle y croyait.

– Mais il peut également s'agir d'une simple coïncidence, avait observé Thorson.

– En effet, on peut tout envisager et il ne faut exclure aucune hypothèse même si le lien me semble plus que probable, avait concédé Flovent. En tout cas, nous avons appris une chose que nous ignorions.

– Comment ça ?

– L'homme que nous cherchons est islandais. Je n'arrive pas à imaginer que les soldats puissent connaître ces histoires d'elfes !

La fermière ne leur laissa pas le temps de frapper à sa porte, elle ouvrit et les toisa tour à tour.

– Qui sont donc ces gentlemen ? s'enquit-elle.

– Nous sommes de la police, répondit Flovent.

– De la police ? Vous m'en direz tant. Qu'est-ce que vous me voulez ?

– Vous poser quelques questions sur une jeune fille qui vous a rendu visite, informa Flovent. On nous a dit que vous offriez en toute discrétion un certain type de services, ajouta-t-il, évitant d'être trop précis, eu égard aux enfants qu'il avait vus à la fenêtre.

– Des services ? C'est-à-dire ? Il m'arrive de vendre des œufs, ce n'est pas un crime, n'est-ce pas ?

– Ce n'est pas de ça que nous parlons, je crois que vous savez parfaitement où nous voulons en venir. Ce n'est d'ailleurs pas une affaire qui relève de nos compétences. D'autres personnes s'en occupent. Attendez-vous à recevoir leur visite. On voudrait juste en savoir un peu plus sur une jeune femme qui est venue vous voir récemment pour vous demander de l'aide.

– Une jeune femme, dites-vous ? C'est assez vague !

– Elle vous a parlé d'elfes, précisa Thorson.

– Vous vous en souvenez ? reprit Flovent.

La fermière le dévisagea.

– C'est elle qui a vendu la mèche ?

– Je ne vois pas ce que vous voulez dire, répondit Flovent.

– Elle a renoncé au dernier moment. C'est bien celle-là ? Avec ses airs de grande dame, aussi fragile qu'une poupée en porcelaine. C'est elle ?

La fermière enjamba le seuil et ferma la porte.

– Je n'ai pas honte de ce que je fais. Vous, les hommes, vous vous en fichez. Vous laissez les femmes s'occuper de tout. Qu'est-ce que ça peut vous faire que j'aide ces malheureuses ? Permettez-moi de vous dire que je ne fais de mal à personne. J'ai…

– Je vais répéter ce qu'a dit mon collègue, cette affaire ne relève pas de nos compétences, coupa Thorson. Il remarqua les doigts recroquevillés à l'intérieur de la paume de la fermière, qu'Ingiborg avait mentionnés quand elle l'avait appelé pour lui parler de sa visite à la ferme. C'est à d'autres que vous devrez expliquer que vous faites œuvre de charité. Parlez-nous plutôt de cette jeune femme. Elle s'est présentée ?

– Non.

– Elle vous a dit son métier ?

– Oui, elle travaille dans un atelier de couture. Je ne lui ai pas posé de questions.

– C'est elle ? demanda Flovent en sortant de sa poche une photo de Rosamunda.

La fermière baissa les yeux.

– Oui, c'est bien elle.

– Vous savez qu'elle a été tuée et qu'on a retrouvé son corps récemment à côté du Théâtre national ?

– Tuée ? Je l'ignorais. J'ai entendu dire qu'on avait découvert une jeune femme là-bas, mais… c'est elle ?

– Elle vous a dit qui était le père ?

– Non.

– Et vous avez une idée de son identité ?

– Une idée ? Comment ça ? Je viens de vous dire que je ne sais pas qui c'est.

– Elle a peut-être laissé entendre que c'était un soldat ? suggéra Thorson.

– Je ne sais pas. C'est un soldat qui l'a tuée ?

– Nous savons que des militaires conseillent à des jeunes femmes de venir vous voir, éluda Flovent.

– Eh bien, ça ne me dit rien.

– Vous disiez qu'elle vous a parlé d'elfes, reprit Thorson. Qu'est-ce qu'elle voulait dire ?

– Pauvre gamine, elle était tellement perdue quand elle est arrivée ici. Elle racontait n'importe quoi. Elle voulait absolument se débarrasser de… elle voulait que je l'aide à régler son problème. Elle ne pouvait pas imaginer garder cet enfant, pas du tout.

– Pourquoi ? demanda Flovent.

– Elle disait qu'elle n'en était pas responsable…

– Comment ça ?

– Je suppose qu'elle a été forcée à…

161

– Et elle ne vous a pas donné le nom de l'homme qui l'a violentée ? poursuivit Flovent.

– Non, en revanche, il lui avait conseillé de dire que c'était l'œuvre des elfes. Elle pleurait toutes les larmes de son corps, elle s'excusait, elle disait qu'elle n'était pas responsable de tout ça et qu'elle ne pouvait pas imaginer garder cet enfant. Je la plaignais sincèrement. Pauvre gamine. Quelqu'un lui a fait du mal et c'est un homme de chair et de sang, ça, j'en suis certaine.

L'armée américaine avait considérablement amélioré la route reliant Reykjavík au Hvalfjördur lorsqu'elle avait installé des entrepôts de carburant sur la rive nord du fjord. Le nombre de vaisseaux militaires et de cargos croisant dans la région avait beaucoup augmenté au fil de la guerre. Le quartier général de la marine occupait deux lieudits nommés respectivement Midsandur et Litlisandur où on avait installé des baraquements et d'énormes cuves de pétrole ainsi que des entrepôts de provisions. Un grand nombre d'Islandais y travaillaient, parmi lesquels deux frères de Rosamunda.

Flovent et Thorson s'y rendirent immédiatement après leur visite chez la fermière. Il faisait froid, mais le ciel était limpide, c'était une belle journée de février. Ils conduisaient prudemment sur la route verglacée qui comportait plusieurs passages difficiles. Thorson avait emporté des chaînes au cas où ils se retrouveraient bloqués dans les congères.

Flovent signalait à son collègue les lieux intéressants sur le trajet. Ils s'arrêtèrent trois fois pour que Thorson puisse regarder les ponts qui se trouvaient sur leur route, tous étaient à une seule voie et le tablier de planches reposait sur des piliers en ciment. Vêtu de l'uniforme de la police militaire, il tapotait les piliers, sautait sur le tablier et consignait quelques observations dans son carnet. Flovent trouvait qu'ils n'avançaient pas très vite, mais s'abstint de toute remarque.

– D'ici, en remontant vers l'intérieur des terres, on trouve la plus haute chute d'eau d'Islande, Glymur, indiqua Flovent alors qu'ils étaient sur le pont enjambant la rivière Botnsa, au fond du Hvalfjördur. Je te conseille d'aller y faire un tour, c'est une promenade agréable et pas trop difficile ni trop longue.

– Dis-moi, pourquoi il y a des Islandais qui refusent de rompre les derniers liens avec le Danemark ? demanda Thorson, penché sur le garde-corps. Il serait peut-être temps, tu ne trouves pas ?

– Je crois que tout le monde veut rompre ces liens, répondit Flovent, mais certains pensent le moment mal choisi. Le Danemark est en guerre contre Hitler, il est affaibli et il y a des gens qui trouvent que nous devons attendre pour fonder la république. Ils ne veulent pas vexer le roi.

– Il compte tant que ça pour les Islandais ?

– Pas pour moi, assura Flovent.

Thorson savait que la fondation de la république sur le site de l'ancien parlement en plein air de Thingvellir sonnerait la fin de sept siècles de pouvoir danois en Islande. Même si ce pouvoir avait décliné depuis la lutte pour l'indépendance aux XIXe et XXe siècles, il restait encore à franchir le dernier pas qui entérinerait la séparation complète des deux pays. La république islandaise serait fondée solennellement le 17 juin 1944, date de l'anniversaire de Jon Sigurdsson, le héraut de l'indépendance au XIXe siècle même si certains protestaient en disant qu'il fallait attendre que le Danemark soit débarrassé des nazis.

– Le pire, poursuivit Flovent dès qu'ils furent remontés en voiture, c'est que les Américains risquent de ne pas repartir après la guerre.

– C'est peut-être aussi bien, tu ne crois pas ? Le pays a besoin d'être défendu et vous n'avez pas d'armée.

– Non, ce dont nous avons besoin, c'est de neutralité, assura Flovent en redémarrant. Nous n'avons rien à faire d'une armée.

– Tu crois qu'on peut être neutre ? Tu préférerais que l'Islande soit neutre dans cette guerre ?

– D'autres pays réussissent à le rester.

– Ce que tu me dis, c'est que vous allez quitter la coupe du Danemark pour passer sous celle des Américains ?

– Je ne sais pas. On vit une drôle d'époque.

Les gardes les arrêtèrent à la barrière du camp. Thorson sortit sa carte et on les laissa passer. Les frères de Rosamunda travaillaient à l'entrepôt. Thorson avait appelé le colonel Stone, responsable des lieux, et lui avait demandé de faire en sorte qu'ils soient disponibles. Stone était allé voir le contremaître de l'entreprise islandaise qui avait transmis le message à ses employés. Les deux frères les attendaient dans le bureau de l'entrepreneur. La mer était couverte de vaisseaux militaires britanniques et américains, de gros tankers venaient remplir leurs cuves dans le Hvalfjördur pour aller ensuite ravitailler la flotte stationnée au large. Les baraquements s'étendaient en rangs serrés depuis la rive avec leurs toits verts et leurs façades percées de deux fenêtres. Il y avait là des dortoirs, des bureaux et des ateliers, surplombés par ces gigantesques réservoirs de carburant.

Les frères étaient âgés d'une vingtaine d'années, le premier était brun, le second roux, tous deux sveltes, même si l'un était un peu plus costaud que l'autre. Le premier s'appelait Jakob et parlait pour les deux. Un peu plus jeune, Egill ne disait pas grand-chose, manifestement intimidé par son aîné. On les avait informés que la police désirait les interroger au sujet de leur sœur. Tous deux portaient un pantalon de treillis, des rangers noirs et un chandail islandais.

– Vous nous arrêtez ? s'inquiéta Jakob.

– Non, répondit Flovent, bien sûr que non. Qui vous a dit ça ?

– À mon avis, c'est ce que tout le monde pense, répondit Jakob.

– On vient seulement vous poser quelques questions, rien de plus.

– On ne ferait pas mieux de les interroger séparément ? suggéra Thorson.

– Et pourquoi donc ? rétorqua Jakob.

– Commençons par vous, répondit Flovent. Egill, si vous voulez bien patienter dans le couloir, merci.

Egill regarda son frère qui lui fit signe d'obéir. Dès qu'il eut quitté la pièce, les policiers s'installèrent avec Jakob qui sortit un paquet de cigarettes américaines et leur en offrit une qu'ils refusèrent. Jakob alluma la sienne à la flamme de son briquet américain qui fonctionnait à l'essence, et dont il rabattit le clapet dans un claquement.

– Rosamunda avait de bonnes relations avec sa famille du Nord ? commença Flovent. Vous aviez gardé contact ?

– Très peu, répondit Jakob en rejetant un nuage de fumée.

– Pourquoi ? s'enquit Thorson.

– On l'a donnée à ces gens, répondit Jakob. On ne parlait quasiment jamais d'elle. Egill et moi, nous avons aussi été placés pendant plusieurs années. Notre famille a eu des difficultés.

– C'était tout de même votre sœur.

– On ne la connaissait pas. Je n'ai aucun souvenir d'elle. Egill non plus. Inutile de nous poser des questions sur elle.

– À votre avis, qu'est-ce qui lui est arrivé ? demanda Flovent.

Jakob secoua la tête.

– Je n'en sais rien, il arrive toutes sortes de choses avec le nombre de soldats qu'il y a à Reykjavík, répondit-il en regardant Thorson.

– Vous croyez qu'elle fréquentait un soldat ?

– Je l'ignore. Je ne la connaissais pas du tout.

– Quand l'avez-vous vue pour la dernière fois ?

– Je viens de vous dire que je ne me souviens pas d'elle. Egill non plus.

– On nous a dit qu'elle correspondait avec votre père. Vous êtes au courant ?

– Oui, elle avait écrit une lettre au vieux. Elle disait qu'elle viendrait nous voir, mais elle ne l'a jamais fait.

– Vous savez pour quelle raison elle l'a contacté ? demanda Thorson.

– Non.

– Elle avait peut-être envie de faire connaissance avec sa famille ?

– C'est possible.

– Et vous, vous n'avez jamais eu envie de la voir ?

Jakob s'accorda un instant de réflexion, puis secoua la tête.

– Savez-vous si elle était heureuse chez ses parents adoptifs ?

– Non, je n'en sais rien du tout.

– Elle souhaitait peut-être les quitter ? Retourner chez votre père ? C'est pour ça qu'elle lui avait écrit ?

– Mon père n'a jamais rien laissé entendre de tel. Et elle n'a écrit qu'une seule lettre. Papa lui a d'ailleurs répondu qu'elle était la bienvenue.

Ils continuèrent de poser leurs questions à Jakob qui semblait très peu s'émouvoir du décès de sa sœur. Cette froideur les surprenait.

– Elle n'avait donc aucune importance à vos yeux ? demanda Thorson.

– Son sort ne me regarde pas.

– Mais c'était votre sœur, insista Flovent.

– Elle était sans doute plus heureuse que nous. Je ne comprends pas pourquoi elle a ressenti le besoin de nous contacter.

– Elle avait envie de vous connaître, de connaître sa famille.

– Eh bien, ça ne s'est pas fait.

– Elle a probablement été violée.

Jakob restait impassible.

Flovent lui demanda s'il se trouvait à Reykjavík le soir où on avait découvert le corps de Rosamunda. Jakob répondit que non. Son frère et lui étaient dans le Hvalfjördur, ils avaient travaillé toute la journée, puis avaient passé la soirée à jouer au billard avec des soldats américains dans un baraquement qui faisait office de bar.

Le frère cadet de Jakob était plus avenant. Egill prit place en face d'eux, renifla et s'essuya le nez d'un revers de manche. Ils lui posèrent à peu près les mêmes questions qu'à son frère, dont il confirma les dires : ils étaient dans le Hvalfjördur le jour de la mort de Rosamunda.

– Quand avez-vous vu votre sœur pour la dernière fois ? demanda Flovent.

– Je ne l'ai jamais rencontrée, répondit Egill.

– Votre famille n'a eu aucun contact avec Rosamunda tout le temps qu'elle a passé à Reykjavík ?

– Non.

– Jamais ?

Egill secoua la tête.

– Elle a écrit à mon père.

– Vous avez vu la lettre ?

– Non, mais il nous en a parlé.

– Que disait-elle ?

– Elle avait envie de nous voir, enfin, quelque chose comme ça.

– Votre père était en contact avec le couple qui l'avait adoptée, les nouveaux parents de Rosamunda ?

– Non. C'était…

– Quoi donc ?

– C'était mieux pour tout le monde de ne pas avoir de lien. Elle était à eux, voilà. Nous avons toujours su que nous avions une sœur à Reykjavík. Nous savions ce qui était arrivé. Notre père ne pouvait pas s'occuper de nous après la mort de notre mère. Jakob et moi, nous avons été envoyés dans une autre ferme. La famille a été dissoute, comme bien d'autres.

– Vous ne lui avez rien fait ?

Egill renifla et s'essuya à nouveau le nez avec sa manche.

– Non. On ne la connaissait pas, on ne la connaissait pas du tout.

24

Konrad se restaura dans un steak house réputé du quartier de Skeifan. Il s'y rendit juste après sa visite chez Ingiborg, à une heure où le restaurant était presque désert. Tandis qu'il mangeait, il pensait à Vigga et à cette autre jeune fille disparue. Il ne pouvait s'agir de Rosamunda dont le corps avait été découvert à côté du théâtre. D'après Ingiborg, Thorson avait enquêté sur le meurtre pendant la guerre. Un événement s'était produit qui avait ravivé l'intérêt du vieil homme et, après tout ce temps, il semblait avoir repris son enquête. En tout cas, il était allé interroger Vigga à la maison de retraite et avait sans doute consulté d'autres témoins de l'époque. Pourquoi ce regain d'intérêt ? Pourquoi était-il allé voir Vigga ? En quoi la vieille femme était-elle impliquée dans tout cela ? Et cette autre jeune fille dont parlait Vigga, avait-elle connu le même sort que Rosamunda ? Thorson avait-il découvert de nouveaux éléments ?

Un client fit tomber un verre qui éclata en mille morceaux, arrachant Konrad à ses réflexions. Il regarda l'homme, désemparé au milieu des éclats qui jonchaient le sol. Un serveur vint à son secours. Konrad se leva de table et sortit.

Il avait repoussé à plus tard une vérification qu'il voulait faire. Il désirait interroger celui qui avait vendu

169

son appartement à Thorson. Il avait trouvé le contrat de vente chez le vieil homme et noté le nom.

Il se gara devant une jolie maison jumelle du quartier est et demanda à lui parler. On lui indiqua un garage où l'intéressé réparait des voitures. Le mécanicien sursauta à son arrivée, craignant que ce ne soit un inspecteur des impôts qui vienne l'épingler pour le travail au noir qu'il pratiquait assidûment. Il se détendit dès qu'il comprit que ce n'était pas le cas. Il se rappelait très bien l'époque où il avait vendu son appartement à Stefan Thordarson, et était au courant de la manière dont le vieil homme était mort. Il ne savait rien de Stefan, mais se souvenait qu'il avait payé comptant, sans doute avait-il mis de l'argent de côté. Il se rappelait nettement mieux Birgitta et ne tarda pas à aborder un sujet très cher à son ancienne voisine.

– On en a beaucoup parlé tous les deux, dit le mécanicien, un homme corpulent aux mains imposantes, marquées par une vie de travail. Elle n'a jamais réussi à me convaincre, mais c'était une partisane fervente de la chose.

– De quoi donc ?

– Vous savez qu'elle était infirmière, reprit l'homme en retirant la batterie de la voiture en cours de réparation.

– Oui, mentit Konrad.

– Évidemment, elle parlait d'expérience, elle avait vu toutes sortes de choses au cours de sa carrière.

– D'expérience ? C'est-à-dire ? De quoi parlez-vous ?

– D'euthanasie, répondit l'homme en reposant sa batterie. Elle souhaitait qu'on l'autorise en Islande.

– D'euthanasie ?! s'exclama Konrad, qui avait du mal à dissimuler sa surprise. Qu'est-ce que vous voulez dire ?

– Elle désirait que la loi l'autorise dans certains cas. À l'époque, elle n'en démordait pas. Je me suis demandé si je ne devais pas vous appeler quand j'ai entendu à la radio que cet homme avait été assassiné. Apparemment, il y a eu violence – enfin, d'une certaine manière. Et j'ai tout de suite pensé à elle.

– Elle aurait étouffé son voisin ?

– Je n'ai pas dit ça. Mais j'ai pensé à elle. Je me suis rappelé son opinion sur cette question précise. Et la mort de cet homme me fait penser à ça.

Konrad resta un moment à discuter avec le mécanicien sans rien apprendre de plus. Il prit congé et appela Marta en rentrant chez lui.

– Tu as déjà réfléchi à l'euthanasie ? demanda-t-il sans ambages. Il entendait des bruits de mastication à l'autre bout de la ligne, Marta finissait de manger.

– L'euthanasie ? De quoi tu parles ?

– Ça t'est arrivé d'y réfléchir ?

– Pas plus que ça, répondit Marta. Tu veux dire, pour moi ?

– Non, pas pour toi, dis-moi, tu as fini de manger ?

– Oui, j'ai avalé un truc infâme dans un resto à hamburgers. Pourquoi cette question sur l'euthanasie ?

– Tu sais ce que c'est, on t'aide à mourir parce que tu es atteint d'un mal incurable, que tu souffres le martyre et que tu n'en as plus pour longtemps à vivre.

– Merci, Konrad, je sais ce que c'est, l'euthanasie.

– Tu as envisagé cette hypothèse pour Thorson ? On l'a trouvé allongé sur son lit. Il n'y avait aucune trace de lutte. Il n'a opposé aucune résistance. On dirait qu'il s'est couché et assoupi, sauf qu'évidemment on l'a étouffé.

– Et ?

– Il y a deux choses : la première, c'est qu'on sait que Birgitta et ce Stefan étaient plus que de simples voisins. Les autres habitants de l'immeuble nous l'ont confirmé. Et je viens d'apprendre que Birgitta militait autrefois pour l'euthanasie. Elle était infirmière. Elle te l'a dit ?

– Non, et toi, comment tu le sais ?

– C'est l'ancien propriétaire de l'appartement de Thorson qui vient de me l'apprendre. Il se rappelait très bien avoir abordé ce sujet plus d'une fois avec Birgitta.

– L'euthanasie ? Mais Thorson n'était pas malade. L'autopsie n'a rien révélé de tel. Quelle était la nature de leurs relations ? Tu devrais peut-être creuser ?

– Tu veux que je retourne l'interroger ?

– Oui, fais-le, répondit Marta. On manque d'hommes. Essaie de tirer les vers du nez à cette bonne femme et rappelle-moi pour me tenir au courant.

25

Il était tard. Quelques bougies brûlaient sur les tables et les épais rideaux étaient tirés. Le médium âgé d'une quarantaine d'années, pas très grand, avenant, les mains douces, le sourire bienveillant, légèrement voûté et vêtu d'un costume noir élimé les attendait dans le salon. Le couple trouvait qu'il dégageait un certain mystère et s'étonnait de sa simplicité. Ils s'installèrent sur les chaises que le père de Konrad avait préparées. Trois autres personnes assistaient à la séance. Il y avait là un veuf dont la femme était décédée après une longue maladie, accompagné par son fils, ainsi qu'un vieil homme presque sourd. Le père et le jeune homme voulaient s'assurer que la défunte était heureuse là où elle se trouvait maintenant. Le vieil homme ne cherchait aucune consolation précise, il avait simplement envie de savoir dans quelle langue étaient libellés les messages en provenance de l'au-delà. Le médium n'avait pas besoin de chaise. Debout face à eux, il allait et venait dans la pièce, captant les ondes qui venaient à lui car il n'était qu'un intermédiaire, comme il l'expliqua à l'assistance.

– Je ne fais que vous transmettre des messages.

– Ah bon, vous n'entrez pas en transe, s'étonna la femme. Elle et son mari étaient familiers des séances de spiritisme, mais ne connaissaient pas ce médium.

– Non, ce n'est pas ainsi que se passent les choses, répondit le voyant. Disons plutôt que les ondes me traversent.

Le vieil homme porta la main à son oreille.

– Pardon, vous dites ?

– J'explique le déroulement de la séance.

– Et les messages arrivent bien en islandais, n'est-ce pas ? cria le vieillard.

Le médium le lui confirma et la séance débuta. Il posa des questions à l'assistance, mentionna des prénoms dont certains firent écho dans leur esprit. Quand ce n'était pas le cas, il passait à autre chose. Dès qu'il obtenait de leur part une réaction positive, il continuait à poser des questions sur l'intéressé, à le décrire, à définir les traits de sa personnalité jusqu'à parvenir à une conclusion certaine sur son identité. Venaient ensuite des messages de l'au-delà disant que le défunt se sentait bien là où il était. Parfois, il remerciait. Certains de ces esprits étaient liés à un parfum, d'autres à un meuble, à un tableau ou à un vêtement. Le veuf et son fils acquiescèrent à certaines choses, le vieil homme à d'autres. Après avoir passé un long moment à s'occuper d'eux, le médium se tourna vers les parents de Rosamunda.

– Je... là où je suis, il fait froid et sombre, commença-t-il, les yeux mi-clos, la tête penchée sur le côté. Oui, froid et sombre, et je vois un homme qui... qui est debout dans le froid... je crois qu'il porte des moufles, oui, il a des moufles et il a froid, des moufles en jacquard. Ça vous dit quelque chose ?

Le couple ne lui répondit pas de suite.

– Il est... est-il possible qu'il ruisselle d'eau de mer ? reprit le médium. Oui, c'est bien ça, il ruisselle d'eau de mer.

174

– Oui, répondit la femme, hésitante. S'il s'agit bien de l'homme auquel je pense. Vous avez dit en jacquard ?

– Oui, il parlait des moufles, précisa son époux.

– Il dit que vous avez toujours été gentils avec lui et tient à vous remercier pour tous les cafés que vous lui avez offerts, poursuivit le médium sans se laisser déconcentrer. Il me semble qu'il s'appelle Vilmundur ou Vilhjalmur.

– Il veut parler de Mundi, tu ne crois pas ? demanda la femme en regardant son mari.

– Il me semble qu'il s'est noyé, continua le médium, son bateau a coulé. Je me trompe ?

– Il a sombré dans le golfe de Faxafloi, confirma l'époux. En face d'Akranes. Ils étaient trois à bord.

– C'est moi qui ai tricoté les moufles à ce pauvre homme, reprit la femme.

– Je vois… il me semble voir un tableau ou peut-être le panorama depuis une maison et il y a aussi une forte odeur de café. Et des *kleinur*. Je sens une très forte odeur de café accompagné de *kleinur* ou de petits gâteaux.

– Mundi disait toujours que mes *kleinur* étaient délicieuses, confirma l'épouse en adressant un signe de tête au veuf et à son fils comme pour leur dire que ce médium était très doué.

– J'ai l'impression qu'il est dans une église. J'entends… j'entends de la musique. C'est possible ? Il vivait entouré de musique ?

– Ce n'est pas étonnant, il était organiste, répondit le père de Rosamunda.

– Merci. Cet homme vous demande de ne pas vous inquiéter pour…

Le médium s'interrompit pour mieux entendre les messages de l'au-delà. Il y eut un long silence, les mots avaient du mal à traverser la barrière de son subconscient. Puis, brusquement, il recula d'un pas et reprit, droit comme un piquet, les yeux mi-clos.

– Il dit qu'elle est à ses côtés. Elle… vous savez de qui il parle.

– C'est notre petite chérie, suffoqua la femme.

– Vous la voyez ? demanda son époux.

– Il ne veut pas… il dit que vous savez de qui il parle et que vous ne devez pas vous inquiéter.

– La pauvre enfant ! s'exclama la femme, incapable de retenir ses larmes. Son mari la serra dans ses bras.

Le voyant s'interrompit à nouveau. Supposant qu'il tendait l'oreille vers l'éternité, ils n'osaient pas le déranger. Puis, n'y tenant plus, le père de Rosamunda prit la parole.

– Est-ce qu'elle peut nous dire qui lui a fait ça ? murmura-t-il.

Le médium était complètement immobile au centre du salon. Un long moment passa. L'assistance retenait son souffle. Le veuf et son fils le regardaient, et le vieil homme était concentré. Les parents de Rosamunda se tenaient la main.

– Est-ce qu'elle peut nous dire qui lui a fait ça ? répéta son père.

Le voyant ne répondait pas. Il resta encore un moment immobile puis se mit tout à coup à secouer la tête et à faire les cent pas dans la pièce. Il annonça que la communication était rompue, il n'en pouvait plus.

La séance était terminée. Le voyant se laissa retomber, épuisé, sur une chaise, et le père de Konrad lui apporta un verre d'eau. Les parents de Rosamunda étaient abasourdis. Ils avaient du mal à croire ce dont ils venaient d'être témoins. Tous eurent besoin d'un certain temps pour reprendre leurs esprits, persuadés d'avoir assisté à quelque chose d'important, voire d'exceptionnel.

Le père de Konrad ouvrit les épais rideaux, se rendit dans la cuisine et rapporta du café, dont il offrit à chacun une tasse accompagnée d'un morceau de sucre brun. Le vieil homme presque sourd versa son café dans sa soucoupe et l'aspira bruyamment du bout des lèvres, le morceau de sucre coincé entre les dents.

– C'est tout de même étrange qu'il ait mentionné ces moufles, s'étonna le père de Rosamunda.

– Justement, hier, je racontais à l'homme qui nous accueille ici que Mundi adorait mes *kleinur*, répondit sa femme. Et je lui ai aussi parlé de ces moufles en jacquard.

Le père et le fils les fixèrent.

– Vraiment ? s'étonna le veuf en regardant le père de Konrad.

– Comment, qu'est-ce qu'elle lui a dit ? s'enquit le vieil homme.

– Eh bien, je lui ai parlé de mon cher Mundi en lui disant qu'il s'est noyé.

– Vous n'auriez sans doute pas dû le faire.

– Pas dû le faire ? Comment ça ?

Assis à la table de la cuisine, Konrad regardait le coucher du soleil par la fenêtre qui donnait à l'ouest et se rappelait le récit de son père. Il en gardait un souvenir très précis. Il était âgé de dix-huit ans quand ce dernier lui avait raconté la séance avec le couple qui avait perdu sa fille et expliqué la manière dont il extorquait quelques couronnes à de pauvres gens crédules, souvent plongés dans la douleur. Il ne lui en avait jamais parlé, pas plus qu'il ne lui avait parlé des activités diverses et peu reluisantes auxquelles il s'était adonné au fil du temps. Ce jour-là, plus ivre que d'habitude, il s'était laissé aller à lui confier les facettes les plus sombres de son existence.

– C'était un jeu d'enfant, avait-il dit de sa voix rauque de gros fumeur. Ces gens ne demandaient qu'à être bernés et, plus ils payaient cher, plus ils étaient disposés à avaler n'importe quelles sornettes. Par le diable, je n'arrive pas à croire à quel point c'était facile de les tromper !

Ce jour-là, Konrad ne décela pas la moindre trace de regret chez son père. Cet homme était incapable de présenter des excuses à quiconque. Konrad n'avait pu se retenir de lui demander comment il avait pu exploiter le malheur de ces pauvres gens et leur soutirer de l'argent.

– Ce n'était pas mon problème. Ils voulaient se bercer d'illusions, avait-il répondu. Le type qui se prétendait voyant avait tout de même certaines dispositions. On avait organisé pas mal de séances de ce genre sans jamais être démasqués parce qu'il avait un don, enfin, je pense, même si ce n'était en fin de compte qu'un charlatan. Cette femme m'avait dit un certain nombre de choses, mais elle ne m'avait pas parlé de cet orgue, c'était donc aussi une question de chance. Il fallait une dose de chance pour que la séance se passe bien. En revanche, elle m'avait parlé des moufles et de la noyade de ce Mundi, et je l'ai soufflé au voyant juste avant l'arrivée du couple. Quand le veuf et son fils ont appris que j'avais discuté avec elle juste avant la séance, ils se sont mis en colère, ont immédiatement appelé la police et c'en était fini. Le faux médium a été démasqué. Quant à moi, j'étais considéré comme son complice, avait conclu le père de Konrad en éclatant de rire. Son complice !

– Vous faisiez ça régulièrement ? Tu allais voir les gens avant qu'ils viennent aux séances et tu racontais ce qu'ils t'avaient dit à ce charlatan ?

– Non, ce n'était pas toujours comme ça. Ce médium a fait pas mal de séances chez nous et je m'arrangeais pour lui fournir des renseignements sur les participants. On recevait souvent les mêmes. Donc, il les connaissait bien. Comme, par exemple, ce veuf et son fils. C'était la troisième fois qu'ils venaient. Parfois, il ne connaissait pas les participants et là, il aimait bien avoir quelques éléments en main pour s'échauffer, disait-il.

Le père de Konrad avait marqué une pause.

– Il n'aurait sans doute pas dû décrire ces moufles avec trop de précision, avait-il repris. Ce qui m'étonne, c'est que ce nigaud avait tout de même ressenti une présence. Après cette séance désastreuse et le scandale qui s'est ensuivi, il m'a dit qu'il avait senti la présence de cette jeune fille et aussi d'une autre gamine qui était avec elle. Il avait l'impression qu'elles avaient toutes les deux connu le même destin tragique.

– Il y avait une autre fille avec elle ?

– C'est ce qu'il prétendait.

– Le même destin tragique ? C'est-à-dire ?

– Il ne l'a pas précisé. Il ne l'a dit à personne. Pas plus qu'il n'a dit les autres choses qu'il avait perçues pendant cette séance. Sans doute parce qu'on avait été démasqués et que, de toute façon, plus personne ne le croyait.

– Mais toi, il ne t'a rien dit sur elle ?

– Non, tout ce qu'il m'a dit, c'est qu'il avait ressenti un froid glacial quand elle s'est manifestée. Mais bon, Konrad, tu sais, cet homme n'était qu'un charlatan et c'était moi qui lui soufflais à l'oreille la majeure partie de ce qu'il racontait aux gens.

Le récit de cette séance avec le médium était gravé dans la mémoire de Konrad. C'était la dernière fois qu'il avait discuté comme ça avec son père. Un soir d'hiver en février, alors qu'il rentrait chez lui peu avant minuit, il avait vu un véhicule de police devant leur appartement en sous-sol. Deux policiers l'attendaient à la porte. Konrad n'avait pas été spécialement surpris. Son père était, comme on dit, connu des services de police, et, parfois, quand un cambriolage était commis, quand on arrêtait un type qui distillait de l'alcool de contrebande ou quand on démantelait un trafic de grande envergure, on venait l'interroger chez lui ou l'emmener au commissariat de la rue Posthusstraeti. C'était en 1963, Konrad avait quitté l'École technique où il apprenait le métier d'imprimeur et s'était mis à boire plus que de raison. Son père ne s'était jamais beaucoup occupé de lui et sa mère lui donnait très rarement des nouvelles depuis qu'elle était partie avec sa sœur Beta à Seydisfjördur, dans les fjords de l'Est. Il buvait avec d'autres pauvres garçons qui, comme lui, ne tarderaient pas à se retrouver à la rue, et aussi avec son père qui aimait lui raconter des histoires de ce qu'il appelait le « milieu », parmi lesquelles les aventures qu'il avait vécues avec ce faux médium. Konrad travaillait de temps en temps au noir dans le bâtiment, il volait dans les magasins, fracturait les voitures et rendait des services à son père moyennant un petit pourcentage. Jamais la police ne l'avait attrapé et jamais il n'avait eu affaire à la justice.

L'un des policiers s'était avancé en lui demandant s'il vivait ici et s'il connaissait l'occupant des lieux. Ayant appris à se méfier de la police, il s'était apprêté à mentir, mais rien ne lui était venu à l'esprit. Il avait donc répondu que son père était le locataire de l'appartement, qu'ils y vivaient tous les deux et lui avait demandé ce qu'il voulait.

– Rien du tout, avait répondu le flic. Tu as passé la soirée avec lui ?

– Non, pourquoi cette question ?

– Tu en es sûr ?

– Oui.

– Tu sais s'il avait rendez-vous ?

– Pourquoi cette question ? avait répété Konrad.

– Il s'est disputé avec quelqu'un ? Il y a des gens qui lui en veulent ?

– Des gens qui lui en veulent ? C'est-à-dire ?

– Ton père est mort, mon gars, avait annoncé l'autre policier. Tu sais s'il prévoyait un coup aux abattoirs de la rue Skulagata ?

Konrad se demandait s'il avait bien entendu.

– Comment ça ? Qu'est-ce que vous dites ?

– On l'a trouvé, gisant dans son sang, devant les abattoirs, avait précisé le policier. Il a été poignardé. Tu sais ce qu'il allait faire là-bas ?

– Qu'est-ce que vous racontez ?! Poignardé ? On l'a poignardé ?!

– Oui, et il est mort.

Konrad dévisageait les deux hommes chargés de prévenir la famille du défunt. Ils connaissaient bien son père et ne jugeaient pas nécessaire de faire preuve de tact ni du moindre respect à l'égard des alcooliques et des petits délinquants. À ce moment-là, une autre voiture s'était garée devant l'appartement. Un troisième policier était descendu du véhicule. Contrairement à ses deux collègues, il ne portait pas l'uniforme et travaillait à la Criminelle.

– Qu'est-ce que vous dites ?! avait hurlé Konrad, furieux, en poussant l'un des agents. Il avait envie de le frapper, mais le collègue du policier l'avait attrapé et plaqué à terre en lui serrant la gorge. Konrad se débattait comme un diable, les policiers avaient dû s'y mettre à deux pour le maîtriser. Quand il s'était enfin calmé, ils l'avaient relevé.

– Lâchez-le, laissez-le tranquille, avait ordonné le gars de la Criminelle d'une voix lasse.

Les deux flics avaient protesté, puis obtempéré.

– Ils vous ont annoncé la nouvelle ?

– Oui.

– Vous êtes son fils ?

– Oui, avait répondu Konrad. Ils disent qu'on l'a poignardé. Qu'est-ce qui s'est passé ? Il est mort ?

– Vous êtes sûr de ne pas savoir ce qui lui est arrivé ?

– Oui, je… je n'y crois pas.

– Vous savez qui l'a agressé ?

– Agressé ? Moi ? Non, j'étais en ville. Qu'est-ce qui s'est passé ? Il est… il est mort ?!

Le policier de la Criminelle avait hoché la tête. Contrairement à ses deux collègues, il s'était adressé à Konrad sur un ton calme et dénué de mépris et lui avait expliqué qu'un passant avait trouvé son père gisant dans une mare de sang devant la grille des abattoirs du Sudurland, rue Skulagata. L'assassin l'avait poignardé deux fois avant d'abandonner son corps sur le trottoir. Il n'y avait aucun témoin. Konrad ne connaissait pas l'emploi du temps de son père. Il ignorait ce qu'il était allé faire à Skulagata et n'avait aucune idée de l'identité de celui qu'il allait voir ou dont il avait croisé la route. Son père avait escroqué un tas de gens au fil de sa vie et il avait de très mauvaises fréquentations. Konrad avait immédiatement compris que son décès était pour ainsi dire la conséquence directe de la manière dont il avait vécu.

– Toutes mes condoléances, mon petit, avait dit le policier en civil. Je suis navré que tu apprennes la nouvelle de cette façon. Si je peux faire quoi que ce soit, si tu as des questions, n'hésite pas à me contacter.

Malgré une enquête poussée, la police n'avait pas réussi à identifier l'assassin du père de Konrad. Le dossier avait été classé parmi les crimes non résolus du service. Après la mort de son père, Konrad avait arrêté de boire, il s'était à nouveau inscrit à l'École technique et avait terminé son apprentissage d'imprimeur. Quelques années plus tard, le sort avait voulu qu'il entre dans la police et qu'il rejoigne la Criminelle. Ses collègues murmuraient parfois des choses sur son père et il arrivait qu'ils lui posent des questions, Konrad se mettait en colère et refusait d'y répondre. En revanche, lorsqu'il enquêtait, il n'oubliait jamais ce policier en civil, le respect et la gentillesse qu'il lui avait manifestés lors de cette terrible épreuve.

26

Vers midi, le lendemain de leur excursion dans le Hvalfjördur, Thorson et Flovent se retrouvèrent rue Frikirkjuvegur pour aller interroger ensemble l'ancien contremaître des Ponts et Chaussées. Vigga avait donné son nom à Flovent qui avait appris en passant quelques coups de téléphone que l'homme avait quitté la voirie et travaillait maintenant pour l'armée américaine, à l'aéroport Patterson, sur la péninsule de Sudurnes.

Ils prirent la route par un temps plutôt clément. Le ciel était certes assez couvert, mais le soleil qui perçait par endroits les épais nuages éclairait intensément l'océan par intermittence. Flovent expliqua à Thorson qu'il existait en Islande une tradition foisonnante de contes populaires transmis oralement depuis des siècles, les longues nuits d'hiver. D'après ces contes, chaque bruit porté par le vent pouvait être un revenant au corps entaillé de plaies béantes, chaque colline pouvait abriter des elfes et chaque rocher, un palais de contes de fées. Tout cela venait se mêler aux histoires d'ogresses et de géants transformés en pierre, surpris par le lever du soleil, aux *nykrar*, ces esprits aquatiques malfaisants qui plongeaient dans les lacs et ressemblaient à des chevaux aux sabots à l'envers, et aux *tilberi*, ces créatures informes qui suçaient le sang des femmes, accrochés à leurs cuisses. Ces étranges récits étaient nés de la confrontation de l'homme à une nature hostile, de la difficulté à survivre dans ce pays désolé et des peurs qu'engendrait la longue nuit hivernale. À cela venait s'ajouter le plaisir de raconter des histoires et une imagination fertile qui avaient donné naissance à des univers merveilleux, tout aussi réels que le réel lui-même pour un certain nombre de gens.

– Mais tout cela appartient au passé, non ? s'enquit Thorson alors qu'ils approchaient de l'aéroport Patterson. J'ai l'impression de me retrouver au Moyen Âge.

– Je suppose que le modernisme se chargera de faire disparaître ces choses-là, répondit Flovent. Pourtant, il y a encore beaucoup de gens qui croient à l'existence des elfes et d'un peuple invisible.

Il se gara à côté d'un baraquement derrière un grand hangar à avions et regarda Thorson. L'Islandais né au Canada n'avait pratiquement pas ouvert la bouche de tout le trajet, la tête ailleurs.

– Mais je n'en suis pas tout à fait sûr, ajouta Flovent. Ces histoires et ces croyances ont la peau sacrément dure.

On les conduisit au chef d'équipe islandais, Brandur, qui dirigeait un petit groupe d'ouvriers chargés de la maintenance de l'aéroport. Il avait été construit sur les sables de Njardvikurfitjar, à l'endroit dénommé Svidningar, et mis en service deux ans plus tôt. C'était la base des avions de l'armée américaine chargés de la défense aérienne du sud-ouest de l'île. L'aéroport portait le nom d'un jeune pilote décédé pendant son service en Islande. Une autre base aérienne avait été construite à proximité, également baptisée du nom d'un jeune pilote dont l'appareil s'était abîmé tout près des côtes islandaises, l'aéroport Meeks.

Quand Flovent et Thorson arrivèrent, Brandur et ses ouvriers plantaient de nouveaux piquets le long de la piste. Flovent demanda à parler au chef d'équipe.

– Que lui voulez-vous ? rétorqua un homme affublé d'un bon ventre, qui portait un six-pence et tenait une cigarette entre ses doigts courts. Accoudé à un camion de l'armée, il regardait les ouvriers travailler.

– C'est vous ?

– Et alors ? répondit l'autre en se découvrant pour gratter son crâne chauve.

– Nous souhaiterions vous interroger sur l'époque où vous avez travaillé aux Ponts et Chaussées dans le fjord d'Öxarfjördur. On voudrait vous parler en privé.

Brandur les contempla alternativement, le plus âgé était en civil et son collègue portait l'uniforme de la police militaire. Les ouvriers avaient délaissé leur tâche et fixaient les visiteurs.

– L'Öxarfjördur ? Comment ça ?

– Venez avec nous dans le hangar, suggéra Flovent, on vous expliquera tout ça.

Brandur hésitait. Il se demandait ce que cette intrusion signifiait, mais sa curiosité finit par l'emporter. Il ordonna à ses hommes de cesser de lambiner et de se remettre au travail, puis invita les deux policiers à l'accompagner dans son camion. Ils montèrent à bord et roulèrent jusqu'au hangar. Thorson demanda qu'on les laisse tranquilles dans le petit bureau. Brandur se laissa tomber sur l'unique chaise présente dans la pièce. Flovent en vint droit au fait.

– Vous vous souvenez d'une jeune fille qui a disparu de la ferme où elle vivait, quand vous travailliez là-bas pour les Ponts et Chaussées ?

– Vous parlez de celle qui s'est jetée dans la cascade ?

– Elle a vraiment fait ça ?

– C'est ce que disaient pas mal de gens.

– Donc, vous êtes au courant de cette histoire ?

– Je m'en souviens parfaitement, c'était une vraie tragédie, vous imaginez bien, confirma Brandur en prenant une cigarette dans son paquet de Camel du bout de ses doigts épais, jaunis par le tabac.

– Vous la connaissiez ?

– Non.

– Mais c'était peut-être le cas d'un de vos ouvriers ?

– Je n'en sais rien, répondit Brandur. Vous sous-entendez qu'un de mes gars l'aurait assassinée ?

– Qu'est-ce qui vous fait croire qu'il s'agit d'un meurtre ?

– Eh bien, on entendait toutes sortes de choses, là-bas, dans le Nord, expliqua Brandur.

– Par exemple ?

– Certains disaient qu'elle s'était jetée dans la chute de Dettifoss à cause d'un chagrin d'amour. Personne ne savait ce qui s'était passé et les gens faisaient des tas d'hypothèses.

– Je ne dis pas que quelqu'un l'a tuée, précisa Flovent. Vous avez entendu certains de vos ouvriers parler d'elle avant ou après sa mort ?

– Évidemment, la disparition de cette gamine surprenait et attristait tout le monde, on a participé activement aux recherches. Mais si vous me demandez si un de mes gars lui a fait du mal, je peux vous assurer que non, là, je suis formel.

– Donc, vous n'avez jamais entendu aucun de vos ouvriers tenir sur elle des propos qui vous auraient semblé surprenants ou suspects ? Des paroles qui tranchaient avec l'opinion commune ?

– Vraiment, ça ne me dit rien, répondit Brandur en aspirant la fumée de sa Camel. Vous avez retrouvé son corps ?

Flovent secoua la tête.

– Vous n'avez entendu personne parler de superstitions ou mentionner des histoires d'elfes ?

– Non, répondit Brandur.

À en juger par l'expression de son visage, il avait de plus en plus de mal à comprendre où Flovent voulait en venir.

– Les hommes qui travaillent sous vos ordres à l'aéroport Patterson, ce sont les mêmes qui étaient avec vous dans le Nord ?

– Non, ils sont tous d'ici, de la péninsule de Sudurnes. La plupart de mes gars dans le Nord étaient originaires de là-bas.

– On nous a dit que des troupes britanniques stationnaient dans la région au moment de la disparition de cette jeune fille, glissa Thorson.

– Leur quartier général était installé à Kopasker, répondit Brandur. C'étaient de braves garçons, très jeunes et pour la plupart sacrément surpris de se retrouver là, tout au bout du monde.

– Ils fréquentaient des Islandaises ?

– Sans doute, mais je n'y prêtais pas attention.

– Et cette jeune fille, elle était peut-être en contact avec certains d'entre eux ?

– Je l'ignore, il faut demander ça à ses parents. Pourquoi toutes ces questions ?

– Vous connaissiez sa famille ?

– Non, tout ce que je sais, c'est que…

– Oui ?

– C'étaient des gens adorables, reprit Brandur. Ils ne supportaient pas de voir les autres malheureux et ce drame les a anéantis.

– Vous vous souvenez peut-être de gens qui étaient de passage dans la région à cette époque ? Je suppose que les fermes recevaient un certain nombre de visiteurs, comme toujours en été, dit Flovent.

– En effet, il y avait pas mal de passage, on était bien placés pour le voir aux Ponts et Chaussées.

– Vous avez remarqué quelque chose de particulier ?

– De particulier ? Comment ça ?

Flovent adressa à Thorson un regard suggérant que cet homme ne leur apprendrait pas grand-chose.

– De particulier, répéta Brandur, je ne vois pas ce que vous voulez dire. Il y avait bien sûr là-bas quelques beaux messieurs, comme chaque été. Des types de Reykjavík, des profiteurs de guerre qui venaient pêcher le saumon. Il y avait aussi des gens d'Akureyri, le directeur de l'Union, et ces parasites qui passent leur temps à voler les fermiers. Les capitalistes de la coopérative. Staline aurait vite fait de se débarrasser de ces sales bourgeois. Et certains étaient aussi accompagnés par des politiciens, j'ai aperçu deux ou trois députés.

– Les capitalistes de la coopérative ?

– Oui, ce genre d'individus.

– Et des députés de la région ?

– Je ne saurais vous dire exactement d'où ils venaient, mais ils étaient sans doute originaires du Nord. J'en ai entendu de belles sur leurs beuveries dans les chalets de chasse. Ces gens-là font leurs petites fêtes entre eux sans inviter le petit peuple, mais c'est lui qui paie leurs frasques.

– Vous n'avez pas fait de mal à cette jeune fille ? risqua Thorson.

– Non ! protesta Brandur.

– Vous vous intéressez aux contes populaires ? poursuivit Flovent.

– Comment ça ?

– Aux histoires d'elfes ? Elles vous intéressent ?

– Moi ?! Non, pas du tout. Je ne crois pas à ces balivernes.

– Parfait, répondit Flovent en regardant Thorson. Je suppose que nous en avons terminé. On ne va pas vous retenir toute la journée. Merci pour votre aide.

Brandur se leva. Les deux policiers le suivirent dans le hangar pour rejoindre le camion. Tous les appareils étaient en vol. Assis à une table, les mécaniciens fumaient et jouaient au poker sans leur accorder aucune attention. La radio diffusait du Glenn Miller.

– Cela dit, un de mes ouvriers s'y intéressait beaucoup, déclara Brandur en montant dans le camion.

– À quoi ? demanda Thorson.

– Aux elfes et à ces choses-là. Il était allé au lycée d'Akureyri, c'était un vrai rat de bibliothèque, un type un peu bizarre. Le genre très solitaire. D'ailleurs, les autres se moquaient de lui, enfin, gentiment, ils l'avaient surnommé le professeur. Mais c'était un garçon très courageux, ça, il n'y a pas à dire.

– Et il s'intéressait aux elfes ?

– Disons plutôt aux contes populaires. Il prétendait qu'il y avait un périmètre magique ou je ne sais quoi juste à côté de la route où on travaillait. C'est dans ce sens-là que je dis qu'il était un peu bizarre, mais c'était un gentil garçon.

– Vous savez où on peut le trouver ? s'enquit Flovent.

– Je crois me souvenir qu'il voulait s'inscrire à l'université. Brandur démarra son camion en faisant rugir le moteur. Il enclencha la marche arrière, claqua la portière et se pencha par la vitre ouverte pour ajouter : Mais je ne sais pas ce qu'il est devenu.

27

Birgitta, la voisine de Stefan, réserva bon accueil à
Konrad et ne sembla pas surprise de le revoir. Elle
l'invita dans son salon et lui demanda si la police avait
découvert de nouveaux éléments. Il répondit qu'il ne
pouvait pas lui dire grand-chose, il enquêtait également
à titre personnel, cette affaire touchait à son histoire
privée, même si, en fin de compte, elle le concernait
d'assez loin. Cette observation piqua la curiosité de la
vieille dame. Konrad lui raconta en détail l'histoire de
Rosamunda en omettant toutefois de mentionner son
propre père, mais en disant simplement qu'il avait
vaguement connu les parents de cette jeune fille. Il
ajouta qu'apparemment, l'enquête n'avait jamais été
résolue. Il n'en avait trouvé quasiment aucune trace.
Les procès-verbaux étaient sans doute dans les archives
de la police militaire américaine. Marta lui avait dit
qu'elle allait envoyer une requête aux autorités concer-
nées.

– Est-ce que Stefan vous parlait parfois de l'enquête
sur le meurtre de Rosamunda ? demanda Konrad.

– Non, jamais. Pourquoi aurait-il… Il la connaissait ?

– Vous savez ce qu'il faisait en Islande pendant la
guerre ?

– Pas précisément. Il faisait partie des troupes d'occupation et il était à Reykjavík.

– Tout à fait, il travaillait dans la police militaire américaine et il a enquêté sur la mort de Rosamunda.

Birgitta affirma qu'elle l'ignorait. Stefan ne le lui avait jamais dit, d'ailleurs il parlait rarement de cette période de sa vie.

– C'est vous qui me l'apprenez. Et vous croyez… vous pensez que sa mort a un lien avec cette histoire ?

– Je ne peux rien vous dire concernant le déroulement de l'enquête, mais nous explorons toutes les pistes à partir de divers détails, y compris les plus insignifiants. Comme, par exemple, la posture dans laquelle on l'a découvert dans son lit.

– Dans son lit ?

– Eh bien, le fait qu'il était allongé, l'air paisible, précisa Konrad.

– Alors que son assassin l'a étouffé, c'est ça ? ajouta Birgitta.

– Tous les indices vont dans ce sens. Une des pistes sur lesquelles nous travaillons est celle de son état mental. La deuxième concerne son grand âge. Et la troisième, son emploi du temps les jours précédant son décès. Nous nous intéressons aussi à sa manière d'envisager la mort. Est-ce qu'il vous a parlé du moment où il quitterait ce monde ?

– Je ne vois pas du tout où vous voulez en venir, répondit Birgitta.

– Par exemple, vous savez peut-être s'il préférait être enterré ou incinéré ?

– Non, il n'en parlait jamais, en tout cas pas à moi.

– Nous n'avons pas trouvé de testament dans son appartement, il n'en avait pas rédigé ?

– Je l'ignore.

– Est-ce qu'il a évoqué en votre présence des sujets comme l'euthanasie ?

Birgitta hésita.

– Pourquoi cette question ?

– Oui ou non ?

– Qui vous a parlé de ça ?

– Apparemment, vous n'êtes pas opposée à cette pratique, répondit Konrad. On nous a dit que vous y étiez favorable. En tant qu'infirmière, vous avez suivi des patients qui souffraient le martyre. Il paraît que vous militiez pour qu'on leur permette d'abréger leur calvaire.

– C'est vrai, je milite pour le droit de mourir dans la dignité, répondit Brigitta. Les Pays-Bas et d'autres nations l'ont autorisé. Je ne vois ce qu'il y a d'anormal là-dedans.

– Et vous…

– Je n'ai jamais aidé personne à mettre fin à ses jours, si c'est ce que vous essayez de me dire. Il y a un pas entre le militantisme et l'action directe.

– Je n'ai jamais affirmé que vous l'avez fait.

– Dans ce cas, pourquoi cette question sur l'euthanasie ?

– Vous étiez très proche de Stefan ?

– Très proche ?

– Quand il est mort. Quelle était la nature de vos relations ? Et à l'époque où Eyjolfur, votre époux, était encore vivant ?

Birgitta se leva.

– Je crois que vous feriez mieux de partir.

– Pourquoi ?

– Je n'ai rien d'autre à vous dire.

Konrad restait rivé à son fauteuil. Il s'était attendu à cette réaction.

– Pardonnez-moi. Je ne voulais pas vous mettre en colère. Il s'agit là uniquement d'une des pistes explorées par la police et je voulais vous en informer.

– Vous n'avez pas le droit de venir ici et de m'accuser comme ça, protesta Birgitta. L'euthanasie, franchement ! Je n'ai fait aucun mal à Stefan, je ne lui ai rien fait du tout. D'ailleurs, il n'en avait pas besoin.

– Et lui, il y était aussi favorable ?

– Favorable à quoi ?

– À l'euthanasie.

– Je suppose qu'il n'y était pas opposé, mais nous n'avons jamais abordé la question.

– Vous avez perdu votre époux…

– Qu'est-ce qu'il vient faire là-dedans ?

– Je…

– Vous croyez peut-être que je l'ai tué, lui aussi ?!

– Non, pardon, je ne voulais pas vous mettre en colère, répéta Konrad.

Il se rappelait sa première rencontre avec Birgitta. Elle lui avait parlé d'Eyjolfur, son mari défunt, en lui disant que lui et Stefan, anciennement Thorson, étaient assez bons amis. Après le décès d'Eyjolfur, Birgitta et Stefan s'étaient vus régulièrement. Elle n'avait pas précisé la nature de leur relation. Un des policiers qui avaient découvert le corps avait consigné dans son rapport ce qu'elle avait dit de son voisin : le pauvre homme avait bien mérité son repos.

– Vous étiez, Stefan et vous, plus que de simples connaissances, n'est-ce pas ?

Birgitta hocha la tête.

– Il était très secret. Ce n'est qu'après le décès d'Eyjolfur que… enfin, il parlait très rarement de lui-même, que ce soit à moi ou à mon mari. Quand je l'ai un peu mieux connu, devenue veuve, il m'en a dit un peu plus sur lui. Il passait me voir plus régulièrement et, peu à peu…

Birgitta leva les yeux vers Konrad.

– Vous ne pensez tout de même pas… ?

– J'essaie seulement de comprendre la nature de votre relation.

– Ce n'est pas ce que vous croyez, assura-t-elle.

– Quel type de relation aviez-vous ensemble après le décès de votre mari ? reprit Konrad.

– Nous étions amis.

– Seulement ?

– Oui.

– Vous en êtes sûre ?

– Enfin, qu'est-ce que ça veut dire ? Évidemment que j'en suis sûre ! Stefan n'était pas ce genre d'homme.

– Ce genre d'homme ?

Birgitta lui lança un regard noir.

– Vous m'avez demandé s'il avait des amis, consentit-elle après un long silence. Je suppose que vous avez vu la photo qu'il gardait dans sa table de nuit.

– En effet.

– C'était son ami.

Konrad revoyait l'homme élégant du cliché.

– Et ?

– Un ami très intime.

– Vous voulez dire que Stefan était… ?

– Oui.

– L'homme de la photo était son petit ami ?

– En effet. Je suppose que vous comprenez maintenant qu'il ne pouvait y avoir entre lui et moi rien de plus qu'une simple amitié.

– Et cet homme, son ami, qu'est-ce qu'il est devenu ?

– Il a eu des problèmes cardiaques et il est mort quelques années après leur rencontre. Évidemment, ils gardaient le secret de leur liaison, comme ça se faisait à l'époque. Peu après son décès, Stefan a quitté Hveragerdi. Il a toujours habité seul et mené une existence discrète. Il était isolé et n'avait pas vraiment d'amis.

– D'ailleurs, il n'exposait pas non plus cette photo, elle était dans le tiroir de sa table de nuit, souligna Konrad.

– J'imagine qu'il avait conservé cette habitude depuis l'époque où on devait cacher ce type de liaisons.

– Vous deviez être assez intimes pour qu'il vous fasse cette confidence.

– Nous… nous avions beaucoup de tendresse l'un pour l'autre et il me manque beaucoup. Mais je n'ai jamais trompé Eyjolfur, contrairement à ce que vous croyez. Pas plus que je ne suis responsable de la mort de Stefan. Cette idée est vraiment absurde !

– L'homme de la photo, vous connaissez sa famille ? Quelqu'un que je pourrais rencontrer ou avec qui Stefan avait gardé contact ?

– Il avait un frère, mais il est mort. Je ne sais rien des autres membres de sa famille.

– Il ne vous a réellement jamais dit qu'il avait travaillé dans la police militaire américaine pendant la guerre ?

– Non, il ne m'en a jamais parlé. C'est une époque qu'il n'avait pas vraiment appréciée.

– Vous savez pourquoi ?

– Non, mais je sentais bien qu'il n'aimait pas trop évoquer ces années-là. Et il ne m'a jamais parlé de cette Rosamunda.

– Il vous a dit à quoi il occupait ses journées avant son décès ? poursuivit Konrad.

– Il me semble que nous en avons déjà discuté, répondit Birgitta d'un ton las. La visite de Konrad l'avait fatiguée. Il avait l'impression qu'elle avait hâte d'être débarrassée de lui, de ses questions et de sa curiosité.

Préférant en rester là, il se leva et se prépara à partir.

– Vous m'avez demandé s'il recevait des visites et s'il lui arrivait d'avoir des rendez-vous, reprit Birgitta. En y réfléchissant, je me suis souvenu que, quelque temps avant sa mort, il est allé voir une femme qui lui a appris une chose qu'il ignorait, mais je n'ai pas bien compris ce qu'il voulait dire. Il m'a dit que tout ça remontait à si longtemps… c'était peut-être en rapport avec l'histoire dont vous me parliez tout à l'heure.

– Qui était cette femme ?

– Tout ce que je sais, c'est qu'elle lui a parlé d'un ancien atelier de couture.

– Un atelier de couture ?

– Oui, cet atelier n'existe plus, mais il était florissant pendant la guerre.

– Vous savez ce qu'elle lui a dit ?

– Il n'a pas été très précis, d'après lui ça n'avait plus grande importance.

– Cette femme, elle s'appelait comment ?

– Je l'ignore. Elles étaient deux, enfin, il me semble, et je crois me souvenir que l'une d'elles s'appelait Geirlaug ou quelque chose comme ça.

– Cela remonte à combien de temps ?

– Je dirais à environ trois semaines.

– Vous savez pourquoi il est allé les voir ?

– Malheureusement, non.

198

Konrad passa la soirée à chercher sur Internet des renseignements sur les anciens ateliers de couture et les grossistes en tissus. Il découvrit qu'il en existait plusieurs à Reykjavík pendant la Seconde Guerre mondiale. À cette époque, on avait du mal à trouver des vêtements de confection dans les boutiques, et ces ateliers étaient indispensables. Les gens achetaient du tissu, le portaient à l'atelier et faisaient fabriquer ce dont ils avaient besoin : des robes, des manteaux, des housses de couette ou des rideaux. Les plus grands magasins possédaient leur propre atelier et confectionnaient des vêtements avec le tissu que leur achetaient les clients. Toutes ces choses avaient depuis longtemps disparu dans les méandres.

Ayant bu plusieurs verres de Dead Arm, Konrad se sentait un peu ivre. Il laissait son esprit vagabonder entre son père et les mondes parallèles, les ossements transférés à la demande de sociétés de spiritisme et les corps jamais retrouvés.

Il termina la bouteille en méditant sur ce que Birgitta lui avait dit au sujet de Thorson et de son ami. Il pensa aux petites taches qui maculaient la photo du jeune homme. Il les avait d'abord prises pour de la saleté, mais était maintenant convaincu que c'étaient les traces laissées par les larmes de Thorson.

28

Konrad consulta l'annuaire téléphonique sur Internet et décida d'appeler toutes les femmes prénommées Geirlaug qui y figuraient pour leur demander si elles avaient fréquenté un atelier de couture jadis en activité à Reykjavík. Il voulait savoir si elles connaissaient un certain Thorson et si elles avaient eu rendez-vous avec lui peu avant sa mort. Aucune Geirlaug n'était répertoriée comme couturière, il supposa que la profession était depuis longtemps tombée en désuétude. Si celle qu'il cherchait n'était pas dans l'annuaire, il devrait emprunter des voies plus complexes pour la retrouver.

Il commença à appeler les femmes de la liste qu'il avait constituée vers midi, le lendemain de sa visite chez Birgitta. Pour une fois, il avait fait la grasse matinée. Il s'était couché tard et avait eu du mal à trouver le sommeil malgré la quantité de vin rouge qu'il avait consommée. Il avait médité une bonne partie de la nuit sur le sort de Thorson qui avait pris le nom de Stefan Thordarson après s'être installé dans son nouveau pays, une terre qui n'était toutefois pas entièrement nouvelle puisque c'était là qu'étaient ses racines. Il avait pensé à ce vieil homme qui avait vécu seul après le décès de son ami, avait réfléchi à l'amitié qui liait l'ingénieur à Birgitta et s'était demandé s'il était possible qu'elle l'ait aidé à mourir même si elle le niait formellement.

Réveillé avec la gueule de bois, il avait bu du café en grande quantité et un verre d'eau entre chaque tasse. Comme il n'avait pas faim, il était resté assis, les yeux dans le vague, jusqu'au moment où il s'était décidé à appeler toutes ces Geirlaug. L'annuaire affichait pour la plupart d'entre elles deux numéros : leur fixe et leur portable. Si le premier ne répondait pas, il essayait d'appeler le second. Il se présentait comme une connaissance de Stefan, sans mentionner le nom de Thorson, et expliquait qu'il cherchait à joindre une Geirlaug qui avait été récemment en contact avec le vieil homme. La plupart décrochèrent immédiatement. L'une d'elles ne répondit pas tout de suite, mais le rappela en lui demandant s'il avait tenté de la joindre. Aucune ne connaissait Stefan Thordarson. Deux d'entre elles se souvenaient cependant de ce nom pour l'avoir vu dans les journaux. Ces communications furent brèves et ses correspondantes ne lui posèrent aucune question. Vous avez dû composer un mauvais numéro, disaient-elles souvent. Une ou deux femmes âgées, à en juger par leur voix, le prièrent de décliner son identité. Il répondit sans s'étendre. Puisqu'elles ne connaissaient pas Stefan, il écourtait la conversation.

Il y consacra son après-midi, écoutant la radio et feuilletant les journaux par intermittence. Puis il alla surfer sur Internet où il perdit son temps dans des choses sans importance jusqu'au moment où son téléphone sonna.

– Allô ?

– Vous avez essayé de m'appeler depuis ce numéro ? demanda une voix âgée.

– C'est possible, répondit Konrad. Vous êtes bien Geirlaug ?

– Oui, à qui ai-je l'honneur, je vous prie ?

– Je m'appelle Konrad, excusez-moi de vous déranger ainsi. Je suis une connaissance de Stefan Thordarson, qui est décédé récemment.

– Ah bon ?

– Vous avez sans doute appris ça par la presse. Il s'agit probablement d'un meurtre. On m'a dit que vous l'aviez vu, peu avant sa mort.

– Disons que j'ai discuté avec lui. Il m'a appelée, exactement comme vous.

– Ah bon ?

– D'ailleurs, je me demande comment il m'a retrouvée. Il m'a simplement dit que je connaissais sans doute une femme qu'il tenait absolument à contacter.

– Donc, vous ne l'avez pas rencontré ?

– Non, nous avons juste parlé au téléphone.

– Que voulait-il ?

– Vous pouvez me rappeler qui vous êtes ?

– Je m'appelle Konrad, je cherche à en savoir plus sur Stefan. J'assiste la police dans son enquête.

– Vous avez découvert ce qui s'est passé ?

– Pas encore. Alors, qu'est-ce qu'il voulait ?

– Il était à la recherche d'une de mes anciennes amies, répondit Geirlaug. Il m'a fallu longtemps pour comprendre. Il a fini par m'avouer qu'on lui avait dit que je pourrais l'aider à la retrouver. Il ne connaissait même pas son nom.

– Et comment elle s'appelle ?

– Mon amie ? Petra. Il voulait la voir et lui poser des questions au sujet de sa mère, c'est Petra elle-même qui m'a dit ça.

Geirlaug s'interrompit, comme si elle n'en savait pas plus.

– Sa mère ? Pourquoi Stefan s'intéressait à elle ? demanda Konrad.

– À la mère de Petra ?

– Oui.

– Elle était propriétaire d'un atelier de couture pendant la guerre et ce Stefan s'y intéressait beaucoup.

– À l'atelier de couture ?

– Oui, enfin, surtout à une jeune fille qui y avait travaillé et qui s'appelait Rosa quelque chose, d'après Petra. Elle m'a rappelée après avoir vu ce Stefan. Elle savait que c'était moi qui lui avais donné son nom.

– Le prénom de la jeune fille, ce n'était pas Rosamunda ?

– Oui, il me semble que c'est bien ça.

– Et cette Rosamunda, qu'est-ce qu'elle a de particulier ? demanda Konrad.

– On l'a retrouvée morte à côté du Théâtre national pendant la guerre. Vous n'avez jamais entendu parler de cette histoire ?

– Si, ça me dit quelque chose. Pourquoi Stefan s'intéressait tellement à elle ?

– Il voulait tout savoir sur cette jeune fille. Vous feriez sans doute mieux de vous adresser directement à Petra. Vous voulez son numéro ? Je l'ai ici quelque part. Attendez…

29

Petra n'avait pas marché sur les traces de sa mère, elle n'était pas devenue couturière et n'avait pas fondé sa propre entreprise. À en juger par sa tenue vestimentaire dépareillée, elle ne manifestait aucun intérêt pour la mode. Il semblait même que cette femme d'âge mûr était encore en révolte contre tout ce que sa mère avait représenté. Konrad n'osa pas lui poser la question, mais il constata que les travaux d'aiguille brillaient par leur absence à son domicile. Un peu plus âgée que lui, Petra avait poursuivi ses études, comme on disait alors de ceux qui passaient leur baccalauréat, mais elle n'était jamais allée à l'université et avait préféré vagabonder en Europe. À son retour en Islande, elle avait trouvé un emploi de secrétaire à l'Hôpital national où elle avait travaillé de longues années jusqu'au moment où les banques avaient fait faillite. L'hôpital avait dû procéder à des coupes budgétaires et l'avait licenciée. Elle était divorcée, mère de quatre enfants et grand-mère d'une tripotée d'adorables marmots, pour reprendre ses propres termes.

Konrad comprit rapidement qu'elle ne rechignait pas à s'épancher et la laissa s'exprimer librement, sans l'interrompre ni la forcer à aborder au plus vite ce qui l'amenait chez elle. Elle vivait dans un appartement du quartier est puisqu'elle avait dû vendre sa grande maison à Gardabaer après son divorce : elle et son époux s'étaient lassés l'un de l'autre dès que les enfants avaient quitté le foyer familial.

Konrad l'avait appelée la veille au soir. Elle se souvenait très bien de Stefan Thordarson, mais le nom de Thorson ne lui disait rien, et elle avait suggéré au policier en retraite de passer la voir. À ce moment-là, Geirlaug l'avait déjà appelée pour lui rapporter sa conversation téléphonique avec Konrad et lui dire qu'il avait hâte de la rencontrer.

Quand elle lui offrit enfin l'occasion d'exposer le motif de sa visite, Petra lui posa une foule de questions sur la mort de Stefan. Il fit de son mieux pour répondre sans dévoiler trop d'éléments. Ce décès était survenu de manière très particulière et l'enquête progressait. Il avoua qu'il n'y participait qu'indirectement. La police lui avait demandé de se charger de quelques points précis. Petra était tout aussi curieuse sur Konrad lui-même. Il consentit à lui répondre. C'était un échange de bons procédés. Après tout, il venait lui aussi lui poser des questions.

Il parvint finalement à orienter la discussion sur la visite de Stefan. Le vieil homme était venu la voir environ deux semaines avant l'annonce de son décès dans les journaux. Elle l'avait tout de suite reconnu sur les photos, mais l'idée qu'elle puisse aider la police ne l'avait pas effleurée.

Sa mère avait dirigé cet atelier de couture jusqu'au milieu des années 60, puis elle l'avait vendu. À cette époque, l'Islande s'était mise à importer des vêtements bon marché, les boutiques de prêt-à-porter s'étaient multipliées et le nombre d'ateliers de couture avait diminué. Sa mère était décédée en 1980, et son père quelques années plus tard.

Petra était amie avec Geirlaug depuis le lycée. Stefan avait discuté avec un ingénieur qui connaissait bien Geirlaug et le hasard avait voulu que cette dernière connaisse la couturière, la mère de Petra, qui avait été la patronne de cet atelier pendant la guerre. Stefan semblait beaucoup s'intéresser à cette entreprise qu'il connaissait pour avoir interrogé sa patronne, dans le temps.

– Vous savez où Stefan a rencontré cet homme? demanda Konrad.

– À un enterrement, répondit Petra. Il avait lu dans le journal la nécrologie d'une employée de l'atelier. Il était venu à la cérémonie et y avait rencontré cet ingénieur.

– Et la défunte travaillait chez votre mère pendant la guerre?

– Oui, pendant et après, elle est restée de nombreuses années, il me semble. Tout cela était précisé dans le journal.

– Et… ?

– Elle était amie avec Rosamunda, la jeune fille assassinée. Stefan la connaissait un peu car il l'avait interrogée à l'époque dans le cadre de l'enquête, enfin, c'est ce qu'il m'a dit. Il a lu cette nécrologie avec tous ces détails sur l'atelier de ma mère et je suppose qu'il a ressenti le besoin d'aller assister à cet enterrement, peut-être par curiosité, peut-être parce qu'il se souvenait de la défunte. En tout cas, il y est allé et il y a croisé cet homme qu'il connaissait de vue, j'ignore comment. Il lui a dit qu'il avait connu la morte, lui a parlé de l'atelier de ma mère, l'ingénieur a évoqué Geirlaug en lui disant qu'elle et moi étions amies… Enfin, voilà. Je ne sais pas si c'est la vérité.

– Je serais très étonné qu'il vous ait menti, répondit Konrad, autant que je sache Stefan était d'une honnêteté sans faille.

– Oui, c'est aussi ce qu'il m'a semblé, reconnut Petra. Il avait autrefois interrogé ma mère, accompagné par un autre policier dont le nom m'échappe. Tous deux enquêtaient sur ce crime.

– Il est venu vous voir pour une raison particulière en rapport avec cette affaire ?

– Non, je ne crois pas, en tout cas pas au début. Il m'a avoué qu'il pensait toujours à Rosamunda. Il était content de me rencontrer. Il était très poli et ne faisait pas son âge, il était encore sacrément alerte et avait toujours mené une vie saine.

– En effet, il avait l'air solide pour son âge.

– Enfin… je peux vous dire que j'ai regretté de l'avoir mis dans cet état, poursuivit Petra.

– Dans cet état ?

– J'ai dit une chose tout à fait banale et, tout à coup, il s'est énervé. Il ne comprenait pas comment ma mère avait pu faire une chose pareille, comment elle avait pu ne pas en informer la police.

– Informer la police ? Mais de quoi donc ?

– C'est une chose que ma mère m'a racontée des années plus tard. J'étais adulte, elle m'a confié ça, mais ça ne me semblait pas important, en tout cas à l'époque.

– Et cette chose a énervé Stefan ?

– Il faut que vous compreniez ma mère, j'ai tenté de l'expliquer à Stefan, reprit Petra. C'était une femme assez spéciale. Il fallait bien la connaître pour comprendre son fonctionnement. Surtout avec les clients. Je dois bien avouer qu'elle était snob, je dirais même à l'excès. Comme on pouvait l'être à cette époque. Elle avait tendance à mépriser son prochain et à décrire certains comme des moins que rien. Et elle se faisait une fierté de connaître des gens importants, elle passait son temps à dire qu'elle connaissait un tel ou une telle et qu'elle les avait autrefois eus comme clients, qu'ils l'avaient toujours traitée d'égal à égal, enfin, vous voyez. Cette femme était une cliente régulière de mon atelier, paradait-elle quand on parlait de telle ou telle bourgeoise.

Konrad n'était pas certain de bien saisir où Petra voulait en venir. Il préféra la laisser continuer, mais comprenait mieux l'absence criante de travaux d'aiguille et d'ouvrages de couture à son domicile. Il percevait chez elle une certaine rancœur à l'égard de sa mère.

– Par exemple, elle préférait certaines clientes. Elle avait instauré avec beaucoup de ces femmes une relation de confiance qu'elle a honorée jusqu'à sa mort. Elle était comme ça. Elle ne médisait pas sur ses clientes, elle avait l'impression de faire partie de leur vie et c'est pour cela qu'elles lui faisaient confiance et qu'elles faisaient affaire avec elle. Enfin, vous voyez.

– Mais en quoi cela a touché Stefan ? Ce n'est tout de même pas pour cette raison qu'il s'est énervé ?

– Non, il s'est mis en colère parce qu'elle a caché certaines choses à la police.

– Lesquelles ?

– Ça concernait justement cette Rosamunda. Je ne sais pas pourquoi je lui ai parlé de ça. Je ne vois vraiment pas en quoi c'était important pour lui.

– Vous lui avez parlé de quoi ?

– Un jour, ma mère a retrouvé Rosamunda dans l'arrière-cour du magasin, en larmes et toute dépenaillée, comme elle disait. La gamine a refusé de lui expliquer ce qui s'était passé. Maman l'a donc renvoyée chez elle, jugeant qu'elle ne pouvait pas travailler. Plus tôt dans la journée, elle l'avait envoyée livrer une robe chez des gens et la jeune fille revenait justement de cette course. Elle n'a plus jamais parlé de ça, mais a refusé de faire d'autres livraisons dans cette maison. Ma mère n'en a jamais rien dit à personne, d'ailleurs elle ignorait ce qui s'était passé. J'ai expliqué à Stefan qu'elle était simplement comme ça. Jamais elle n'aurait accepté l'idée de faire peser des soupçons sur ces gens. Absolument jamais.

– Des soupçons ? Pourquoi donc ?

– À cause du sort tragique qu'a connu cette jeune fille.

Konrad dévisageait Petra. Il digérait le récit qu'elle venait de lui livrer et mesurait ce que cela impliquait pour l'enquête autant que pour Thorson. Qu'avait-il ressenti en apprenant ça ? Petra affirmait qu'il s'était énervé. À n'en pas douter, le mot était faible.

– Votre mère pensait qu'il existait un lien entre cet événement et la mort de Rosamunda ? reprit-il après un long silence.

– Elle pensait qu'il lui était sans doute arrivé quelque chose dans cette maison, vous comprenez ? Et cette idée la hantait.

– Le jour où elle l'a trouvée en larmes dans la cour, c'était longtemps avant qu'on découvre son corps ?

– Quelques mois plus tôt, répondit Petra. Elle ne voulait pas m'en parler, mais ça lui a échappé. J'ai eu l'impression que cette histoire la hantait et la mettait très mal à l'aise, je n'ai pas voulu l'obliger à m'en dire plus.

– Mais Rosamunda, pourquoi pleurait-elle ? Pourquoi refusait-elle de retourner dans cette maison ?

– Ma mère l'ignorait et Rosamunda ne le lui a jamais dit, répondit Petra. Maman connaissait ces gens, c'étaient de bons clients et elle refusait de croire qu'ils aient pu faire du mal à son apprentie. Elle ne voulait surtout pas leur causer d'embarras, si vous voyez ce que je veux dire. Il faut que vous compreniez comment elle fonctionnait. À ses yeux, le client était roi.

– Et votre mère était la seule personne à être au courant ?

– Oui, il me semble, avec Rosamunda, évidemment.

– En résumé, votre mère l'a trouvée dans la cour en larmes, les vêtements déchirés ?

– Maman pensait qu'on l'avait agressée. Elle a voulu l'aider, mais comme Rosamunda a refusé, elle l'a laissée tranquille. Je crois qu'elle regrettait de ne pas en avoir fait plus pour elle.

– Et elle rentrait juste d'une livraison chez ces gens ?

– Oui. Aux yeux maman, cette famille était au-dessus de tout soupçon. Bref, ma mère tout craché.

– Et, malgré tout, elle n'avait pas l'esprit tranquille ?

– Apparemment, non. Cette histoire la hantait encore quelques jours avant sa mort.

30

Le jeune homme surnommé le professeur par ses collègues cantonniers du Nord n'était pas chez lui quand Flovent et Thorson se garèrent à proximité du petit appartement en sous-sol qu'il occupait rue Öldugata. Les deux policiers étaient rentrés en vitesse du cap de Sudurnes après leur entrevue avec l'ancien contremaître des Ponts et Chaussées qui leur avait communiqué son nom. Ils étaient donc allés dans le bâtiment récemment construit dans le quartier des Melar et avaient appris que le jeune homme était en deuxième année d'études nordiques. On leur avait remis son emploi du temps. Il avait terminé les cours pour aujourd'hui, mais on leur avait donné son adresse.

Le soir tombait. Assis dans la voiture à quelques encablures de l'appartement, Flovent et Thorson observaient les allées et venues dans la rue Öldugata. L'étudiant se faisait attendre. Ils avaient interrogé ses voisins qui n'avaient pas grand-chose à dire sur lui. Arrivé vers Noël dernier, il était d'une grande discrétion. Tous le décrivaient comme un jeune homme calme, avenant et d'humeur égale. Apparemment, il ne sortait pas beaucoup et ne fréquentait aucune femme. Étant étudiant, il avait autre chose à faire, disaient les voisins. Il se consacrait entièrement à ses études, mais se passionnait également pour les oiseaux. Ils l'apercevaient parfois avec sa paire de jumelles autour du cou et savaient qu'il allait au cap de Seltjarnarnes les observer.

Flovent voulait attendre, espérant qu'il rentrerait bientôt avant de tenter de le retrouver par d'autres moyens. Le chauffage de la voiture était peu efficace, le soir venant, le froid les saisissait et ils avaient faim. La rue était quasi déserte à cette heure. La plupart des gens s'apprêtaient à passer à table. Flovent pensait à son père qui l'attendait toujours pour manger, même s'il lui répétait constamment de ne pas le faire. Il imaginait le vieil homme assis sur le banc de la cuisine, fatigué après sa longue journée de travail sur le port.

– Si cet étudiant est l'homme que nous recherchons, tu n'as plus à t'inquiéter de cette affaire, cela ne concerne pas les troupes d'occupation, déclara Flovent après un long silence.

– Attendons de voir, répondit Thorson.

– Évidemment, mais la piste ne semble pas s'orienter vers ton camp, je veux dire vers les militaires.

– On dirait bien, reconnut Thorson. Mais si ça ne te dérange pas, j'aimerais mener cette enquête à terme avec toi.

– Ça ne me gêne pas du tout, assura Flovent. Ton aide est la bienvenue.

– Parfait.

– Je me disais que tu avais peut-être d'autres chats à fouetter. Tu n'as pratiquement rien dit de la journée.

– Excuse-moi, j'ai la tête ailleurs.

– Évidemment, vous avez sans doute du pain sur la planche dans la police militaire, et il doit y avoir là-dedans des choses plus ou moins agréables.

– Je ne te le fais pas dire, convint Thorson.

Flovent avait raison, il avait été préoccupé toute la journée. La police militaire devait traiter toutes sortes de problèmes liés à la présence de dizaines de milliers de soldats dans un périmètre restreint. Il y avait des disputes et des accrochages sans gravité, d'autres affaires étaient plus tristes. La situation était difficile, la guerre faisait rage et nombre de ces jeunes hommes seraient envoyés sur le front. Mieux armés que d'autres, certains n'avaient peur de rien et piaffaient d'impatience. Ils voulaient combattre, aller sur le continent au plus vite et flanquer une raclée aux nazis. D'autres redoutaient l'avenir loin de leurs proches, loin de la vie qu'ils connaissaient et de leur univers familier. Lorsqu'on avait découvert le corps de Rosamunda, Thorson était dans la baie de Nautholsvik, dans le camp des troupes aéroportées de la marine, installé tout près de la ferme de Nautholl. On avait construit là plusieurs baraquements. Thorson se souvenait que Winston Churchill y était passé brièvement en août 1941 après sa rencontre au large de Terre-Neuve avec Franklin D. Roosevelt, le président des États-Unis. Ce soir-là, on l'avait appelé dans le baraquement du cordonnier de l'armée. Un jeune soldat avait préféré mettre fin à ses jours plutôt que de risquer sa vie sous le feu ennemi. Âgé de vingt ans, il venait d'une bourgade du Kentucky, ses copains le décrivaient comme un gars enjoué et sympathique qui, comme pas mal d'autres, craignait d'être envoyé au front. Tout le monde disait que les alliés préparaient un débarquement en France et qu'une partie des troupes stationnées en Islande y participerait. Il n'y avait aucune autre explication à son geste désespéré. Il n'avait laissé aucune lettre et aucun de ses camarades n'avait soupçonné ce qu'il préparait même s'ils l'avaient trouvé déprimé et angoissé par l'avenir depuis quelques semaines. Il ne s'agissait pas d'un chagrin d'amour. Il n'avait pas de petite amie en Amérique et n'avait lié connaissance avec aucune Islandaise. Dans son portefeuille, on avait trouvé quelques dollars ainsi qu'une photo de sa mère et de ses deux sœurs.

– C'est toujours difficile ce genre de chose, commenta Flovent quand Thorson eut achevé son récit.

– Évidemment, ils sont nombreux à avoir peur.

– Et toi, ils vont t'envoyer au front quand les alliés auront débarqué sur le continent ?

– Je suppose, mais cette idée ne m'angoisse pas.

– Ça t'arrive d'y penser ?

– En fait, non, j'ai autre chose à faire.

– Tu risques de devoir partir sans préavis.

– Je suppose. Ils ont déjà envoyé pas mal de troupes vers la Grande-Bretagne.

– Espérons que ça signifie que la guerre est bientôt finie.

– Comme tu dis.

– Ce soldat de Nautholsvik, tu le connaissais ?

– Pas du tout. Mais j'ai appris hier soir qu'il avait beaucoup souffert dans l'armée.

– Ah bon ?

– Les autres se moquaient de lui constamment.

– Pourquoi ?

– C'est un gars de son régiment qui me l'a dit. Apparemment, il n'était pas très porté sur les femmes. C'était même le contraire…

– Dis donc, ce ne serait pas notre étudiant ? coupa Flovent en lui donnant un coup de coude.

Thorson leva les yeux et vit un jeune homme blond assez grand avancer le long d'Öldugata. Vêtu d'un épais anorak, il portait de grosses chaussures et tenait une paire de jumelles à la main. Il marchait à grandes enjambées, tête baissée, plongé dans ses pensées. Il s'engagea dans la petite allée qui menait à la porte du sous-sol.

Flovent et Thorson descendirent de voiture pour le rejoindre. Le jeune homme était déjà entré chez lui, mais n'avait pas eu le temps de fermer sa porte quand les deux policiers étaient apparus dans l'embrasure. Il avait sursauté en les voyant surgir dans la nuit.

– Qu'est-ce que… ? s'étonna-t-il en les regardant.

– Vous êtes bien Jonatan ? demanda Flovent.

– Moi ? Oui.

– Nous sommes policiers. On voudrait vous poser quelques questions. On peut entrer ?

– Policiers ? Des questions ? À quel sujet ?

– On pourrait peut-être entrer quelques instants ?

Le jeune homme regardait tour à tour Flovent et Thorson, interloqué.

– Des questions ? À quel sujet ? répéta-t-il.

– Sur une jeune femme prénommée Rosamunda, répondit Thorson.

– Et une autre qui s'appelait Hrund, originaire de l'Öxarfjördur, compléta Flovent.

L'étudiant enlevait son anorak et tenait encore ses jumelles à la main. Il les posa et accrocha son vêtement à une patère. Flovent et Thorson attendaient.

– Excusez-moi, entrez, je ne vois pas vraiment en quoi je peux vous être utile. Vous êtes réellement policiers ?

– Vous étiez partis voir les oiseaux ? demanda Flovent, l'index pointé sur les jumelles.

– Oui, je suis allé observer les grands cormorans au cap de Seltjarnarnes.

– Vous vous intéressez à l'ornithologie ?

– Énormément.

– Dites-moi, vous avez bien travaillé aux Ponts et Chaussées dans l'Öxarfjördur il y a environ trois ans ? poursuivit Flovent en refermant la porte. Le jeune homme fit entrer ses visiteurs inattendus dans le petit salon qui lui servait aussi de chambre. Il y avait dans un coin une banquette couverte d'une couette. Un bureau était installé sous la fenêtre. Des bibliothèques longeaient les murs. Le minuscule appartement abritait également une petite cuisine et un cabinet de toilette plus exigu encore.

– Oui, j'ai travaillé là-bas comme cantonnier.

– On nous a dit que vous étiez originaire du Nord et que vous êtes allé au lycée là-bas.

– En effet, au lycée d'Akureyri.

Flovent balaya le petit salon du regard. Il observa les livres sur les étagères et sur le bureau, les documents, les cours de l'étudiant, la machine à écrire où le jeune homme avait noté quelques lignes avant d'aller se consacrer à sa passion des oiseaux à Seltjarnarnes. Un cendrier avec quelques mégots reposait à côté de la machine à écrire et, à sa droite, un paquet de Lucky Strike et une boîte d'allumettes.

Flovent s'attarda un instant sur le paquet de cigarettes et leva les yeux vers Thorson qui avait lui aussi remarqué ce détail.

– Vous travaillez sur quoi ? s'enquit Flovent, en regardant la machine.

– J'écris un mémoire, répondit le jeune homme. Je suis en études nordiques. Qu'est-ce que vous me voulez exactement ? Que… que venez-vous faire ici ?

– Vous connaissiez une jeune fille prénommée Rosamunda ? demanda Thorson.

– Non.

– Vous en êtes sûr ?

216

– Eh bien, oui. Je ne connais personne qui porte ce prénom.

– Et Hrund ?

L'étudiant observait Flovent. Le policier fouilla les documents posés sur son bureau avant d'aller vers la bibliothèque où il examina les livres.

– Vous êtes sûr de ne pas avoir rencontré une jeune fille qui s'appelait Hrund quand vous étiez cantonnier dans l'Öxarfjördur ? poursuivit Thorson.

L'étudiant ne quittait pas Flovent des yeux.

– Qu'est-ce que vous cherchez ? demanda-t-il, comme s'il n'avait pas entendu la question.

– Ces livres qui… ?

– Quoi ? Qu'est-ce qu'ils ont, ces livres ?

– Vous écrivez sur quel sujet ? s'enquit Flovent en se tournant vers lui.

– J'écris un mémoire, répondit Jonatan. Il y est question de… eh bien, de quantité de choses.

– Vous collectionnez ces livres ?

– Non, je ne suis pas collectionneur. Je les ai empruntés pour la plupart à la bibliothèque. J'en ai besoin pour rédiger mon mémoire.

Flovent se tourna à nouveau vers l'étagère et y prit un livre qu'il ouvrit.

– Votre ancien contremaître ne nous a pas menti.

– Qui ça ?

– Votre contremaître aux Ponts et Chaussées. Il nous a dit que vous vous passionniez pour les contes populaires.

– Quel est le sujet de ces livres ? demanda Thorson.

– La plupart traitent des contes populaires islandais, il y est question d'histoires de revenants, de périmètres magiques, de tabous et d'elfes, répondit Flovent en le fixant.

– J'ai besoin de ces ouvrages pour mes études, répondit l'étudiant. Mon mémoire parle des croyances populaires islandaises, depuis l'époque de la colonisation jusqu'à nos jours.

– Est-ce que vous connaissiez Hrund, la jeune fille dont je parlais tout à l'heure ? répéta Thorson.

Jonatan regarda les deux policiers tour à tour.

– Je la connaissais vaguement, avoua-t-il. Vous parlez bien de cette fille qui s'est jetée dans la chute de Dettifoss ?

Flovent hocha la tête.

– Mais je la connaissais à peine.

– Elle s'intéressait aussi aux contes populaires ?

– Elle ?

– Oui.

– Pourquoi… Je ne lui ai rien fait si c'est ce que vous pensez. Je ne lui ai absolument rien fait. C'est pour elle que vous êtes ici ?

– Qu'est-ce qui vous fait croire que quelqu'un lui a fait quelque chose ? demanda Flovent. Nous n'avons rien dit de tel.

L'étudiant les fixait dans son petit appartement en sous-sol dont les murs semblaient se rapprocher à chaque minute.

– Je ne sais rien sur elle, assura Jonatan. Rien du tout.

31

Thorson alla discrètement se poster devant la porte du vestibule. Flovent observait le jeune homme. Maintenant qu'il avait compris le motif de cette visite, il était méfiant. Il regardait tour à tour les deux policiers, raide, sur la défensive. Le fait qu'il ait vigoureusement nié des choses dont ils ne l'avaient pas accusé le rendait suspect. Apparemment, il s'attendait à ce qu'un jour ou l'autre on lui pose des questions sur Hrund et la nature de leurs relations.

Flovent lui demanda de bien vouloir les suivre rue Frikirkjuvegur pour qu'ils puissent l'interroger plus amplement sur l'intérêt qu'il portait aux contes populaires et ses relations avec Hrund. Il répondit qu'il avait autre chose à faire et que cette histoire ne le concernait pas. Flovent et Thorson n'en démordirent pas et lui expliquèrent qu'il finirait par les suivre, que ce soit de gré ou de force.

Ils parvinrent enfin à le convaincre. Il remit son anorak et les suivit dans la voiture. Les trois hommes n'échangèrent pas un mot du trajet. En arrivant, ils allèrent s'installer dans le bureau de Flovent qui ferma soigneusement la porte.

– Vous allez me mettre en prison ? demanda Jonatan quand Thorson lui proposa un café ou un verre d'eau.

– Nous aurions des raisons de le faire ? rétorqua Thorson.

– Non, il y a… c'est un malentendu.

– Vous avez de la famille à Reykjavík ?

– Non.

– Des amis ? Des gens que vous souhaiteriez contacter pour les prévenir que vous êtes ici ?

– Non, je tiens à rentrer chez moi au plus vite, si vous le permettez. Je n'ai besoin de rien. Je veux seulement en finir. Cela restera entre nous, n'est-ce pas ?

– Quoi donc ? Qu'est-ce qui restera entre nous ?

– Votre visite chez moi et mon passage ici pour être interrogé.

– Non, répondit Flovent. Pas forcément. Vous avez peur que ça s'ébruite ?

– Je préférerais que les gens de l'université n'apprennent pas que j'ai eu affaire à la police. Je ne comprends pas pourquoi vous m'avez amené ici. Je n'ai absolument rien fait de mal.

– Eh bien, c'est une bonne chose. Vous pouvez nous dire comment vous avez rencontré Hrund ? demanda Flovent.

– Ça m'est arrivé de la croiser à la station-service, pas très loin des baraquements des cantonniers. Parfois, j'allais me promener là-bas le soir et elle y était. Elle avait une amie qui y travaillait et on a un peu discuté. Elle me disait qu'il n'y avait pas grand-chose à faire à la campagne et me posait des questions sur la vie à Akureyri, sur l'armée et tout ça. Je crois qu'elle avait envie de déménager à Akureyri, et peut-être même à Reykjavík.

– Vous lui avez parlé de votre passion pour les elfes ?

– Elle était très intéressée quand je lui ai dit que j'allais m'inscrire à l'université pour étudier l'islandais, l'histoire et peut-être même faire des recherches sur les croyances populaires.

– Vous connaissez des histoires mettant en scène des elfes qui auraient agressé des êtres humains ? demanda Thorson.

– Ça existe.

– Vous lui en avez raconté ?

– Je ne me rappelle pas si… On en a peut-être parlé, je ne m'en souviens pas.

– Elle croyait à l'existence des elfes ?

– Je crois… il me semble qu'elle n'écartait pas cette idée. Selon moi, c'était une enfant de la nature.

– Comment ça ?

– Elle était très proche de la nature et aimait beaucoup sa région. Elle la connaissait parfaitement, elle connaissait les plantes et les oiseaux et elle… comment dire, oui, je ne peux pas l'expliquer mieux que ça, c'était une enfant de la nature. Les gens comme elle croient peut-être plus facilement aux elfes, aux démons et aux géants que les autres.

– Et vous, vous y croyez ?

– Pas du tout, répondit Jonatan. Je n'y vois qu'un phénomène social. Je crois que les contes populaires nous permettent de comprendre l'univers mental des petites gens. Ces récits nous en apprennent beaucoup sur la manière de penser de notre nation et son évolution au fil des siècles, qu'il s'agisse de sa peur de l'inconnu, de son aspiration à une vie plus confortable ou de ses rêves d'un monde meilleur. Aussi bien directement qu'indirectement, ils nous renseignent beaucoup sur la vie d'autrefois. C'est comme ça que je les envisage, et pas comme des récits réalistes.

– Mais Hrund pensait que ces histoires étaient le reflet de la réalité ?

– Je n'en ai aucune idée.

– Pourtant, c'était une enfant de la nature ?

– Oui, c'était mon impression.

– Est-ce que Hrund avait parfois été importunée par ces créatures ? poursuivit Flovent.

– Importunée ? Je ne pense pas. Je vous répète que je la connaissais très peu. On a discuté une fois ou deux, c'est tout. J'en sais si peu sur elle que je risque de surinterpréter nos conversations. Je ne vois pas où vous voulez en venir. Je ne comprends pas vos questions. Qu'est-ce que les contes populaires viennent faire dans cette histoire ?

– D'autres que vous s'intéressaient aux contes populaires dans votre équipe ? reprit Flovent.

– Non, personne.

– Certains de vos collègues étaient en contact avec cette jeune fille ?

– Non, pas à ma connaissance.

Jonatan avait emmené son paquet de Lucky Strike en quittant son domicile. Il sortit une cigarette, l'alluma, inspira la fumée et la recracha. Flovent lui apporta un cendrier.

– Elles sont bonnes ?

– Oui, délicieuses. Je les achète à un camarade à l'université, sa sœur fréquente un Américain.

– Vous êtes sûr que vous ne connaissiez pas une jeune fille de Reykjavík qui s'appelait Rosamunda ? demanda Thorson.

– J'en suis certain, répondit Jonatan.

– Elle travaillait dans un atelier de couture.

– Eh bien, je ne connais personne de ce nom… ce ne serait pas celle dont on a découvert le corps à côté du Théâtre national ?

– En effet.

– Pourquoi cette question ?

– Rosamunda ne s'intéressait ni aux contes populaires ni aux elfes mais, tout comme Hrund, elle a vécu une expérience étrange et nous pensions que vous pourriez peut-être nous éclairer.

– Une expérience étrange, comment ça ?

– Avant de disparaître, Hrund a déclaré qu'elle avait été attaquée par un elfe, expliqua Flovent en s'avançant sur son fauteuil. Rosamunda disait que l'homme qui l'a violée lui a suggéré de mettre son acte sur le dos d'un elfe. Leurs récits présentent des similitudes troublantes. Trois années séparent ces deux événements. Le premier a eu lieu dans l'Öxarfjördur où vous travailliez comme cantonnier, le second à Reykjavík où on vous retrouve comme étudiant. Vous connaissiez la première jeune fille. Je vous pose une nouvelle fois la question : connaissiez-vous Rosamunda ?

Jonatan écoutait Flovent et comprenait graduellement le véritable motif de la visite de la police à son domicile et la raison pour laquelle il avait dû accompagner ces hommes de gré ou de force au bureau de la Criminelle.

– Vous m'arrêtez ?! s'exclama-t-il, incrédule.

– D'après vous, nous aurions des raisons de le faire ? demanda Thorson.

– Vous ne… vous ne pensez quand même pas que je leur ai fait du mal ? Que je… que je les aurais tuées ?

– C'est le cas ?

L'étudiant avait beau faire l'étonné, les deux policiers n'étaient pas convaincus, certaines de ses réactions ne semblaient pas naturelles.

– Non ! articula le jeune homme, consterné. Vous êtes fous ou quoi ?!

– Est-ce que vous avez conseillé à Hrund de mentir en disant qu'elle avait été agressée par un elfe pour cacher ce que vous lui avez fait ?

– Attaquée par un elfe ?!

– Et vous avez fait la même chose avec Rosamunda après avoir déménagé à Reykjavík ?

– Non !

– Vous les avez violentées toutes les deux ?

– Violentées ? Non. C'est un malentendu. Je… je n'arrive pas à croire que vous parliez sérieusement. C'est… c'est n'importe quoi, répondit Jonatan en se levant. Je dois rentrer chez moi. Il faut que je travaille sur mon mémoire et je… j'ai plein de choses à faire. Je suis beaucoup trop occupé pour perdre mon temps comme ça.

Il se dirigea vers la porte, mais Thorson lui barra la route, lui prit le bras et le força à se rasseoir sans qu'il oppose aucune résistance.

– Vous ne pouvez pas rentrer chez vous dans l'immédiat, nous avons encore un certain nombre de questions à vous poser, expliqua calmement l'Islandais d'Amérique.

32

Frank Ruddy entendit des bruits de pas dans le couloir. Deux hommes approchaient à vive allure et s'arrêtèrent devant sa cellule. Il y eut un cliquetis de clefs. Allongé sur sa paillasse, le soldat fumait une cigarette et lisait un magazine érotique. Il se redressa et tendit l'oreille, espérant être libéré d'un moment à l'autre. Il y avait assez longtemps qu'il moisissait ici sans raison. Ce n'était tout de même pas un crime de prendre le nom d'un acteur et de mentir à des Islandaises. En tout cas, ces broutilles ne justifiaient pas une garde à vue interminable. Les flics disaient qu'ils devaient vérifier ses antécédents judiciaires en Amérique. Il leur souhaitait bon courage. Ils ne trouveraient rien. Ils le soupçonnaient toujours du meurtre de la jeune fille qu'il avait découverte avec Ingiborg, mais ce n'était qu'un prétexte. Ils n'avaient rien contre lui.

Quand la porte s'ouvrit, il se leva. Son gardien était avec Thorson.

– Vous ? s'étonna-t-il.

– Nous avons un petit service à vous demander, annonça Thorson.

– Un service ? Et si vous me rendiez celui de me faire sortir d'ici ? Combien de temps vous allez me laisser moisir dans cette cellule ?

– Je vous emmène d'abord faire un tour en voiture, ensuite nous verrons.

Frank le contempla un long moment sans lui répondre. Il n'avait pas envie de se conformer aux désirs de cet homme, mais cette incarcération prolongée le rendait fou. Après tout, un petit tour en voiture ne lui ferait pas de mal, même s'il ne comprenait pas ce qu'impliquait la proposition.

– Je n'ai plus de cigarettes, déclara-t-il en regardant le gardien.

– On vous en trouvera en cours de route, promit Thorson.

– Un tour en voiture ? Comment ça ?

– Je voudrais que vous me rendiez un petit service.

Thorson avait réussi à piquer la curiosité du soldat.

– Je n'ai rien fait à cette fille. Je l'ai juste trouvée. Ce n'est pas un crime.

– Effectivement, convint Thorson, ce n'est pas un crime.

– Vous voulez quoi ?

– Venez, ça ne prendra pas longtemps.

Frank le rejoignit dans le couloir. Le gardien referma la porte de la cellule et les regarda quitter la prison.

– C'est encore à cause de cette fille que je fréquentais, à cause d'Ingiborg ? s'enquit le soldat quand Thorson lui ouvrit la portière pour le faire asseoir dans la voiture.

– Non.

Ils prirent la direction du centre.

– Elle prétend que je l'ai mise enceinte, déclara Frank après un long silence.

Thorson s'engagea dans la rue Hverfisgata et continua vers le Théâtre national.

– Et ce n'est pas vrai ?

226

– Non, elle veut juste me faire porter le chapeau. Je ne connais pas les autres types avec qui elle a couché.

– Je crois qu'elle n'a couché qu'avec vous, remarqua Thorson. J'ai l'impression que c'est une jeune femme très honnête qui pensait avoir rencontré un jeune homme tout aussi honnête. À mon avis, celui-ci l'a beaucoup déçue.

– Vous lui avez parlé ?

– Très brièvement. Ce qui l'a le plus blessée, c'est que vous lui avez menti, c'est la manière dont vous vous êtes comporté avec elle. Je ne crois pas qu'elle attendait grand-chose de vous quand elle est venue vous voir à la prison. Elle voulait vous informer et, à mon avis, elle espérait aussi que vous lui donneriez des conseils – malgré tout.

– Eh bien, on peut dire que je lui en ai donné, rétorqua Frank.

Thorson se gara à deux pas du mur de sacs de sable devant le théâtre. Selon lui, Frank ne poserait aucun problème, mais il devait s'assurer de sa collaboration. Il ne l'avait donc pas menotté et s'efforçait de lui être agréable. Ils étaient seuls tous les deux, aucun autre policier ne se trouvait dans les parages.

– Qu'est-ce qu'on vient faire ici ? s'inquiéta le soldat.

– Venez avec moi derrière le bâtiment, là où vous avez trouvé cette jeune fille.

Frank hésita.

– Pourquoi ?

– Ne vous inquiétez pas, je n'essaie pas de vous faire porter le chapeau ou je ne sais quoi, je veux juste que vous me rendiez un petit service.

– Quel service ?

– Venez.

Frank le suivit sans comprendre jusqu'au renfoncement où il avait trouvé le corps de la jeune femme.
Thorson lui demanda de se poster à l'endroit où il était
le soir en question. Il s'exécuta. Le policier sortit sa
lampe de poche et la fit clignoter plusieurs fois en
direction du passage de Skuggasund, de l'autre côté de
la rue Lindargata. Quelques instants plus tard, un
homme apparut sur le trottoir. Grand, légèrement
voûté, il fumait une cigarette. On distinguait assez nettement sa silhouette, découpée par la lumière du lampadaire en bas de Skuggasund. Celui de la rue Lindargata,
qui se trouvait à quelque distance du carrefour, n'avait
toujours pas été réparé depuis le soir du drame.

– C'est lui que vous avez aperçu de l'autre côté
de la rue ? demanda Thorson en se tournant vers le
soldat.

Frank observa l'homme un long moment.

– Si je vous dis que c'est lui, vous me libérez ?

– Comment ça ?

– Si je collabore ?

– Je n'attends pas que vous disiez ce que je voudrais
entendre, s'emporta Thorson. Ce n'est pas le genre de
collaboration que je vous demande. Dites-moi simplement si c'est le même homme !

Frank secoua la tête.

– Je n'essaie pas de vous acheter. Dites-moi si vous
pensez que c'est l'homme que vous avez vu à l'angle
de la rue ce soir-là. Je ne vous propose rien en échange.
Alors, il était bien à cet endroit ?

Frank regarda à nouveau vers l'autre côté de la rue.

– Oui, il était là.

– Et ?

– On n'y voit pas très clair et, évidemment, j'étais
pressé, mais ce n'est pas impossible que ce soit lui.

– Vous en êtes sûr ?

– Oui, tout à fait.

– Regardez-le bien et essayez de vous souvenir s'il correspond à celui que vous avez aperçu.

Frank obéit et observa longuement l'homme posté à l'angle.

– C'est possible que ce soit le même. Je dirais que c'est probable. Mais je ne peux pas en jurer.

– Parfait. J'aimerais que vous vous retourniez, juste un instant.

Frank s'exécuta. Thorson fit clignoter sa lampe trois fois. Le premier homme disparut, aussitôt remplacé par un autre. Thorson demanda à Frank de se tourner à nouveau vers la rue.

– Ce n'était pas plutôt celui-là ?

L'homme posté à l'angle était plus petit, plus voûté, et semblait plus âgé.

Frank l'observa longuement.

– Qu'est-ce que vous voulez que je vous dise ?

– La vérité.

– Non, répondit Frank. C'était l'autre. Le premier ressemblait beaucoup plus à l'homme que j'ai vu.

Flovent vit la lampe de Thorson clignoter pour la troisième fois. Frank avait témoigné et apparemment, il avait reconnu Jonatan. Il vit son collègue emmener le soldat et fit signe à son père, toujours posté à l'angle avec sa cigarette, que c'était terminé.

– C'est bon, cria-t-il de là où il se trouvait, en bas du passage. Tu peux revenir !

Jonatan se tenait à côté de Flovent. Il l'avait suivi sans difficulté en lui répétant durant tout le trajet qu'il était innocent. Il avait pris place derrière le Théâtre national, à l'angle où Frank avait déclaré avoir aperçu un homme le soir du drame. Jonatan avait allumé une cigarette et l'avait fumée tranquillement, obéissant au policier. Flovent était passé prendre son père en route pour lui demander de l'assister. Jonatan était resté un moment à l'angle, puis le père de Flovent l'avait remplacé, une cigarette à la main, même s'il n'avait jamais fumé de toute sa vie. Flovent pensait nécessaire que Frank puisse procéder à des comparaisons.

– Alors ? demanda Jonatan. Qu'est-ce que ça donne ?

– Suivez-moi, mon garçon, répondit Flovent en le ramenant à la voiture, désolé de devoir lui annoncer son transfert imminent à la prison de la rue Skolavördustigur.

33

Deux fois en un court laps de temps, de parfaits inconnus étaient venus chez Petra pour l'interroger sur sa mère, la couturière qui avait employé Rosamunda pendant la guerre. Après l'avoir écoutée, ces deux hommes l'avaient longuement dévisagée, abasourdis. Ni l'un ni l'autre n'en avaient cru leurs oreilles quand elle leur avait raconté que Rosamunda avait eu des problèmes lors d'une livraison et que, par la suite, la jeune fille avait refusé de retourner chez ces gens. La première fois, c'était le vieil homme poli qui avait frappé à sa porte. Il avait parlé de tout et de rien avant d'en venir au fait. Elle avait eu l'impression de l'avoir assommé quand elle lui avait appris ce qui était arrivé à la jeune fille. Elle venait maintenant de raconter la même chose à cet autre homme qui disait s'appeler Konrad et, assis dans le même fauteuil que Stefan, il était tout aussi abasourdi.

Petra ne comprenait pas en quoi cette information était importante. D'ailleurs, elle ignorait presque tout de cette histoire. Elle avait bien précisé aux deux hommes que sa mère ne parlait quasiment jamais de Rosamunda. Elle les avait prévenus qu'elle ne pourrait pas apporter de réponse à la plupart des questions qu'ils se posaient, elle ne s'était jamais intéressée de près au meurtre de cette jeune fille. Elle savait juste que sa mère avait été interrogée par la police pendant la guerre, mais elle ignorait si l'enquête avait abouti.

En revanche, elle savait ou, plus exactement, elle pressentait que la vieille femme n'était pas satisfaite du rôle qu'elle avait joué. Sa mère avait sans doute ses raisons d'éviter le sujet. Il lui était arrivé de lui poser des questions sur cette jeune fille, par exemple quand un crime défrayait la chronique, mais elle avait compris à chaque fois qu'elle était réticente à en parler. Et Petra n'avait pas soupçonné qu'elle puisse détenir des informations susceptibles d'éclairer cette affaire.

Elle leva les yeux vers Konrad. Elle lui avait raconté consciencieusement tout ce qu'elle savait, exactement comme à Stefan. Elle tenait à aider ces deux hommes, touchée de les voir s'intéresser à sa mère et à Rosamunda.

– Le fait que cette jeune fille ait refusé de retourner dans cette maison est important à ce point ?

– Ça arrivait souvent que les employées refusent de faire des livraisons ?

– Je n'en sais rien, répondit Petra.

– Votre mère s'étonnait de ce refus, non ?

– Oui, enfin, il me semble. En tout cas, moi, je trouvais ça bizarre car c'était rare que ses employées refusent de lui obéir, surtout pour des broutilles.

– Et Rosamunda ne lui a pas donné d'explication ?

– Non, ma mère a supposé qu'elle avait été traumatisée dans cette maison le jour où elle l'a trouvée en larmes.

– Est-ce que Thorson, ou plutôt Stefan, comptait faire quelque chose de l'information que vous lui avez donnée ?

– Non, mais le pauvre homme s'est énervé quand je lui ai dit ça, il ne m'a pas expliqué pourquoi. Comme je viens de vous le dire, je ne sais pas grand-chose sur cette histoire. Il est reparti très vite et ne m'a jamais recontactée.

– Chez qui était-elle allée faire cette livraison ? Qui étaient ces gens ? demanda Konrad.

– Maman disait très bien connaître cette femme et elle était sûre qu'elle ne s'était pas mal comportée avec Rosamunda. Évidemment, elle ne lui a pas parlé de l'incident. Elle n'en a parlé à personne. Personne n'était au courant. Son mari faisait de la politique. À cette époque, il était député. Voilà pourquoi ma mère ne voulait pas que l'affaire s'ébruite.

– Député ?

– Oui, il est mort il y a longtemps. Ma mère disait qu'il était assez important, sa femme était membre d'une foule d'associations féminines et de clubs, lui aussi, d'ailleurs, enfin, vous voyez, les clubs comme les Oddfellows et je ne sais trop quoi. Elle pensait qu'il était franc-maçon. Plus tard, leur fils est devenu ministre.

– Et c'est chez eux que Rosamunda refusait de livrer des robes ?

– Oui, sauf qu'elle ne leur livrait pas seulement des robes, mais aussi des parures de lit. De très belle qualité, disait ma mère, les prénoms du couple étaient brodés sur les housses de couette et les taies d'oreiller – elle s'en rappelait très bien, elle était toujours très fière des broderies réalisées dans son atelier.

– Donc, Stefan s'est énervé quand vous lui avez dit ça ?

– Il n'en croyait pas ses oreilles, confirma Petra. Il m'a demandé des tas de précisions, comme vous venez de le faire. Puis il a répété les mêmes questions encore et encore, comme pour s'assurer qu'il avait bien compris.

– Et vous ignorez ce qu'il comptait faire ensuite, après avoir découvert ces nouveaux éléments ? demanda Konrad.

– Je n'en ai pas la moindre idée.

– Il ne vous a pas recontactée ?

– Non.

– Vous lui avez donné le nom de ces gens ?

– En effet.

– Il voulait les retrouver ?

– Je l'ignore.

Petra marqua une pause.

– J'ai eu l'impression que…

– Oui ?

– Qu'il n'était pas satisfait des conclusions de l'enquête menée à l'époque. Sinon, il ne serait pas venu ici.

– Comment ça ? demanda Konrad.

– Je crois que c'est pour cette raison qu'il est venu me voir. À mon avis, il considérait que l'enquête n'était pas close. Il n'était pas content de la manière dont il l'avait résolue. Avant même que je ne lui parle de Rosamunda, j'ai eu l'impression qu'il était, comment dire, toujours rongé par cette histoire, même après toutes ces années. On aurait dit qu'il tentait de vérifier qu'il ne s'était pas trompé ou quelque chose comme ça.

– C'est ce qu'il a laissé entendre ?

– Non, et je ne lui ai pas posé de questions, répondit Petra. Ce n'était qu'une impression. Je me trompe peut-être.

– Vous pensez qu'il avait des remords ?

– Peut-être. Cette histoire le mettait mal à l'aise et ce que je lui ai dit concernant Rosamunda n'a pas arrangé les choses. En partant, il a marmonné je ne sais quoi à propos d'un étudiant.

– Ah bon ?

– Je n'ai pas tout compris, j'ai simplement entendu le mot : l'étudiant.

– L'étudiant ?

– Oui.

– Il parlait de qui ?

– Je ne sais pas. Je n'ai pas compris ce que ce pauvre homme marmonnait, il était tellement abattu.

34

Jonatan n'opposa aucune résistance quand ils l'emmenèrent à la prison de la rue Skolavördustigur. Il avait protesté contre son arrestation sur le trajet car il devait absolument rentrer chez lui. Il avait à faire et les cours commençaient tôt le lendemain matin. Il voulait bien aider la police, mais le moment était mal choisi. Correct, il ne les avait jamais insultés mais leur avait dit qu'ils lui rendraient un fier service en le libérant. Flovent avait répondu qu'il était trop tard pour reprendre son interrogatoire, ils en parleraient le lendemain matin. Avant cela, il devrait passer une nuit en cellule.

– Mais je dois aller en cours demain !

– Vous n'avez qu'à prendre une journée de repos, suggéra Flovent.

– J'ai autre chose à faire.

Les gardiens de la prison de Skolavördustigur l'accueillirent, enregistrèrent son arrivée et le conduisirent dans une cellule, suivis par Flovent. Jonatan continuait à protester. Flovent lui demanda s'il voulait prévenir quelqu'un, mais le jeune homme secoua la tête, comme s'il n'arrivait pas à croire qu'ils avaient réellement l'intention de le mettre en prison.

– Je ne veux pas qu'on apprenne que je suis ici, répondit-il. C'est n'importe quoi. Je suis sûr que vous allez me relâcher demain matin.

Il attrapa Flovent par le bras quand le gardien ouvrit la porte de la cellule.

– Je vous en prie, ne m'enfermez pas là-dedans, supplia-t-il.

– Nous nous reverrons demain, jeune homme, répondit Flovent. Il est très tard. Malheureusement, nous n'avons pas le choix. Je n'y peux rien.

– Je ne le supporterai pas, plaida Jonatan, au bord des larmes. C'est un affreux malentendu. Je ne comprends pas pourquoi vous me faites ça. Je n'ai rien… je n'ai rien fait de mal.

– Nous verrons ça demain matin, répéta Flovent, d'un ton rassurant. Ne vous inquiétez pas. Si vous n'avez fait aucun mal, nous ne tarderez pas à rentrer chez vous. Vous n'avez rien à craindre.

– Je vous en prie, ne me faites pas ça.

La porte se referma sur Jonatan.

– Ne m'enfermez pas là-dedans ! s'écria-t-il, haussant la voix pour la première fois. Flovent resta quelques instants derrière la porte et, en quittant le couloir, il entendit le jeune étudiant fondre en larmes.

De leur point de vue, Thorson et lui n'avaient d'autre choix que de le placer en garde à vue. Il avait été en contact avec Hrund à l'époque où il travaillait comme cantonnier. Il s'intéressait aux contes populaires au point d'être presque spécialiste en la matière. Selon Frank Ruddy, il n'était pas impossible que ce soit l'homme qu'il avait aperçu à l'angle de Skuggasund le soir de la découverte du corps de Rosamunda. Jonatan fumait des Lucky Strike, dont ils avaient trouvé quelques mégots dans la rue. Certes, c'était une marque très répandue, mais cet élément venait s'ajouter aux autres et ne jouait pas en sa faveur.

– Frank n'est sans doute pas le témoin le plus fiable qui soit, déclara Thorson quand ils ressortirent dans la rue Skólavördurstigur.

– Tu l'as libéré ?

– Je lui ai dit qu'il pouvait aller rejoindre ses copains. Il est inutile de le garder plus longtemps. En tout cas, je ne pense vraiment pas qu'il a tué Rosamunda. Nous n'avons trouvé aucun indice allant dans ce sens. Cela dit, nous ne savons toujours pas s'il a un casier judiciaire aux États-Unis.

– D'après lui, il n'est pas impossible que l'homme qu'il a aperçu soit Jonatan.

– En tout cas, il y a plus de chances qu'il s'agisse de lui que de ton père.

– Quand j'étais en stage à la police d'Édimbourg, on nous a dit que certains criminels avaient pour habitude de retourner sur les lieux du crime, surtout dans les affaires de meurtre.

– Tu crois que c'est pour cette raison que Jonatan serait retourné au Théâtre national ?

– Difficile à dire. Ce comportement s'explique de plusieurs manières. La première, ce sont les remords. L'assassin est rongé par la culpabilité, certains envisagent de se livrer à la police, il y en a d'ailleurs qui le font. La deuxième raison est la peur d'être démasqué. Le meurtrier craint d'avoir laissé des indices et veut s'assurer que ce n'est pas le cas.

– Donc, tu penses que l'homme qui fumait au coin de la rue était l'assassin de Rosamunda ?

Flovent haussa les épaules.

– Et toi, tu as conseillé à Frank de laisser les Islandaises tranquilles ?

– Ça ne servirait pas à grand-chose.

– Son témoignage ne pèse pas si lourd que ça, reprit Flovent. Le lien le plus évident entre Jonatan et Hrund, ce sont les contes populaires. C'est là-dessus que nous mettrons l'accent quand nous l'interrogerons demain.

– Le lien avec Hrund est avéré, mais nous n'avons aucune preuve qu'il connaissait Rosamunda. On ne ferait pas mieux d'aller fouiller son appartement dès que possible ?

Flovent consulta sa montre.

– Il est vraiment très tard, répondit-il en pensant à son père. Attendons plutôt demain matin, puis retournons interroger ce garçon.

Thorson hocha la tête. La journée avait été longue et il se sentait fatigué. Ils roulèrent vers le centre et se souhaitèrent bonne nuit. Flovent voulait rentrer à pied chez lui, il avait besoin de réfléchir. Thorson retourna à l'hôtel Borg pour y manger un morceau avant de se mettre au lit. Il devait passer quelques nuits dans cet établissement à cause de transformations dans les locaux de la police militaire et ça ne lui déplaisait pas, sauf en fin de semaine, quand tout le monde buvait et s'amusait bruyamment.

La salle de restaurant était bondée. Il s'installa à l'écart, pensant commander du mouton. Un serveur approcha et l'informa dans un anglais rocailleux qu'à son grand regret la cuisine était fermée. Thorson répondit qu'il parlait islandais et lui demanda s'il pouvait lui proposer un petit en-cas. Le serveur promit de voir ce qu'il pouvait faire.

Thorson observait le directeur de l'hôtel qui paradait, le muscle saillant, occupé à discuter à la porte de la cuisine avec un serveur. Célèbre champion de lutte islandaise, cet homme avait fait le tour du monde dans sa jeunesse en combattant contre tous ceux qui souhaitaient se mesurer à lui. Sa renommée avait atteint le Manitoba. Ses voyages lui avaient rapporté beaucoup d'argent et, à son retour en Islande, il avait bâti cet hôtel qu'il dirigeait avec panache.

Ce soir-là, les soldats américains étaient majoritaires, la plupart d'entre eux étaient gradés et certains accompagnés d'Islandaises qui riaient aux éclats. Thorson en connaissait un rayon sur ce que tout le monde appelait la situation. La police militaire avait dû traiter un certain nombre d'affaires ayant trait aux relations entre les soldats et les Islandaises. Les autorités locales avaient essayé de s'attaquer au problème, elles avaient même créé une brigade de protection des mineurs, mais cette dernière avait été éphémère car elle n'avait guère d'autres solutions à proposer que d'envoyer les jeunes filles à la campagne, loin de la Sodome qu'était devenue Reykjavík. Il était interdit d'inviter des femmes dans les baraquements militaires et il fallait avoir seize ans pour entrer dans les bars et les dancings, mais personne ne respectait ces règles. Parfois, des bagarres éclataient entre les soldats et les gens du cru, nées le plus souvent de rivalités amoureuses. Il arrivait également que des femmes portent plainte pour violences. Beaucoup découvraient que leur soldat était marié en Amérique, leur occasionnant remords et regrets.

La mère de Thorson lui avait demandé s'il se plaisait en Islande. Ses parents avaient parfois le mal du pays, ils parlaient toujours avec tendresse de cette terre et des gens qui y vivaient. Ils l'avaient quittée tout jeunes, au début du siècle nouveau, pour se bâtir une vie meilleure dans un monde lointain. On leur avait attribué de bonnes terres à leur arrivée en Amérique. La mère de Thorson avait de la famille qui avait fui la pauvreté régnant en Islande quelques dizaines d'années plus tôt et s'était installée dans le Manitoba. La famille en question avait très bien accueilli les nouveaux venus. Ses parents étaient courageux, ils n'avaient pas tardé à s'intégrer et à apprécier leur pays d'adoption. Certes, ils pensaient souvent à l'Islande et leur famille leur manquait, mais jamais ils n'avaient regretté d'avoir émigré. Thorson leur avait écrit que les Islandais vivaient encore dans une grande pauvreté, mais que leur niveau de vie s'était beaucoup amélioré avec la guerre, le travail ne manquait pas et les salaires étaient décents. Quittant leurs campagnes et leurs fermes, les gens affluaient vers Reykjavík en quête d'une vie meilleure et d'un avenir radieux, un tas d'opportunités toutes neuves s'offraient à eux. Thorson ne leur avait pas parlé de la situation pour ne pas ternir la belle image qu'ils avaient gardée du pays. Il s'était contenté de leur dire que l'occupation constituait un événement majeur dans la vie de la nation, et qu'elle en serait sans doute à jamais transformée. La vieille culture paysanne que ses parents avaient connue était vouée à disparaître.

Il termina son en-cas, monta dans sa chambre et s'allongea. Il entendait l'écho des voix et des rires de la salle du restaurant. Il pensait à son chez-lui, comme cela arrivait parfois quand il était seul. Ses parents lui avaient parlé de leur pays d'origine avec une certaine nostalgie. La réalité qu'il avait découverte était très différente de leurs récits. Dès son arrivée en Islande, il avait eu l'impression d'être dans un endroit qui n'avait rien à voir avec celui que ses parents avaient quitté.

Tôt le lendemain matin, Flovent et Thorson se rendirent dans le petit appartement en sous-sol de Jonatan en quête d'indices prouvant qu'il avait connu Rosamunda. Ils ne savaient pas exactement ce qu'ils cherchaient et ne le sauraient que lorsqu'ils le trouveraient. Jonatan leur avait lui-même remis les clefs la veille au soir en leur disant qu'ils pouvaient fouiller autant qu'ils le voulaient. Sa seule inquiétude était qu'ils mettent en désordre les documents sur lesquels il travaillait : ses notes et ses bibliographies soigneusement classées. Il avait proposé de les accompagner pour leur prouver qu'il n'avait rien à cacher, mais ils avaient refusé. Peut-être plus tard, lui avait répondu Flovent.

L'appartement correspondait au studio typique d'un étudiant qui ne vivait que pour les livres et la connaissance, et négligeait les contingences du quotidien. En dehors des ouvrages consacrés aux contes populaires, ils trouvèrent un certain nombre de publications scientifiques en rapport avec ses études ainsi que des livres et des magazines d'ornithologie ou dédiés aux autres passions du jeune homme. Lorsqu'ils étaient venus la veille au soir, il leur avait dit qu'il était allé observer les grands cormorans au cap de Seltjarnarnes. Flovent trouva un bref article rédigé par l'étudiant. Il y était question du vol majestueux de cet oiseau noir, d'allure quasi préhistorique. Jonatan décrivait ses larges ailes et ses serres, et ajoutait que c'était un excellent plongeur.

Il avait réalisé des croquis de l'animal et d'autres oiseaux de mer que les deux policiers trouvèrent dans une chemise sur la bibliothèque. Le jeune homme avait un bon coup de crayon, pour ne pas dire excellent. Certains étaient peints à l'aquarelle, ce qui mettait en valeur les moindres détails.

– C'est très beau, observa Thorson.

– Ce gamin est un véritable artiste, convint Flovent en scrutant le croquis qu'il tenait face à lui.

– Une âme sensible, peut-être.

Flovent reposa la feuille et fit un tour d'horizon de la chambre. La douleur qu'il avait ressentie à l'estomac en se réveillant était revenue.

– Rien ici ne permet d'affirmer qu'il s'en prend aux jeunes filles, jugea-t-il.

– Effectivement, convint Thorson, c'est un simple étudiant qui se passionne pour l'ornithologie et les croyances populaires de son pays.

– On m'a appris…

– … quand tu étais en stage à la police d'Édimbourg, je suppose, interrompit Thorson.

Flovent sourit.

– Oui, j'ai appris là-bas qu'il ne fallait s'appuyer que sur des preuves tangibles. Ce que nous pensons de ce gamin, de son domicile, de ses capacités de dessinateur ou d'étudiant n'a aucune importance. Nos sentiments et nos impressions ne comptent pas.

– Je suppose que c'est ce qu'on appelle le flegme écossais ?

– Les Écossais sont loin d'être idiots, assura Flovent.

Il se pencha sur les documents que Jonatan avait rassemblés pour la rédaction de son mémoire. En les feuilletant, il trouva un récit manifestement tiré d'un ancien registre judiciaire où il était question d'elfes. L'écriture était quasiment illisible, Flovent fit quelques tentatives pour la déchiffrer, mais renonça rapidement et décida d'emporter les feuilles pour s'y plonger quand il aurait un moment.

Thorson était allé fouiller le petit placard à vêtements du vestibule qui contenait deux chemises, un chandail et des paires de chaussettes. Il attrapa le pantalon du dimanche qui reposait, soigneusement plié, au fond du placard, plongea la main dans les poches, les retourna et remarqua la déchirure à l'entrejambe, rapiécée avec le plus grand soin.

Une dizaine de minutes plus tard, les deux policiers trouvèrent la facture de l'atelier dans le tiroir de la cuisine.

35

À la prison de Skolavördustigur, Jonatan n'avait pas dormi de la nuit. Les gardiens qui avaient veillé sur lui l'avaient entendu parler tout seul et pleurer en silence. Quand ils lui avaient apporté le petit-déjeuner dans sa cellule, il avait demandé où étaient les deux policiers qui l'avaient placé en détention provisoire. Il devait leur redire qu'il ne pouvait pas se permettre d'être absent à l'université. Il aurait déjà dû être en cours à cette heure, en réalité, et il espérait qu'ils le libéreraient au plus vite. Il ne semblait pas avoir pris la mesure de sa situation. N'ayant pas très faim, il avait à peine touché à son repas : un verre de lait et du gruau d'avoine accompagné de deux tranches de boudin au foie et à la graisse de mouton.

Quand Flovent et Thorson arrivèrent à la prison, vers midi, il s'était enfin endormi. Il sursauta en entendant la clef tourner dans la serrure. La porte s'ouvrit. Il s'assit sur son lit et regarda les deux policiers, debout dans l'embrasure.

– J'ai dû m'assoupir.

– Vous pouvez nous accompagner ? demanda Flovent. Nous avons une pièce à notre disposition où nous pourrons vous interroger.

– Vous allez me relâcher ? demanda Jonatan en se levant.

– Nous devons d'abord vous poser quelques questions concernant ces deux jeunes filles, ensuite nous verrons, répondit Flovent.

– J'ai dit aux gardiens que je ne pouvais pas me permettre de rester ici, j'ai déjà manqué plusieurs heures de cours.

Il les suivit dans le couloir puis dans la petite pièce meublée d'une table et de trois chaises qui se trouvait à côté du coin détente des gardiens. Ils s'y installèrent. Flovent demanda qu'on leur apporte du café. Jonatan répondit qu'il n'en voulait pas. Il était calme et posé. Ces quelques heures de sommeil lui avaient fait du bien. Flovent sortit de sa poche l'article sur le grand cormoran qu'il avait trouvé chez le jeune homme et le lui tendit.

– C'est une lecture très instructive, observa-t-il. Il a longtemps que vous vous intéressez aux oiseaux ?

– Depuis toujours. Ils me passionnent. Je m'intéresse depuis toujours à la nature et encore plus aux oiseaux.

– Et plus particulièrement au cormoran ?

– Non, aux oiseaux de mer en général. Le grand cormoran est… j'aime le regarder quand il est en vol, j'admire son long cou et il atteint une vitesse incroyable. C'est un oiseau passionnant.

– Est-ce que Hrund s'intéressait elle aussi aux oiseaux ?

– Hrund ? répondit Jonatan. Je n'en sais rien. Je ne crois pas.

– Racontez-nous à nouveau comment vous l'avez rencontrée, demanda Flovent.

– Je ne lui ai rien fait, j'espère que vous ne pensez pas que je lui ai fait du mal, parce que c'est faux.

– Vous parliez des oiseaux ?

– Non, je ne crois pas. Enfin, peut-être. Je ne pense pas que nous ayons parlé des oiseaux. Ou alors je ne m'en souviens pas.

Flovent hocha la tête, bienveillant. Assis à côté de lui, Thorson gardait le silence. Face à eux, Jonatan racontait une fois encore comment il avait rencontré la jeune fille qui venait souvent traîner aux abords de la station-service. Son récit correspondait à celui de la veille. Ils se connaissaient très peu, elle lui avait posé beaucoup de questions sur la ville d'Akureyri, lui avait fait part de son envie d'aller vivre à Reykjavík et elle n'excluait pas que les elfes puissent exister.

– Elle vous en a parlé parce qu'elle savait que ce sujet vous intéressait ? demanda Flovent dès qu'il eut terminé.

– Oui, elle savait que je voulais m'inscrire à l'université. Je lui avais dit que je m'intéressais aux études nordiques.

– Vous la considériez comme un sujet d'étude ? demanda Thorson.

– Un sujet d'étude ? Non.

– Mais elle vous a fait part de ses idées sur les elfes, n'est-ce pas ?

– Oui.

– Qu'est-ce qu'elle vous a dit ?

– Elle m'a parlé de ces habituelles histoires de périmètres magiques et de pierres à elfes, elle connaissait aussi beaucoup de contes populaires. Tout ça était très banal.

– Elle avait rencontré des elfes ?

– Elle ne m'a jamais dit ça.

– Elle ne vous en a même pas parlé ?

– Non, elle n'a pas parlé de ça.

– Donc, elle n'avait jamais été agressée par un elfe ? reprit Flovent.

– Je n'en sais rien.

– Vous êtes bien sûr qu'elle ne vous en a pas parlé ?

– Tout à fait.

– Vous en êtes bien certain ?

– Oui. Je ne crois pas à ces choses-là. C'est une histoire sortie de son imagination.

– Bien sûr, vous ne croyez pas à ces choses-là. Elles appartiennent à l'univers des contes populaires.

– Évidemment. Et je ne suis pas familier de l'agressivité décrite dans les histoires d'elfes que vous mentionnez. La plupart de ces histoires ont été racontées par des femmes, elles se sont transmises de mère en fille, c'est d'ailleurs principalement pour cette raison qu'elles nous sont parvenues. Les femmes ont conservé ces histoires car elles décrivent l'univers féminin et parlent de leurs affaires de cœur. Ce sont souvent des histoires d'amour trahi, d'enfantement, de nourrissons abandonnés dans la nature.

– De nourrissons abandonnés dans la nature ?

– Il y a des choses qui ne changent pas.

– Comment ça ? demanda Thorson.

Jonatan les regarda à tour de rôle.

– Ces histoires décrivent souvent les difficultés liées à la condition féminine. Par exemple, lorsque les femmes ont un enfant hors mariage et qu'elles sont contraintes de s'en débarrasser. Autrefois, abandonner un nourrisson en pleine nature faisait office d'avortement. C'était évidemment une expérience traumatisante que les histoires d'elfes permettaient d'embellir tout en en atténuant la souffrance. Dans ces contes, des femmes humaines ont des enfants avec des elfes d'une grande douceur et d'une grande beauté, l'exact opposé des rustauds qu'elles connaissent, et c'est aux elfes que ces femmes abandonnent leurs enfants. Ces derniers sont élevés chez leur père dans des conditions idéales et il arrive qu'ils reviennent plus tard dans le monde des hommes. Par conséquent, ces histoires ont pour fonction d'atténuer la douleur après une expérience traumatisante.

– Des hommes très doux et très beaux ? répéta Thorson.

– Oui, comme les Américains, ironisa Jonatan.

– Donc les Américains sont les elfes des temps modernes ?

– Je disais ça comme ça.

– Et ces histoires, vous en pensez quoi ? poursuivit Thorson.

– Moi ? Rien.

– Vous avez une petite amie ?

– Qu'est-ce que ça vient faire là-dedans ? Pourquoi cette question ?

– Ce n'est pas à vous de juger de la pertinence de nos questions. Contentez-vous d'y répondre, conseilla Flovent.

– Je n'ai jamais eu de petite amie.

– Et Hrund ?

– Hrund ? Comment ça ?

– Vous étiez amoureux d'elle ?

– Non, je la connaissais à peine.

– Elle faisait les yeux doux aux soldats stationnés dans le Nord ?

– Je n'ai rien remarqué de tel.

– Vous l'avez violentée ?

– Non, je n'ai jamais fait ça.

– Elle vous a éconduit ?

– Éconduit ?

– Nous avons un peu parlé de Rosamunda hier, reprit Thorson.

– En effet.

– Vous avez déclaré ne pas la connaître.

– Et c'est vrai, je ne la connaissais pas, répondit Jonatan.

– Vous ne saviez pas où elle travaillait ?

– Non.

– Et qu'est-ce que vous faites quand vous avez besoin de réparer un vêtement ?

La question déconcerta l'étudiant.

– Ce que… ce que je fais ?

– Par exemple, quand vous déchirez un de vos pantalons ? Ou si vous voulez mettre une pièce aux coudes de vos chandails. Vous savez manier le fil et l'aiguille ?

Jonatan regarda tour à tour les deux policiers, interloqué.

– Pourquoi… pourquoi cette question ?

– Vous n'êtes pas très doué en travaux d'aiguille, je me trompe ? continua Flovent.

– Non.

– Rosamunda travaillait dans un atelier de couture, ici, à Reykjavík. Cet atelier répare les accrocs et il s'appelle *Sporid*, le Point, ça ne vous dit rien ?

– Il m'est arrivé une fois de porter mon pantalon en réparation, reconnut Jonatan, hésitant.

– C'était dans cet atelier ? Vous l'avez confié à Sporid ?

– C'est possible.

– Possible ?

– Oui.

– Ce document vous rafraîchira peut-être la mémoire.

Flovent sortit la facture qu'il avait trouvée avec Thorson au domicile de Jonatan et la posa sur la table. Elle était revêtue du cachet de l'atelier et concernait le rapiéçage d'un pantalon. Jonatan tendit la main pour la prendre, mais Thorson fut plus rapide. Il prit la feuille et la lui mit sous les yeux.

– En effet, reconnut Jonatan.

– Vous saviez que Rosamunda travaillait là-bas ?

– Je ne connais pas de Rosamunda. Je ne comprends pas pourquoi vous me retenez ici. Je n'ai pas enfreint la loi et j'ai hâte qu'on en finisse.

– À votre place, j'appellerais un avocat, conseilla Flovent.

– Je ne veux pas d'avocat, je n'en connais aucun. Je veux rentrer chez moi. J'ai autre chose à faire. Il faut que vous le compreniez. Je n'ai rien fait de mal. Rien du tout. Vous devriez quand même me croire.

Jonatan se leva.

– Vous n'avez pas le droit de me garder ici, poursuivit-il. Vous n'en avez pas le droit. Je m'en vais.

Flovent et Thorson s'étaient également levés. Jonatan se dirigea vers la porte. Elle n'était pas fermée à clef. Il l'ouvrit et s'apprêtait à sortir dans le couloir quand Thorson l'attrapa par le bras.

– Lâchez-moi, s'agaça Jonatan.

– Malheureusement, vous ne pouvez pas encore partir, expliqua Flovent.

L'espace d'un instant, Jonatan sembla sur le point de frapper Thorson et de s'enfuir dans le couloir mais, comprenant qu'il était face à plus fort que lui, il se calma.

– Désolé, mon garçon, reprit Flovent, je dois vous notifier votre arrestation. Nous vous soupçonnons du meurtre de Rosamunda. Nous n'avons pas le choix. Je vous suggère d'être coopératif et, de nouveau, je vous conseille d'appeler un avocat.

Un peu plus tard, assis dans son bureau de la rue Frikirkjuvegur, Flovent scrutait les feuilles presque indéchiffrables qu'il avait trouvées dans l'appartement de Jonatan. Elles contenaient un récit que l'étudiant avec consigné sur cinq pages sans y mettre beaucoup de soin. L'écriture était presque illisible, mais Flovent se disait qu'il finirait par la déchiffrer. Il approcha sa lampe de bureau et éclaira les feuilles. Comme elles n'étaient pas numérotées, il lui fallut un certain temps pour reconstituer l'ordre de lecture. Il reconnaissait le style des anciens registres judiciaires qu'il lui était arrivé de consulter. Il comprit rapidement que l'étudiant avait retranscrit sur ces feuilles les minutes d'un procès pour viol datant du XIXe. Plus il avançait dans la lecture de ces pattes de mouche, plus il avait l'intime conviction d'avoir arrêté le coupable.

36

Konrad repoussa le classeur dans le tiroir et ouvrit le suivant. Il ne désespérait pas d'exhumer les procès-verbaux de l'enquête sur le meurtre de Rosamunda. Il avait trouvé l'extrait avec la déposition de la femme qui avait découvert le corps et mentionnant le nom d'Ingiborg dans une chemise classée à l'année 1944. Elle portait un numéro, mais n'abritait aucun autre document. Après avoir exploré l'ensemble des archives de cette année-là sans résultat, il décida d'étendre ses recherches et de passer en revue les procès-verbaux des années précédentes et suivantes, au cas où les documents s'y seraient égarés. Il était persuadé qu'un tel crime avait donné lieu à la rédaction d'un nombre conséquent de rapports de police.

Il réfléchissait à ce que lui avait dit Petra, la fille de la patronne de l'atelier, et pensait à la colère du vieux Thorson quand il avait appris que Rosamunda refusait d'aller faire des livraisons dans une maison de Reykjavík. D'après la mère de Petra, c'était le domicile d'une famille bourgeoise, d'un député, des gens connus en ville, de bons clients de l'atelier, que la patronne était fière de compter parmi ses connaissances. Membres d'une loge des Oddfellows et francs-maçons, avait précisé Petra juste avant de le quitter.

Elle avait donné le nom de ces gens à Thorson et il était bien possible qu'il ait essayé de les contacter.

– Je suis heureuse que vous soyez passé, avait confié Petra à Konrad alors qu'il s'apprêtait à partir. J'espère vous avoir un peu aidé. Tout cela hantait ma mère avant sa mort. Elle avait mauvaise conscience d'avoir caché ça à la police.

– Elle n'avait sans doute aucune raison de s'inquiéter comme ça, avait répondu Konrad, sans trouver rien d'autre à dire.

– Ma mère pensait avoir entravé l'enquête, et elle savait qu'il était trop tard pour réparer le mal qu'elle avait causé. Elle avait besoin de soulager sa conscience. Vous croyez que son silence a gravement nui à ce Stefan, cet homme que vous appelez Thorson ?

– Non, ça m'étonnerait vraiment, avait tenté de la rassurer Konrad.

– Mais peut-être à quelqu'un d'autre ? Elle m'a dit que la police n'avait arrêté personne et qu'il n'y avait jamais eu de procès.

– Et je n'ai rien trouvé indiquant le contraire.

– Elle aurait sans doute mieux fait de dire la vérité.

– Vous le dites vous-même, elle ne voulait pas lancer des accusations en l'air. Sa position était délicate.

– Vous pensez que vous parviendrez à découvrir ce qui s'est passé ?

– Je ne sais pas. Tout ça remonte à si longtemps.

Konrad ouvrait une chemise après l'autre et feuilletait leur contenu dans l'espoir d'y trouver le nom de Rosamunda, de Thorson ou d'un étudiant impliqué dans l'affaire. Il tomba plusieurs fois sur celui de Flovent, le policier qui avait travaillé avec Thorson, mais les documents en question n'étaient pas en rapport avec le meurtre. Flovent avait mené des tas d'enquêtes, sur des cambriolages, de la contrebande, des vols de voiture et des agressions. Il avait également travaillé sur plusieurs crimes puis, après la guerre, son nom disparaissait des rapports de police.

Tandis qu'il parcourait les documents et qu'il ouvrait les chemises datant de l'occupation britannique puis américaine, Konrad méditait sur ce qu'on appelait à l'époque la situation. Récemment, il avait lu un article expliquant que celles qui fréquentaient des soldats avaient eu pendant longtemps mauvaise réputation, mais les choses avaient évolué au fil du temps, surtout avec l'apparition des mouvements féministes. D'une certaine manière, la guerre avait libéré les femmes du patriarcat qui caractérisait depuis des siècles la société paysanne islandaise. Elles avaient conquis leur indépendance et c'était aussi pour cette raison que l'opposition à ladite situation avait été si virulente. Les blanchisseuses qui travaillaient pour l'armée devenaient chefs d'entreprise et gagnaient plusieurs fois le salaire d'une ouvrière. Elles n'étaient plus sous la coupe de leur mari ni contraintes de trouver un époux sorti d'une ferme en tourbe : tout à coup, elles avaient la possibilité de parcourir le monde et d'aller dans des pays lointains au bras d'un étranger. Leur désir d'aventure s'éveillait. Pour couronner le tout, les soldats étaient en général polis et séduisants, bien plus que les Islandais.

Konrad souriait en pensant aux lourdauds d'Islande tandis qu'il continuait à remonter le temps en quête d'une jeune fille qui avait peut-être fait les frais de cette toute nouvelle liberté. Arrivé à l'année 1941, il trouva deux feuilles volantes écrites à la main qui ne portaient aucun numéro d'enregistrement. Elles n'étaient pas classées, n'étaient pas datées, et le nom de celui qui les avait écrites n'y figurait pas. Elles semblaient avoir été égarées, peut-être après un déménagement. On avait oublié de les jeter avec d'autres documents destinés à la corbeille à papier. L'écriture était soignée et aisément déchiffrable. Ces feuilles retraçaient les interrogatoires d'un homme dont le nom n'était pas indiqué. Il ne s'agissait pas vraiment d'un procès-verbal, mais de simples notes prises par un policier. Le suspect avait été amené pour être interrogé puis placé en détention provisoire à la prison de Skolavördustigur en dépit de ses vigoureuses protestations. Les interrogatoires avaient révélé qu'il connaissait la jeune fille originaire du Nord, disait le document, et qu'il était client de Sporid, l'atelier de couture qui employait Rosamunda. Le suspect était inscrit en études nordiques à l'Université d'Islande, il se passionnait pour les contes populaires et travaillait à un mémoire sur le sujet. À la fin de ces notes, deux mots écrits avec un autre crayon tranchaient violemment avec le style télégraphique de ce qui précédait. L'auteur semblait avoir ajouté ultérieurement ce commentaire personnel : *Quel désastre !*

Les documents n'en disaient pas plus. Konrad retrouva les rapports dactylographiés signés par Flovent et constata que l'écriture manuscrite des deux feuilles volantes était semblable. Il poursuivit ses investigations en se plongeant dans les placards, en ouvrant les tiroirs et en feuilletant les procès-verbaux, mais ne fut guère récompensé pour sa peine. Il n'avait aucune idée de l'identité de cette jeune fille du Nord mentionnée dans le document manuscrit, mais il semblait que l'homme placé en garde à vue était soupçonné du meurtre de Rosamunda. Cela n'avait toutefois pas permis à l'enquête d'aboutir. Il n'y avait pas eu de procès. Apparemment, toute procédure avait été suspendue. Le suspect faisait-il partie de cette famille bourgeoise dont Petra lui avait parlé ? Elle lui avait dit que le mari était député. L'enquête avait-elle été interrompue à cause de pressions politiques ?

Inscrit en études nordiques.

Étudiant.

Cet homme dont le nom n'était pas précisé, était-ce l'étudiant auquel Thorson avait fait allusion tout bas chez Petra ?

Konrad cessa ses recherches deux heures plus tard, quand il comprit que les archives de la police ne lui apprendraient rien de plus. Il alla voir Marta, son ancienne collègue, qui l'informa que l'enquête sur le meurtre de Thorson piétinait. Une pile d'enregistrements de caméras de surveillance installées à proximité du domicile du vieil homme, avec les inscriptions *magasin, banque, école de quartier*, reposait sur son bureau.

– Nous commençons à explorer tout ça, déclara Marta en désignant les cassettes tout en enfilant son manteau. On ne sait jamais, on y verra peut-être quelques vieilles connaissances. Cela dit, nous ne savons pas exactement ce que nous cherchons.

– Eh bien, bon courage !

– Et de ton côté, tu as trouvé quelque chose ?

– Rien de concret.

– On commence à se demander si cet homme ne se serait pas fait ça lui-même.

– Il se serait étouffé tout seul ? Tu crois vraiment que c'est possible ?

– Il était vieux et fatigué, souligna Marta.

Elle était pressée. En retard à sa réunion, elle n'avait pas le temps de discuter avec Konrad.

– On est au point mort. Nous n'avons trouvé personne qui aurait pu lui vouloir du mal. Pas d'effraction.

Rien n'a été volé dans son appartement. Il n'y a aucun mobile. Il n'a ni famille ni amis. Et il a sans doute voulu éviter d'aller en maison de retraite ou de finir dans un service de gériatrie. Tu me suis ?

– Non, répondit Konrad. Il était à mille lieues de ces considérations. Il avait repris l'enquête qu'il avait menée lorsqu'il était dans la police militaire sur la jeune fille assassinée à côté du Théâtre national pendant la guerre. Je crois qu'il avait découvert de nouveaux éléments et, à mon avis, c'est là qu'il faut chercher la cause de son décès. Le mobile, comme tu dis.

– D'accord, tu ne pourrais pas nous rédiger un petit rapport ? suggéra Marta. On le lira attentivement.

Elle décrocha le téléphone qui sonnait sur son bureau. Son portable se mit également à vibrer.

– Je ne rédige plus de rapports, répondit Konrad avant de prendre congé d'un ton sec. Tu sais où me trouver.

Espérant en apprendre un peu plus auprès de la vieille Vigga, il décida de retourner la voir. Il y avait du monde dans les couloirs de la maison de retraite, des pensionnaires s'y promenaient, pour beaucoup aidés d'un déambulateur, le personnel courait ici et là, les mains chargées de plateaux ou de récipients divers. Une radio diffusait de la musique. Allongée dans sa chambre, Vigga dormait, ignorant l'agitation qui régnait autour d'elle. Konrad s'installa à son chevet. Il ne voulait pas la réveiller. Le soignant qu'il avait interrogé lui avait dit qu'elle ne recevait d'ordinaire aucune visite. Les employés s'étaient étonnés d'avoir vu le vieil homme auprès d'elle l'autre jour, et voilà que maintenant Konrad revenait.

Il parcourait un hebdomadaire déco mortellement ennuyeux depuis une vingtaine de minutes quand Vigga se tourna dans son sommeil. Il reposa le magazine. La vieille femme ouvrit les yeux et le regarda.

– Vigga ?

– Vous êtes qui ? demanda-t-elle d'une voix faible.

– Je m'appelle Konrad, je suis passé vous voir l'autre jour.

– Ah bon ?

– Vous ne vous en souvenez pas ?

Vigga secoua la tête.

– Vous êtes qui ? répéta-t-elle.

– Je m'appelle Konrad. Je suppose que vous l'avez oublié, mais on habitait le même quartier autrefois. Depuis, j'ai déménagé.

Vigga ne semblait pas se souvenir de lui, que ce soit dans un passé récent ou lointain.

– L'autre jour, je suis venu pour vous poser des questions sur Stefan, l'homme qui vous a rendu visite récemment. Il était soldat ici pendant la guerre et s'appelait Thorson à l'époque. Il travaillait pour la police militaire. Vous vous souvenez de sa visite ? Vous vous rappelez lui avoir parlé ?

– Je te connais ? demanda Vigga, passant subitement au tutoiement.

– Non, autant dire que non, il y a si longtemps. Thorson vous a demandé de l'aider à y voir plus clair dans une enquête sur laquelle il a travaillé pendant la guerre. On avait retrouvé le corps d'une jeune femme derrière le Théâtre national. La première fois que je suis passé, vous m'avez parlé d'une autre…

– C'est cette institution qui t'envoie ? interrompit la vieille femme.

– Non, je suis ici à titre personnel, répondit Konrad. Je ne sais pas ce que vous avez dit à Thorson, mais vous m'avez parlé d'une seconde jeune fille qui a disparu. Son corps n'a jamais été retrouvé, disiez-vous, et vous avez également parlé d'elfes.

– C'est un elfe qui l'avait agressée, répondit Vigga en se redressant à grand-peine sur son oreiller, les yeux rivés sur son visiteur.

– Qui ça ?

– Cette gamine du Nord. Elle s'appelait Hrund. On ne l'a jamais retrouvée. Elle s'est jetée du haut de la cascade. Ton père était voyant ?

– Non, répondit Konrad, désarçonné.

– Oh que si !

– Non, il…

– C'était un charlatan, un faux médium !!

– Non, il était membre de la Société de spirit…

– Quelle ordure, grogna Vigga avant de laisser sa tête retomber sur son oreiller. Ce n'était qu'un salaud infâme !

– Vigga ?

Elle ne répondit pas et referma les yeux.

– Vigga ?!

Trois quarts d'heure plus tard, Konrad se leva et quitta la chambre. La vieille femme était plongée dans un profond sommeil. Il avait attendu qu'elle se réveille pour lui poser d'autres questions sur Hrund. Les propos de Vigga étaient énigmatiques. Un elfe avait attaqué Hrund, qui s'était jetée du haut de la cascade. Konrad n'y comprenait rien, il supposait simplement que c'était la jeune fille dont Vigga lui avait déjà parlé, celle qui avait disparu et dont on n'avait jamais retrouvé le corps.

Assis dans sa voiture, alors qu'il s'apprêtait à démarrer, il repensa aux deux feuilles manuscrites qu'il avait trouvées dans les archives et qui semblaient avoir été rédigées par Flovent. Il y était stipulé qu'un homme convoqué pour interrogatoire avait connu « la jeune fille du Nord ».

Est-ce que c'était cette Hrund ?

Il se rappelait le récit de son père sur la séance avec le voyant et les parents de Rosamunda. Au milieu du scandale, tous oublièrent que le voyant avait ressenti la présence d'une seconde jeune fille qui avait également eu un sort tragique. Bien que n'étant pas de nature crédule, Konrad se demandait si c'était cette Hrund que Vigga venait de mentionner.

37

Un peu plus jeune que lui, Eyglo avait travaillé dans des bureaux presque toute sa vie. Actuellement employée aux Assurances générales, elle lui avait proposé un rendez-vous dans un café. Konrad la savait fille unique. Leurs pères se connaissaient. Ensemble, ils s'étaient fait une spécialité de berner leurs clients. Konrad ne lui avait jamais parlé et ne la connaissait pas. Eyglo était la fille du voyant qui avait organisé la séance avec les parents de Rosamunda dans l'appartement de son enfance.

Il avait trouvé le nom d'Eyglo sur Internet dans une nécrologie consacrée à son père. Elle avait précisé que ce dernier avait toujours été réticent à parler de l'époque où il exerçait la profession de médium. Elle connaissait cependant l'histoire de Rosamunda. Elle s'était parfois demandé si l'enquête avait été résolue. Konrad lui avait répondu qu'elle semblait avoir été subitement interrompue. Le crime n'avait jamais été élucidé.

– Donc, vous êtes le fils de cet homme, déclara-t-elle tout de go en le saluant dans le café. Elle retint sa main un long moment dans la sienne et le dévisagea, puis relâcha brusquement sa prise. Je dois reconnaître que votre coup de fil a piqué ma curiosité.

– Votre curiosité ? répéta Konrad tandis qu'ils s'asseyaient.

– Votre père a largement contribué à détruire le mien, répondit Eyglo. Je voulais voir à quoi vous ressembliez.

– J'espère ne pas trop vous décevoir, plaisanta Konrad.

– Nous verrons. Le vice est héréditaire.

– Le vice ? Comment ça ?

– Mon père ne disait jamais de mal de personne, mais il décrivait le vôtre comme un sale type plein de vices. C'est lui qui vous a élevé ?

– Je ne vois pas… en quoi c'est important.

– Vous voulez me poser des questions, pourquoi n'aurais-je pas le droit de faire pareil ?

– Ce n'est pas de moi qu'il s'agit.

– Vous en êtes sûr ?

– Oui.

– Dans ce cas, qu'est-ce qu'on fait ici ? Nous allons parler de votre père et de cette séance de spiritisme, n'est-ce pas ? C'est bien pour ça que vous m'avez contactée ?

Petite et menue, les cheveux bruns, quasi entièrement vêtue de noir, Eyglo le fixait en attendant sa réponse. Elle paraissait bien plus jeune que son âge. Le regard clair et inquisiteur, le front haut, le geste vif, l'esprit alerte, elle ne s'embarrassait pas de palabres. Au téléphone, elle avait déclaré sans façon avoir travaillé en tant que médium pendant un certain temps, tout comme son père. Konrad s'était demandé si elle pensait avoir hérité de ses facultés, mais il avait préféré ne pas lui poser la question. Elle avait précisé qu'elle n'était pas connue comme voyante et qu'elle tenait à être discrète sur ce qu'elle appelait son don.

– Je vous ai contactée au sujet de Rosamunda, répondit Konrad. Je veux savoir si votre père vous a parlé d'elle et s'il s'est documenté sur cette affaire avant la tenue de cette séance.

– J'ai cru comprendre que c'était le rôle de votre père à vous de collecter des renseignements.

– En effet, reconnut Konrad. Il m'a parlé de leur collaboration et de cette séance avec les parents de Rosamunda, mais il ne m'a rien dit sur Rosamunda elle-même. Voilà pourquoi je me demandais si votre père…

– Vous ne croyez pas à ces choses-là, n'est-ce pas ? Les médiums, les visions, interrompit Eyglo.

– Non, avoua Konrad.

– Ni à la vie après la mort ?

– Non plus.

– Vous en êtes sûr ?

Konrad ne put refréner un sourire.

– Oui.

– Vous devez bien y croire un peu puisque vous m'avez fait venir ici. Vous êtes certain de ne pas voir au-delà des apparences ?

– Est-ce que votre père vous a parlé de Rosamunda ? éluda Konrad.

– Non, ou peut-être que je ne m'en souviens pas. En revanche, il m'a raconté cette séance en me disant que votre père l'avait forcé à travailler avec lui. Vous le saviez ?

– Non, je l'ignorais.

– Votre père savait je ne sais quoi sur le mien et il s'en est servi pour le forcer à abuser des braves gens. Mon père était médium, mais ça ne suffisait pas au vôtre. Il voulait obtenir de meilleurs résultats. Il prétendait qu'ainsi les clients paieraient plus. Ils s'étaient rencontrés à la Société de spiritisme. Mon père manquait de caractère, il était en quête de reconnaissance et avait un problème avec l'alcool. Parfois, il disparaissait des semaines entières et, quand il revenait à la maison, il n'était même pas capable de dire où il avait passé tout ce temps. Mais c'était un brave homme. Il avait un bon fond. Il ne voulait nuire à personne. Et il avait beaucoup de qualités précieuses pour un voyant. Une sensibilité que d'autres n'ont pas. Il comprenait qu'on ait besoin de réponses.

– Il a évoqué une autre jeune fille pendant cette séance, vous savez comment il avait appris son existence ? Cette jeune fille, c'était qui ? En tout cas, ce n'est pas mon père qui lui en a parlé. Le vôtre affirmait qu'elle était avec Rosamunda dans un lieu où il faisait très froid. Est-ce qu'il vous a touché deux mots de tout ça ? Il ne vous en a pas dit plus ?

– Il savait exactement ce qu'il avait ressenti, assura Eyglo, même si vous n'y croyez pas. Vous pensez qu'il s'est contenté de mentir et je dois vous avouer que je ne comprends pas pourquoi vous m'interrogez sur tout ça.

– Je ne m'autorise pas de tels jugements, mais ce qui est surprenant, c'est qu'un lien semble effectivement exister entre Rosamunda et une seconde jeune fille dont on n'a jamais retrouvé le corps. Je voulais savoir si votre père connaissait cette autre gamine.

Eyglo le regarda intensément.

– J'ignorais qu'il y avait un lien entre elles. Un lien de quelle nature ?

– C'est ce que je cherche à comprendre, répondit Konrad. Je me suis dit qu'ils avaient peut-être eu vent de cette histoire de la même manière qu'ils avaient appris pour les gants et le naufrage que votre père a fait semblant de voir pendant la séance.

– Fait semblant ? Mon père avait un don de voyance et je sais qu'il ne mentait pas quand il affirmait avoir perçu la présence d'une autre jeune fille en même temps que celle de Rosamunda. Ce n'était pas un menteur chronique, contrairement…

– Au mien ? compléta Konrad.

– Oui.

– Donc, il a effectivement perçu cette présence. Qui était cette jeune fille ? Il vous l'a dit ? Il est possible qu'elle se soit appelée Hrund.

– Il ne connaissait pas son prénom, répondit Eyglo, mais elle s'est manifestée très clairement. Il ignorait qui elle était et ce qui lui était arrivé. Il savait juste qu'elle allait très mal et qu'elle avait froid. Il a effectivement parlé de ce froid auquel vous avez fait allusion. Il l'a perçu très clairement.

– Mais il n'en savait pas plus ?

– Non.

– Il ignorait les conditions de son décès ?

– Oui.

– Est-ce que vous connaissez un homme prénommé Stefan ? Avant, il se faisait appeler Thorson.

– Thorson ? Ça ne me dit rien.

– Il ne vous a pas contactée ?

– Non.

– Il y a longtemps que votre père est mort ?

– Oui, répondit Eyglo. Il s'est… c'était un suicide. Il allait mal depuis des années. Son âme n'était jamais en repos, comme disait maman. Il a fait ça peu après avoir appris ce qui était arrivé à votre père.

– À mon père ?

– Quelqu'un l'a poignardé à côté des Abattoirs, non ?

– Oui. Mais qu'est-ce que ça vient faire là-dedans ?

– Maman m'a dit que la nouvelle l'avait profondément touché. Quelques mois plus tard, il s'est donné… enfin, il est mort.

– Ils n'avaient pourtant plus aucun contact ?

– Pour autant que je sache, mais je ne sais pas tout. En fait, je n'ai pas beaucoup connu mon père. J'étais trop jeune. Ma mère m'a raconté qu'il avait très mal réagi en apprenant la mort du vôtre. Selon elle, son geste s'expliquait parce qu'ils avaient été amis et travaillé ensemble, mais…

– Mais quoi ?

– Il y avait peut-être autre chose.

– Autre chose ? C'est-à-dire ?

– Je n'en ai aucune idée. Je ne connais pas toutes ces histoires, hélas. Tout ce que je sais, c'est que mon père allait vraiment mal, enfin, vous imaginez. Il ne faut pas être dans son état normal pour faire ce qu'il a fait.

Elle resta un moment à méditer sur les tristes souvenirs que Konrad avait réveillés puis se leva brusquement pour lui dire au revoir. Ils avaient fini de boire les deux cafés qu'ils avaient commandés et elle devait partir.

– Désolée ne pas pouvoir vous aider davantage.

– Merci d'avoir accepté de me rencontrer, répondit Konrad en se levant également. Elle lui donna une poignée de main furtive en évitant de le regarder dans les yeux.

– J'espère ne pas vous avoir mise mal à l'aise, ajouta-t-il, ce n'était pas mon but.

– Mais non… pas du tout, assura Eyglo.

Pendant leur conversation, elle avait remarqué son bras légèrement atrophié et s'était efforcée de ne pas le regarder avec trop d'insistance. J'ai un autre rendez-vous, avait-elle conclu avant de quitter précipitamment le bar.

Konrad s'était rassis. Il réfléchissait à ce qu'Eyglo avait dit de son père en se caressant doucement le bras. Ça ne le surprenait pas. Ce n'était pas la première fois qu'il entendait de tels propos. Il savait combien son père était intraitable et violent, comme en attestaient ses souvenirs d'enfance. La mère de Konrad avait souvent tenté de ramener son ex-mari à la raison pour qu'il l'autorise à prendre leur fils chez elle, mais elle n'avait jamais réussi à le convaincre. Un jour, il avait même refusé de la laisser entrer dans son appartement pour parler à Konrad. Il l'avait laissée sur le pas de la porte. Chaque fois qu'elle venait en ville depuis les fjords de l'Est, elle le suppliait en répétant qu'il ne pouvait pas continuer à séparer ainsi la famille. Ce jour-là, le père de Konrad en avait eu assez.

– Laisse-moi au moins lui dire bonjour, avait-elle plaidé en regardant son fils, assis à l'intérieur.

– La ferme ! s'était emporté le père de Konrad en lui claquant la porte au nez.

38

Après quelques recherches sur Internet, Konrad trouva les dates de décès du député et de sa femme, dont Petra lui avait donné les noms. Ils laissaient derrière eux plusieurs enfants et petits-enfants. Ces noms lui disaient vaguement quelque chose et, en vérifiant, il avait obtenu confirmation qu'un des fils avait joué un rôle important en politique à une époque, il avait même été ministre. Le couple avait eu quatre fils et une fille. Seuls deux fils étaient encore vivants, les autres frères et sœurs étaient tous décédés. Un des fils était mort vers soixante ans. Konrad avait consulté les nécrologies qui lui avaient été consacrées, l'une d'elles révélait qu'il avait eu une crise cardiaque. Son frère et sa sœur étaient morts de vieillesse, à en juger par leurs nécrologies. Les enfants de ces gens étaient éparpillés aux quatre coins de l'Islande, certains s'étaient aussi installés en Grande-Bretagne et en Australie.

Il décida de commencer par rendre visite au cadet des deux frères qui habitait à Borgarnes dans une résidence pour personnes âgées. Konrad se disait qu'une excursion loin de la grande ville lui ferait du bien. Le lendemain de sa visite à Vigga, il prit donc le volant en direction de Borgarnes où il arriva deux heures plus tard. Il préféra longer le Hvalfjördur pour profiter du paysage plutôt que d'emprunter le tunnel qui permettait de gagner une heure de trajet. Il faisait beau. La route était presque déserte depuis la mise en service de ce tunnel. L'air était immobile, et la surface du fjord lisse comme un miroir. Konrad fit une halte près des anciens baraquements militaires qui s'élevaient à proximité de la station baleinière, légèrement en surplomb de l'ancien relais routier Thyrill qui ressemblait à une maison hantée, maintenant que le trafic était presque inexistant.

Les baraquements qui avaient subsisté avaient été peints en rouge et soigneusement entretenus. Konrad avait lu quelque part que les employés de Hvalur, l'entreprise baleinière, en avaient transformé certains en maisons d'été. Se rendant de l'un à l'autre au volant de sa voiture, il essaya d'imaginer à quoi ressemblait cet endroit pendant la guerre, quand ces baraquements étaient bien plus nombreux et grouillaient face au fjord couvert d'une armada de vaisseaux militaires gris. Aujourd'hui, il n'y avait plus que le silence, parfois troublé par le passage d'un véhicule en route vers d'autres cieux. Un goéland solitaire se laissait porter par le vent en surplomb, comme en quête des vestiges d'une prospérité disparue depuis bien longtemps.

Konrad atteignit Borgarnes peu après midi et ne tarda pas à trouver la résidence pour personnes âgées. Il descendit la pente qui y menait et se gara. N'ayant pas annoncé sa visite, il ignorait si l'homme qu'il venait voir était chez lui, mais appuya sur la sonnette à son nom. Il attendit un long moment, appuya une seconde fois sans que personne se manifeste puis tenta sa chance en sonnant à un autre appartement. Une femme lui répondit. Elle n'avait pas vu son voisin ce jour-là, mais c'était l'heure où il allait parfois à la piscine.

Konrad la remercia, remonta en voiture et prit la direction de la piscine. La petite ville de Borgarnes lui avait toujours plu, elle se trouvait dans un cadre magnifique, les habitants étaient sympathiques, sans parler du fait que l'endroit était un des hauts lieux des anciennes sagas. La seule chose qui l'agaçait était le flot ininterrompu de touristes qui emplissaient les magasins et les stations-services : la bourgade était une des haltes principales des gens qui se rendaient dans le nord ou à l'ouest du pays.

Aucun de ceux qu'il vit sortir de la piscine n'ayant l'âge de l'homme qu'il cherchait, il rebroussa chemin en longeant la rue principale. Un vieillard quittait le centre commercial, un sachet portant le logo de la boutique d'alcools de l'État à la main droite et un sac de sport à l'épaule gauche. Il envisagea de le suivre, mais l'homme monta en voiture et quitta la ville.

Il retourna à la résidence pour personnes âgées, sonna à nouveau à la porte et entendit presque aussitôt des grésillements dans l'interphone.

– Oui ?

– Vous êtes bien Magnus ?

– Lui-même, répondit la voix.

– Je m'appelle Konrad, je souhaiterais vous voir pour discuter de vos parents.

– Ah bon ?

Quelques instants plus tard, la porte du sas qui permettait d'accéder à l'ascenseur s'ouvrit. Magnus l'attendait sur le palier du deuxième étage. Ils se serrèrent la main, Magnus l'invita à entrer en disant qu'il rentrait juste de la piscine. Konrad ne révéla pas qu'il y était allé lui aussi pour tenter de l'y trouver.

– Qu'est-ce que vous savez de mes parents ? s'enquit Magnus en refermant la porte et en l'invitant au salon. Vous êtes généalogiste ?

L'appartement de taille modeste était constitué d'un salon, d'une cuisine à l'américaine et d'une petite chambre avec vue sur le fjord de Borgarfjördur et la montagne de Hafnarfjall. En bonne condition physique pour son grand âge, alerte, le dos droit, totalement chauve et le visage lunaire, Magnus était de taille moyenne. La piscine lui faisait manifestement du bien, pensa Konrad.

– Eh bien non, répondit-il, je ne m'intéresse pas à la généalogie. En revanche, je me passionne pour les affaires criminelles anciennes et…

– Les affaires criminelles ? coupa Magnus.

– Oui, une de celles sur lesquelles je me suis penché dernièrement date de la Seconde Guerre mondiale, il s'agit d'un meurtre commis à Reykjavík, précisa Konrad.

– Ah bon ? Et vous venez me voir pour ça ?

– Tout à fait.

– Qu'est-ce qui s'est passé ?

– On a retrouvé une jeune fille assassinée derrière le Théâtre national. Elle s'appelait Rosamunda et travaillait dans un atelier de couture. Je suppose qu'un certain nombre de personnes âgées originaires de Reykjavík s'en souviennent.

– En effet, ça me dit quelque chose, répondit Magnus, pensif.

– Est-ce que vous auriez reçu dernièrement la visite d'un certain Stefan ?

– Stefan ? Non.

– Il se faisait autrefois appeler Thorson, il est né dans le Manitoba, de parents islandais.

– Non, ça ne me dit rien.

– Il n'est pas venu vous interroger sur cette affaire ?

– Non, je ne connais ni ce Stefan ni ce Thorson. Je ne reçois pas beaucoup de visites. Mes deux filles vivent en Australie. Elles sont parties pendant la crise, à la fin des années 70, et n'ont pas souvent le courage de prendre l'avion pour me rejoindre ici, dans le froid. Qu'est-ce que… cet homme était censé me vouloir ?

– Il est arrivé en Islande pendant la guerre, il travaillait dans la police militaire et a enquêté sur le meurtre de cette jeune fille.

– Et alors ? En quoi ça me concerne ?

– Il enquêtait encore sur cette affaire il n'y a pas longtemps, au moment de sa mort. Vous avez peut-être entendu ça aux informations, un homme âgé a été retrouvé assassiné à son domicile. Il s'agit de ce Thorson.

– J'écoute rarement les nouvelles et je ne vois pas en quoi cela me concerne.

– Non, excusez-moi, je vais essayer de vous l'expliquer. La jeune fille retrouvée morte à côté du théâtre travaillait dans un atelier de couture renommé qui s'appelait Sporid, fréquenté par des clients de toutes les classes sociales. Ce Thorson a découvert récemment de nouveaux éléments : Rosamunda, la jeune fille assassinée, avait refusé de faire des livraisons dans une certaine maison de Reykjavík, une famille pourtant excellente cliente de l'atelier de couture qui l'employait.

– Thorson ? répéta Magnus, pensif.

– Vous vous souvenez de lui ?

– Il était dans la police militaire ?

– Oui. Je suppose qu'il portait l'uniforme. Il était dans l'armée canadienne mais, d'après ce que je sais, il travaillait pour la police militaire que les Américains avaient instaurée en Islande.

Les deux hommes se tenaient encore debout l'un face à l'autre à la porte du salon.

– Vous voulez peut-être vous asseoir ? demanda Konrad.

– Oui, je dois vous avouer que la piscine m'a fatigué, répondit le vieil homme en allant s'installer dans un fauteuil. Qu'est-ce que vous disiez sur cette jeune fille ? Quelle était cette maison où elle refusait de faire des livraisons ?

– Elle a sans doute vécu une expérience traumatisante chez vos parents et, après cela, elle a refusé d'y retourner, précisa Konrad.

Magnus ne semblait pas comprendre.

– Et qu'est-ce que ça implique ? demanda-t-il.

– Je suppose que pour Thorson, toutes ces années plus tard, cette information nouvelle impliquait que Rosamunda avait des raisons d'avoir peur d'un des membres de votre famille.

– D'avoir peur ?

– Oui, et c'est sans doute pour ça qu'elle refusait d'y retourner.

– Comment c'est possible ? Avoir peur ? Mais de quoi ?

– J'espérais que vous pourriez me le dire, répondit Konrad.

– Moi ? Je ne comprends pas de quoi vous parlez, mon garçon. Je ne vois pas ce qui aurait pu lui faire peur dans la maison de mes parents.

39

On ramena Jonatan dans la pièce où Flovent et Thorson l'avaient interrogé une première fois le soir du jour de son arrestation. Il avait refusé de s'alimenter et de prévenir ses amis ou sa famille. Il avait également refusé d'aider Flovent à les trouver, manifestement persuadé qu'on lui permettrait bientôt de rentrer chez lui. Il n'avait pas non plus voulu contacter un avocat, mais Flovent avait pris des dispositions pour qu'il puisse en voir un plus tard dans la soirée. Il faisait de son mieux pour instaurer une atmosphère sereine et convaincre le jeune homme de coopérer, Jonatan semblait s'être calmé pendant la journée.

– Vous allez où pour observer les oiseaux ? demanda Flovent quand ils se furent assis.

– Le plus souvent au cap de Seltjarnarnes, c'est l'endroit le plus intéressant. Il m'arrive aussi d'aller sur le promontoire de Skarfaklettur, à côté du détroit de Sund et dans la baie de Nautholsvik.

– Et vous emportez toujours vos jumelles ?

– Oui.

– Vous voyez d'autres choses que des oiseaux ?

– Comment ça ?

– Des gens ?

– Oui, bien sûr, ça m'arrive.

– Et des soldats ?

– Aussi. Ils sont très présents partout sur la côte.

– Ça vous arrive aussi de croiser des femmes ?

– Je ne m'y intéresse pas particulièrement. Je n'espionne pas les gens. Mes jumelles ne me servent pas à ça, si c'est ce que vous essayez de me faire dire.

– Vous avez déclaré n'avoir aucune opinion sur la situation, les Islandaises qui fréquentent des soldats, sortent s'amuser avec eux et les épousent. Qu'est-ce que tout cela vous inspire ?

– Rien de particulier, je n'y ai jamais réfléchi.

– Ça ne vous met pas en colère ?

– Non, ça ne me regarde pas. Je ne vois pas le but de cette question. Évidemment... évidemment, cette situation est assez particulière et il y a des gens qui s'en alarment, mais je ne me sens pas concerné. Vraiment pas. Et je ne comprends pas pourquoi vous me posez cette question.

– Vous avez croisé Rosamunda pendant une de vos balades ?

– Je me demande combien de fois je vais devoir vous dire que je ne la connais pas.

– Peu de temps avant sa mort, elle a déclaré qu'on l'avait violée, reprit Thorson. Son agresseur lui a conseillé de mettre ça sur le dos des elfes. Vous savez pourquoi il lui a dit ça ?

– Non.

– Vous vous intéressez surtout aux contes populaires où il est question d'elfes. Vous n'avez pas une petite idée sur la raison pour laquelle cet homme les a mentionnés ?

– Non, aucune. Je ne connaissais pas cette jeune fille. Je ne comprends pas de quoi vous parlez.

– Vous ne la connaissiez vraiment pas ?

– Non.

– Vous avez réussi à faire ce que vous vouliez avec elle ?

– Non. Je… vous…

– Vous l'avez forcée à se faire avorter ?

Jonatan se ferma.

– Vous l'avez agressée puis vous lui avez conseillé de raconter une histoire disant que c'était l'œuvre d'un elfe parce que, sinon, elle le regretterait amèrement. N'est-ce pas ?

– Pas du tout.

– Et vous avez fait la même chose avec Hrund dans le Nord.

– Je vous répète que non.

– Vous avez réussi à parvenir à vos fins avec elle et vous lui avez dit de mettre ça sur le compte des elfes.

– C'est faux !

– Vous pouvez nous dire où elle est ? reprit Flovent.

– Où elle est ?

– Oui.

– Comment voulez-vous que je le sache ? Je ne lui ai rien fait.

– Vous l'avez revue après l'agression ?

– Non, je vous ai déjà dit que je ne la connaissais presque pas. Je l'ai croisée deux ou trois fois à la station-service, c'est tout.

– Et vous ne connaissiez pas non plus Rosamunda, qui travaillait à l'atelier de couture ?

– Non.

– Vous y avez pourtant porté votre pantalon à réparer.

– Je ne connais personne là-bas et je ne suis pas le seul à leur avoir confié un pantalon.

– Vous l'avez peut-être rencontrée de la même manière que Hrund, sans que personne ne soit au courant. Vous comptiez sur leur discrétion.

– Je ne connaissais que Hrund, et très peu, je n'arrête pas de vous le répéter. Vous ne voulez donc pas le comprendre ? Il s'agit d'un incroyable malentendu et, en attendant qu'il soit dissipé, j'aimerais bien rentrer chez moi.

– Cela aiderait beaucoup la famille de Hrund si vous pouviez nous dire où elle est, éluda Flovent.

– Vous n'entendez donc pas ce que je vous dis ? Je ne lui ai rien fait. Absolument rien. Je veux partir d'ici. Je ne me sens pas bien dans cet endroit. Tout ça est très embarrassant et je ne comprends pas. Je ne comprends pas du tout comment vous pouvez imaginer que je puisse faire du mal aux gens. Que j'aie pu tuer quelqu'un… je ne comprends pas comment vous pouvez imaginer des choses pareilles.

– Vous feriez peut-être mieux d'attendre votre avocat, conseilla Flovent. Il saura vous conseiller pour les étapes suivantes.

– Je ne veux pas d'avocat. Je veux que vous arrêtiez ces sottises. Je veux rentrer chez moi. Je dois assister aux cours. C'est ridicule. Tout ça est complètement absurde.

Flovent sortit les feuilles manuscrites qu'il avait trouvées chez Jonatan et les posa sur la table. Thorson les avait également lues et connaissait leur contenu. Jonatan regarda les documents, impassible.

– Ces textes vous appartiennent ? demanda Flovent.

Le jeune homme ne répondit pas.

– C'est votre écriture ?

– Oui, c'est mon écriture. Vous avez trouvé ça où ?

– Chez vous. Donc vous savez ce que ces feuilles contiennent.

– Bien sûr que je le sais, ce sont des notes pour mon mémoire. Vous avez pris ça chez moi ?

– C'est un extrait de registre judiciaire, n'est-ce pas ?

– Oui.

– J'ai également consulté le jugement en question, vous l'avez recopié mot pour mot.

– Évidemment puisqu'il fait partie de mes sources.

– Vous pouvez nous dire de quoi il est question dans ce procès, quelle était sa nature ?

– Vous devez le savoir puisque vous avez lu ce jugement, répondit Jonatan.

– Il s'agit d'une affaire de viol.

– En effet.

– Impliquant une jeune fille et un ouvrier.

– Oui.

– Dans des conditions assez spéciales, et qui éclairent l'affaire qui nous occupe.

– Je ne suis pas en mesure d'en juger, répondit Jonatan.

– Vous souhaitez que je développe ? proposa Flovent.

– Faites comme bon vous semble. Je m'en fiche. Je veux que vous me relâchiez. Je n'ai rien fait de mal. Rien du tout !

Flovent le regarda longuement en silence puis se mit à résumer les notes prises par l'étudiant. L'affaire datait de la première moitié du XIXe siècle. Il y était question d'une jeune femme employée dans une ferme de la province du Sudurland. Bercée par les histoires d'elfes depuis son enfance, elle connaissait les pierres et les collines de la région habitées par ces créatures. Un jour, on l'avait envoyée dans une autre ferme pour y faire une course, la route était assez longue et, à son retour, elle avait croisé un garçon qui travaillait dans une ferme voisine à côté d'une colline censée abriter des elfes. Elle connaissait un peu ce jeune homme qui lui avait déjà fait des avances et quand il lui avait conté fleurette au pied de la colline en lui demandant de lui offrir ses charmes, elle avait refusé catégoriquement. Alors qu'elle s'apprêtait à s'enfuir, l'homme l'avait retenue, déterminé à arriver à ses fins. Ils s'étaient battus, elle avait eu quelques bleus sur le visage et sur le corps, le garçon de ferme avait déchiré ses vêtements. Il l'avait menacée des pires maux si elle le dénonçait et, quand elle lui avait demandé comment expliquer ce qui lui était arrivé, il avait regardé la colline en lui disant qu'il lui suffisait de mettre ça sur le dos des elfes. La jeune femme était rentrée chez elle et avait écouté le conseil de l'ouvrier. Certains l'avaient crue, d'autres non, parmi lesquels sa mère qui avait fini par obtenir toute la vérité. La jeune femme avait dénoncé le coupable qui avait reconnu son crime et reçu son châtiment.

– Je n'ai rien oublié ? s'enquit Flovent à la fin de son récit.

– Cela fait partie des recherches que je mène pour mon mémoire concernant les formes diverses sous lesquelles les croyances populaires se manifestent, répondit Jonatan. Ce document juridique m'a semblé intéressant.

– Mais vous refusez de reconnaître qu'il vous a inspiré ?

– Oui, je ne comprends pas… je ne sais même pas quoi vous répondre. Tout cela est absurde.

– Vous avez donné à Hrund le conseil qui figure dans ce jugement ?

– Non, insista Jonatan, je n'ai rien fait de tel.

– Ensuite, vous avez agi de même avec Rosamunda trois ans plus tard.

– Non, vous dites n'importe quoi !

– N'essayez pas de me faire croire que l'idée ne vient pas de ce texte, répondit Flovent en agitant les feuilles.

– Je ne sais pas de quoi vous parlez, répéta Jonatan. Je ne le sais pas. Je veux seulement que vous me relâchiez.

– Ce document décrit très exactement la situation qui nous concerne, expliqua Flovent, et nous le trouvons chez vous. Ce ne serait qu'un simple hasard ? C'est ce que vous affirmez ?

– Je ne sais plus ce que je dois affirmer, répondit Jonatan. Je ne comprends pas qu'on en soit arrivés là. Tout ce que vous me dites est incompréhensible.

– On voudrait contacter votre famille, reprit Thorson. Pourquoi refuser de nous dire comment entrer en relation avec vos parents ?

– Cette histoire ne les concerne pas.

– Ils doivent s'inquiéter pour vous. Ils ont peut-être peur. Vous les voyez régulièrement ?

– Non. Je… je ne veux pas qu'on apprenne que je suis en prison.

– Et vos frères et sœurs ? Vous êtes en contact avec eux ?

– Je n'en ai aucun.

– Donc vous êtes fils unique ?

– Fils unique, exactement, répondit Jonatan avec un petit sourire. Bon, vous me relâchez ? Vous arrêtez vos idioties ?

– Pourquoi ne pas nous en dire un peu plus sur vous ? suggéra Thorson. Cela nous aiderait peut-être à vous comprendre et nous en finirons plus vite.

– Je ne peux rien vous dire. Vous utilisez tout contre moi. Absolument tout. Je vais porter mon pantalon en réparation et ça fait de moi un dangereux criminel qu'il faut absolument mettre en prison. Qu'est-ce que je pourrais vous dire ? Vous retournez tout contre moi.

– D'accord, reprit Flovent, bienveillant. Comme vous voulez. Nous finirons par trouver votre famille, avec ou sans votre aide. J'espère que nous y parviendrons ce soir. J'avais imaginé que vous nous permettriez d'avancer un peu plus vite, mais c'est comme ça.

Flovent appela le gardien pour qu'il ramène Jonatan dans sa cellule au fond du couloir. Lui et Thorson entendirent la porte se refermer alors qu'ils sortaient sur la rue Skolavördustigur. Ils restèrent un moment sous la lanterne qui éclairait l'entrée de la prison pour discuter de la suite des événements. Quelques flocons de neige tombaient sur les maisons, la chaussée était verglacée.

– Il ne va pas nous faciliter la tâche, déclara Thorson.

– Peut-être parce qu'il se sait dans une position difficile, répondit Flovent en regardant les trois jeeps qui passaient à toute allure.

Il avait remarqué que le nombre de navires à l'entrée du port avait augmenté, la présence des soldats était encore plus visible qu'avant. Thorson lui avait dit que des troupes seraient envoyées d'Islande vers la Grande-Bretagne, depuis laquelle on prévoyait de débarquer sur le continent. Si les Alliés parvenaient à y établir une tête de pont et si les Allemands continuaient à reculer sur le front de l'est, on pouvait espérer la fin prochaine de la guerre. Sans doute y en avait-il pour encore un an. Flovent se sentait soulagé, non seulement parce que cela mettrait fin à la situation terrifiante qui régnait en Europe et dans le monde entier, mais il espérait aussi que tout redeviendrait comme avant en Islande. Pourtant, cette idée n'était qu'un mirage. Au fil du temps il avait compris que, justement, plus rien ne serait jamais comme avant.

Thorson semblait lire dans ses pensées tandis qu'il regardait les jeeps disparaître en bas de la rue.

– Les transferts de troupes ont commencé, dit-il.

– C'est donc le début de la fin, observa Flovent.

– Espérons.

– Tu vas t'en aller ?

– Oui.

– Tu sais quand ?

– Très bientôt. J'ai reçu ma feuille de route ce matin.

– Tu participeras aux combats ?

– Je suppose.

– Voilà une perspective peu réjouissante.

– Je ne te le fais pas dire.

– Les Allemands vous attendent de pied ferme.

– Oui, mais ils ignorent où aura lieu le débarquement. Personne ne le sait. Donc…

– Vous aurez peut-être la chance de les prendre par surprise.

– C'est le but.

– Tu sais ce que tu feras après la guerre ?

– Non.

– Tu n'aimes pas trop parler de tout ça ? s'inquiéta Flovent.

Thorson haussa les épaules comme si ça lui était égal.

– Je peux le comprendre. Ce n'est pas… ce ne sera pas un voyage d'agrément.

– Ils s'attendent à de très lourdes pertes humaines. En tout cas, les premiers jours, tant qu'on n'aura pas pris pied sur le continent.

– Tu ne peux pas éviter d'y aller ?

– Éviter d'y aller ? s'étonna Thorson en levant les yeux vers les flocons. Mais j'ai demandé à y aller.

40

La porte de la prison s'ouvrit dans leur dos.

– Je me disais bien que vous étiez encore là, déclara le gardien qui avait ramené Jonatan dans sa cellule. Il voudrait vous parler. Je le ramène dans la pièce où vous l'avez interrogé ?

Flovent et Thorson échangèrent un regard.

– Qu'est-ce qu'il veut ?

– Je n'en sais rien. Il m'a juste demandé si vous étiez partis. Il a quelque chose à vous dire.

– Va le chercher, répondit Flovent.

Ils attendirent le prisonnier dans la petite pièce sans s'asseoir. Le gardien ne tarda pas à leur amener Jonatan, qui s'installa sur une chaise.

– Je ne peux pas rester ici plus longtemps, annonça l'étudiant. De plus en plus désespéré, il adressait aux policiers des regards suppliants.

– Malheureusement, nous ne pouvons pas grand-chose pour vous, regretta Flovent. Nous pouvons appeler un pasteur même si je suppose qu'on vous l'a déjà proposé.

– Je n'ai rien à lui dire. La décision est entre vos mains. C'est vous qui décidez de tout.

– Vous n'avez pas été très coopératif, fit remarquer Flovent.

– Je n'y peux rien, vous ne croyez pas un mot de ce que je vous dis !

– C'est tout ce que vous vouliez ? demanda Flovent.

– Je…

Jonatan s'interrompit.

– Pourquoi nous avoir fait revenir ? s'enquit Thorson.

Le jeune homme ne répondit pas.

– Jonatan, nous discuterons de tout ça demain, promit Flovent. J'ai autre chose à faire.

Ils ouvrirent la porte et appelèrent le gardien.

– S'il vous plaît, ne partez pas ! s'écria l'étudiant.

Ils gardèrent le silence. Le gardien prit Jonatan par le bras, le força à se lever et le conduisit dans le couloir. Son trousseau de clefs cliqueta quand il ouvrit la porte de la cellule. Arc-bouté sur ses jambes, Jonatan refusait d'y retourner.

– Je ne peux pas passer une autre nuit là-dedans, murmura-t-il, la gorge nouée par les sanglots, si bas que le gardien ne comprit pas.

– Vous dites ?

– Je vais leur montrer, murmura Jonatan.

Le gardien hésita.

– Qu'est-ce que vous dites ? Je n'entends pas.

– Je vais les emmener là-bas.

Le gardien se retourna pour rappeler les deux policiers en train de franchir la porte du couloir. Ils s'immobilisèrent et virent le signe de la main qu'il leur adressait.

– Qu'est-ce qui se passe encore ? soupira Thorson.

– Il veut vous dire quelque chose.

Jonatan inspira profondément.

– Je vais vous montrer l'endroit où je l'ai rencontrée… dans Skuggahverfi, dans le quartier des Ombres.

– Que dites-vous ? s'écria Flovent en revenant dans le couloir, suivi par son collègue.

– Je vais vous montrer l'endroit, répéta Jonatan, un ton plus haut.

– Dans le quartier de Skuggahverfi ? s'enquit Flovent. L'endroit où vous avez rencontré Rosamunda ?

Jonatan hocha la tête.

– Je vais vous le montrer.

– Maintenant ? s'étonna Thorson.

– Oui, de suite. Je vais y aller avec vous et vous montrer cet endroit.

– D'accord, consentit Flovent. Si c'est ce que vous souhaitez, on peut y aller tout de suite. Vous êtes prêt à nous raconter ce qui s'est passé ?

– Je veux d'abord aller dans Skuggahverfi, ensuite je vous raconterai. J'ai besoin de mon anorak, il fait froid, non ?

– Que signifie ce revirement ? s'étonna Thorson.

– Vous voulez y aller, oui ou non ?! s'emporta Jonatan, ayant coupé court à ses hésitations.

– Bien sûr qu'on veut, répondit Flovent.

– Vous pourrez me poser toutes vos questions après ça.

– D'accord. Vous prévoyez d'avouer le meurtre de Rosamunda ?

– Vous m'emmenez là-bas, oui ou non ?

Jonatan fixait Flovent, inflexible.

– Va chercher son anorak, demanda le policier au gardien. Nous attendons.

Le gardien s'exécuta et alla au bout du couloir. Jonatan regardait par la porte grand ouverte l'intérieur de sa cellule.

– Je ne supporte pas d'être enfermé, murmura-t-il d'une voix à peine audible.

Ils attendaient sans un mot que le gardien rapporte l'anorak. Flovent éprouvait de la pitié pour ce jeune homme. Il hésitait à le menotter. Les menottes étaient dans la voiture, il prévoyait de les lui passer quand ils y seraient montés. Il supposait qu'il ne poserait pas de problème. Jonatan semblait enfin baisser la garde. Flovent tenait à faire lui aussi un geste dans sa direction. Il voulait leur montrer le lieu du crime à cette heure tardive afin de repousser le moment où on le remettrait dans sa cellule, eh bien, soit. Le plus important était qu'il ait changé d'attitude et qu'il accepte de collaborer.

Le gardien ayant enfin apporté l'anorak, ils traversèrent le couloir et sortirent de la prison. L'étudiant était entre Flovent et Thorson, ce dernier le tenait par le bras. La voiture était garée à un jet de pierre. Thorson ouvrit la porte arrière pour y faire monter le suspect, mais Jonatan se libéra brusquement et s'enfuit à toutes jambes.

– Et merde ! gronda Thorson en se lançant aussitôt à ses trousses. Déjà installé au volant, Flovent bondit hors de la voiture et les suivit.

Jonatan courut jusqu'à l'angle de la prison, longea le mur du bâtiment et descendit la venelle de Vegamotastigur en direction de la rue Laugavegur. Thorson était à quelques mètres derrière lui et Flovent à bonne distance, n'étant pas chaussé pour ce type d'exercice. Les rues et les trottoirs étaient glissants, avec ses chaussures à semelles lisses, il avait un mal fou à ne pas tomber. Thorson était à deux doigts de rattraper le prisonnier qui continuait de descendre la ruelle sans regarder sur les côtés, avant de déboucher sur Laugavegur. Il y parvint en un éclair et traversait la rue lorsqu'une jeep arriva à grande vitesse et le percuta.

Thorson vit son corps projeté en l'air avant de rebondir sur le capot puis d'atterrir tête la première sur le trottoir. Le conducteur perdit le contrôle du véhicule qui fit une embardée et termina sa course contre un mur. Un passant réussit à l'éviter de peu en courant à toutes jambes. Les deux soldats à bord de la jeep se firent quelques entailles au visage en se cognant contre la vitre qui éclata en mille morceaux. L'un d'eux descendit, à moitié assommé, et s'effondra dans la rue tandis que son camarade hurlait de douleur, coincé dans la voiture. Projeté sur le volant, il s'était cassé deux côtes et fracturé le tibia : l'os avait déchiré son pantalon.

Thorson se précipita vers Jonatan et s'agenouilla auprès de lui. Le sang qui s'écoulait de son crâne ne tarda pas à former une grande flaque sous son corps. Les yeux grand ouverts, il regardait le ciel. Il était mort sur le coup.

Flovent vint s'agenouiller à côté d'eux. Il neigeait encore. Quelques flocons tombèrent dans les yeux de Jonatan où ils se perdirent, telles des larmes dérisoires.

41

Konrad reprit la route de Reykjavík. Plongé dans ses pensées, il se rendit à peine compte que le jour déclinait et ne prêta aucune attention aux violentes bourrasques qui malmenaient sa voiture au pied de la montagne de Hafnarfjall. Lorsqu'il passa devant le radar de Melasveit, il roulait bien au-dessus de la vitesse autorisée, l'esprit tout entier absorbé par sa visite chez Magnus, à Borgarnes. Ils avaient longuement discuté de Rosamunda, mais le vieil homme ne connaissait pas cette affaire ou faisait semblant de ne pas la connaître.

– Le fait que cette petite ait refusé de faire des livraisons chez quelqu'un ne signifie rien en soi, avait dit Magnus.

– Peut-être, avait concédé Konrad. Mais étant donné le contexte, je crois que c'est une information importante.

– Le contexte. Vous parlez comme un homme politique, avait relevé Magnus, méprisant.

– Votre père était député, n'est-ce pas ?

– En effet, il faisait de la politique.

– Et vous étiez cinq enfants, quatre garçons et une fille, c'est bien ça ?

– Je n'aime pas trop vous voir fourrer votre nez dans les affaires de ma famille, avait rétorqué Magnus. Qu'est-ce que vous insinuez ?

– Vous aviez des employés de maison ? D'autres gens vivaient sous votre toit ?

– Qu'est-ce que vous cherchez avec toutes ces questions ?

– Je me demande de qui cette gamine avait peur. Sans doute de votre mère ou de votre sœur. Vous ne vous souvenez pas d'un événement qui l'indiquerait ?

Magnus l'avait longuement dévisagé.

– C'est vrai que ma mère ne manquait pas de caractère, avait-il avoué. Ma sœur était en revanche la douceur incarnée. C'est ce que vous vouliez entendre ?

– Et vous et vos frères ?

– Mes frères et moi ?

– Vous connaissiez Rosamunda ?

– Non, avait répondu Magnus. On ne connaissait personne qui travaillait comme couturière, mes frères et moi.

– Mais vous vous rappelez avoir entendu parler d'elle ?

– Oui, comme je vous l'ai dit tout à l'heure, je me souviens vaguement de cette histoire.

– Je suppose que vous en avez parlé entre vous ? Vous en avez dit quoi ?

– Eh bien, c'était un drame terrible, j'imagine qu'on en a dit la même chose que n'importe quelle famille. On n'était pas différents des autres. Vous essayez de nous accuser de la mort de cette gamine ? Après tout ce temps ? Vous êtes rudement long à la détente !

– Je n'accuse personne, j'essaie seulement de comprendre pourquoi elle refusait de venir faire des livraisons chez vous. J'espère que vous n'y voyez rien d'anormal.

Magnus n'avait rien répondu.

– Est-il possible que votre père ait exercé des pressions politiques pour qu'on étouffe l'affaire ?

– Des pressions politiques ? C'est-à-dire ?

– Je ne vois pas comment le dire autrement, s'était excusé Konrad. Je comprends que tout ça vous surprenne, mais je ne trouve presque aucune trace de l'enquête alors qu'il devrait subsister un certain nombre de documents. Évidemment, c'était une époque troublée, certains procès-verbaux ont été perdus ou n'ont pas été versés au dossier, mais je n'ai quasiment rien trouvé. Aucun rapport de police. Rien dans les journaux de l'époque à part l'annonce de la découverte du corps. Je n'ai rien déniché non plus dans les archives judiciaires. Tout semble indiquer que l'affaire a été étouffée, et votre père y a peut-être été pour quelque chose puisqu'il avait un certain pouvoir pendant la guerre.

Magnus écoutait Konrad, impassible.

– Je ne comprends pas de quoi vous parlez. Pour autant que je sache, mon père n'a jamais usé de son influence de manière anormale. Certes, il s'est battu pour sa circonscription et a rendu certains services, mais c'était une évidence à cette époque. Je ne crois pas qu'il ait eu connaissance de l'histoire de cette jeune fille dans le détail et si c'était le cas, je ne suis pas au courant.

– Vous avez un frère encore en vie, avait dit Konrad.

Magnus avait hoché la tête.

– Aurait-il reçu la visite de l'homme dont je vous ai parlé, Thorson ?

– Il y a des dizaines d'années que je n'ai plus de contacts avec mon frère. Ni avec sa famille.

– Ah bon ?

– Oui, et je n'ai pas envie d'expliquer pourquoi à un inconnu. On ferait mieux d'écourter cette entrevue.

– Je comprends, avait répondu Konrad. Merci de m'avoir permis de vous rencontrer. Mais j'ai encore une question : avez-vous connu pendant la guerre une jeune femme qui s'appelait Hrund ?

Magnus avait secoué la tête.

– Il est possible qu'elle soit morte de la même manière que Rosamunda, mais je ne peux pas être plus précis.

– Pendant la guerre ?

– Oui.

– Ça ne me dit rien. À part que…

– Quoi ?

– Je me rappelle avoir entendu parler d'une jeune fille qui se serait jetée dans la chute de Dettifoss. Elle venait de l'Öxarfjördur, dans le Nord. Je crois qu'elle s'appelait justement Hrund.

– Qui vous a parlé d'elle ?

– Eh bien, je suppose que c'est mon père, il était en voyage dans le Nord au moment du drame.

– Votre père était dans le Nord ?

– Oui, je ne sais pas pourquoi j'ai gardé ce prénom en mémoire. Je suis souvent allé à Dettifoss et, chaque fois, je pense à cette pauvre gamine. Nous avons de la famille là-bas, mon père leur rendait parfois visite, surtout l'été.

– Vous savez ce qui s'est passé ?

– Je ne m'en souviens pas très bien, il y a si longtemps, avait répondu Magnus. Certains pensaient qu'elle n'avait pas toute sa tête. Je suppose que c'était

293

un chagrin d'amour. Elle croyait aux elfes et à ce genre de choses. Elle avait affirmé en avoir rencontré un peu avant sa disparition.

– Vous n'en savez pas plus ?

– Non, désolé. Tout ça n'était pas très clair, comme le sont généralement ces histoires.

– On ne l'a jamais retrouvée ?

– Non, il me semble que son corps n'a jamais été retrouvé.

Magnus s'était levé pour mettre fin à leur entrevue.

– Pardonnez-moi, j'ai besoin de me reposer.

– Bien sûr, je ne voudrais pas vous fatiguer, avait répondu Konrad en se levant également.

– Je me suis brouillé avec mon frère pour une histoire d'héritage, avait ajouté Magnus en le raccompagnant à la porte. Holmbert voulait tout. On ne se parle plus depuis des années. C'est possible que votre Thorson soit allé le voir. Je n'ai aucun moyen de le savoir.

– Ah, je comprends.

– Cela dit, ça n'aurait pas changé grand-chose que votre homme y soit allé.

– Thorson ? Mais pourquoi ?

– Il serait inutile de demander à mon frère s'il a reçu des visites.

– Qu'est-ce qui vous fait dire ça ?

– Et il est trop tard pour espérer me réconcilier avec lui.

Magnus s'était interrompu.

– Je pense qu'il a atteint le stade final de sa maladie, avait-il précisé.

– Ah bon, il est malade ?

– Holmbert a la maladie d'Alzheimer, elle a évolué très rapidement à ce qu'on m'a dit. Aujourd'hui, il est complètement perdu dans son monde.

– J'en suis désolé.

– Oui, c'est terrible, avait conclu Magnus en ouvrant la porte. À part ça, il a toujours été robuste. Il n'a jamais été malade de sa vie, mais ça ne change pas grand-chose quand on est confronté à ce genre de déchéance.

– En effet, avait acquiescé Konrad. Dans ce cas, il est inutile que j'aille le voir.

– Ça n'en vaut pas la peine, avait conclu Magnus en le saluant d'une poignée de main énergique.

Konrad dut lever le pied, ralenti par un bouchon juste avant le quartier de banlieue de Grafarvogur. Il avait pensé à Magnus, à Hrund, à la chute de Dettifoss, à Rosamunda et au Théâtre national pendant tout le trajet. Il s'interrogeait sur le lien entre les deux jeunes filles. Thorson était allé voir la vieille Vigga en quête de réponses concernant Rosamunda. Lui avait-elle parlé d'une autre jeune fille ? De Hrund ? Sans doute connaissait-il l'histoire de Hrund depuis la lointaine époque où il avait travaillé dans la police. Était-il allé voir Vigga pour lui en reparler ? Le député, le père de Magnus, était apparemment allé dans le Nord au moment de la disparition de Hrund. Rosamunda avait refusé de faire des livraisons à son domicile. Y avait-il un lien ? Magnus en savait-il plus que ce qu'il voulait bien dire ?

Coincé dans un bouchon, Konrad réfléchissait à ce député de Reykjavík qui avait de la famille dans le Nord, et dont le nom apparaissait aussi bien dans l'histoire de Rosamunda que dans celle de Hrund même si ce n'était que de manière indirecte. S'interrogeant également sur le récit des deux jeunes filles concernant les elfes, il se rappela ce qu'il avait appris au sujet des coïncidences quand il avait fait ses premiers pas dans la police.

Ne jamais en tenir compte quelles que soient les circonstances.

Absolument jamais.

42

Au milieu de la nuit, Flovent et Thorson retournèrent rue Frikirkjuvegur. On avait emmené le corps de Jonatan à la morgue de l'Hôpital national. Les soldats blessés dans l'accident avaient été confiés aux médecins. Leur jeep avait été remorquée au garage des troupes d'occupation à Skerjafjördur. Flovent et Thorson avaient rédigé un rapport. Ils remettraient à leurs supérieurs un procès-verbal détaillé dès le lendemain.

Ils ignoraient à qui annoncer le décès, ne connaissant pas les noms des proches du jeune homme qui ne leur avait d'ailleurs pas facilité la tâche en refusant de les leur communiquer.

Ils étaient silencieux. La seule source de lumière était la lampe de bureau de Flovent. Les quelques flocons de la soirée s'étaient transformés en une averse de neige bien drue qui saupoudrait la ville. La nuit les cernait, sombre comme le remords. Tous deux pensaient à la même chose. Un jeune homme avait perdu la vie alors qu'il était sous leur surveillance. Ils étaient responsables de lui et ils avaient failli. D'une certaine manière, ils avaient provoqué sa mort en cédant à sa demande. Cette seconde d'inattention avait été fatale.

– Tu crois vraiment qu'il voulait nous conduire sur le lieu du crime ? demanda Thorson. Ce n'était pas plutôt un prétexte ?

Flovent ne lui répondit pas immédiatement. Il pensait à Jonatan. Le jeune homme supportait très mal sa captivité, ils auraient dû voir venir le drame, mais ils avaient ignoré les signes de danger. Ils auraient dû le menotter, l'un d'eux aurait dû s'attacher avec lui quand ils avaient quitté la prison. Ils n'avaient pas bien évalué la situation. Ils auraient dû veiller sur lui avec plus d'attention.

– Flovent ?

– Tu disais ?

– Tu ne crois pas que cette balade dans le quartier des Ombres n'était qu'un prétexte ? Tu penses vraiment qu'il avait l'intention de nous y accompagner ?

– Tu veux dire, un prétexte pour prendre la fuite ?

– Oui.

– Je n'en sais rien et c'est impossible à dire. Personne n'a la réponse à cette question. On aurait vraiment dû le menotter. Quelle négligence !

– Je n'avais pas imaginé qu'il ferait ça, plaida Thorson. Et toi non plus. Je ne crois pas qu'on puisse nous accuser de négligence. Nous avons seulement voulu lui prouver que nous lui faisions confiance. C'est quelque chose d'important. Puis cette jeep l'a renversé. De toute façon, on l'aurait rattrapé, je n'étais qu'à quelques mètres de lui quand il a coupé la route à la voiture. Cette tentative de fuite était absurde. Et elle s'est terminée de manière affreuse.

Flovent hocha la tête, pensif.

– On ne pouvait pas prévoir qu'il allait s'enfuir, poursuivit Thorson. Tout à coup, il était prêt à collaborer... certes, il supportait très mal son séjour en cellule.

On le savait. Mais c'était peut-être surtout parce qu'il ne voulait pas avouer sa culpabilité. Peut-être parce qu'il ne supportait pas qu'on l'ait attrapé.

– C'est possible, répondit Flovent. Mais on l'accusait peut-être à tort. Il a eu le temps de te dire quelque chose ?

– Non, je pense qu'il est mort sur le coup. À mon avis, il n'a même pas compris ce qui lui arrivait.

Persuadé que les soldats roulaient à une vitesse largement supérieure à celle autorisée, Thorson supposait qu'on leur demanderait des comptes. Il avait interrogé celui qui s'était effondré sur le trottoir, le visage en sang, à côté de la jeep. Ce dernier lui avait répondu que tout s'était passé si vite qu'ils n'avaient pas eu le temps de réagir. Nous ne l'avons vu qu'au moment où il a atterri sur le capot, nous n'avons rien pu faire, avait plaidé le soldat, désolé, quand Thorson lui avait annoncé que Jonatan était mort.

Flovent avait du mal à contenir son désespoir.

– Pauvre gamin, murmura-t-il.

– C'était son choix. Il n'aurait pas dû faire ça.

Flovent ne répondit pas. Il savait que Thorson essayait de le rassurer, on pouvait certes affirmer que le jeune homme avait lui-même provoqué le destin, mais il n'en restait pas moins que lui et son collègue avaient mal évalué les choses.

– On aurait pu faire mieux, regretta-t-il. On aurait quand même pu faire mieux que ça. On aurait dû retrouver sa famille et appeler immédiatement un avocat…

– On s'apprêtait à le faire, rappela Thorson. Tu lui as dit qu'on allait s'en occuper dans la soirée. Il l'a peut-être mal pris. C'est peut-être ça qui l'a poussé à opter pour cette solution désespérée. Il voulait peut-être voir sa famille avant qu'on ne leur apprenne la nouvelle de son arrestation. Comment savoir ce qu'il pensait ? Il ne nous l'a pas dit.

– Non, il n'était pas facile, convint Flovent en portant sa main à son estomac. On peut dire qu'il nous a donné du fil à retordre.

– Ça ne va pas ? s'inquiéta Thorson.

– Ce n'est rien. J'ai souvent mal au ventre, mais ça va et ça vient. Je suppose que c'est cette enquête. Tout ça me touche beaucoup.

Tôt le lendemain matin, Flovent alla interroger un des professeurs de Jonatan à la faculté d'études nordiques en espérant qu'il pourrait lui donner quelques renseignements sur son étudiant. Thorson était absent. Ils étaient arrivés à la conclusion que l'affaire ne concernait pas la police militaire. Certes, ils l'avaient compris depuis un moment, mais Thorson avait tenu à assister Flovent. Il avait maintenant reçu sa feuille de route et devait se préparer à partir pour la Grande-Bretagne d'ici quelques jours.

L'enseignant fut abasourdi d'apprendre le décès de Jonatan qu'il décrivit comme un jeune homme assez secret, mais excellent élève. Il l'avait invité deux fois chez lui parce qu'il devait lui remettre des travaux et ils avaient découvert qu'ils aimaient tous deux observer les oiseaux. Cette passion commune les avait rapprochés. L'enseignant avait appris que Jonatan avait été adopté, jamais le jeune homme n'avait connu ses parents biologiques. Il avait passé son enfance dans une ferme, pas très loin de Husavik, chez des gens qui l'avaient élevé comme leur fils. Comme il apprenait bien à l'école, on l'avait envoyé au lycée d'Akureyri puis à l'université à Reykjavík. Sa mère adoptive avait demandé à sa sœur Sigfridur qui vivait dans la capitale de veiller sur lui.

– Est-ce qu'il fréquentait des jeunes filles ? demanda Flovent.

– Non, répondit l'enseignant. Il n'en parlait jamais, en tout cas, pas à moi. Je crois qu'il n'avait pas beaucooup d'amis, il était très solitaire.

Flovent se rendit ensuite chez la sœur de la mère adoptive de Jonatan qui habitait rue Laufasvegur dans une grande villa entourée d'un jardin agrémenté d'une petite mare. En passant devant la pièce d'eau, Flovent nota qu'elle avait gelé jusqu'au fond. Une domestique vint l'accueillir à la porte et le pria de patienter au salon. Elle lui demanda ce qui l'amenait. Il lui répondit qu'il préférait en faire part à ses patrons. Quelques instants plus tard, une quinquagénaire apparut dans l'embrasure et le salua.

– Vous désirez vous entretenir avec mon époux ? demanda-t-elle sur un ton formel.

– Oui, il est préférable que je le voie également. Vous êtes bien Sigfridur ?

– Elle-même. Votre nom, s'il vous plaît ?

– Flovent. Je suis policier et je dois vous parler de Jonatan.

– Ah bon ? Que lui arrive-t-il ?

– Je regrette de devoir vous annoncer qu'il est décédé. Il a été renversé par une jeep de l'armée hier soir, rue Laugavegur, et il est mort sur le coup.

La maîtresse de maison le dévisagea.

– Jonatan ?

– C'est un accident. Il était…

– Que dites-vous ? Il est mort ?

Un homme légèrement plus âgé les rejoignit. Flovent reconnut aussitôt le député dont l'enseignant lui avait parlé.

– Il… ce monsieur vient de me dire que Jonatan est mort, déclara la femme en se tournant vers son mari.

– Jonatan ? Mais… mais comment est-ce possible ?

– Il a été renversé par une voiture.

Le maître de maison se tourna vers Flovent.

– C'est vrai ?

– Hélas, oui. Je travaille à la Criminelle. Il a été renversé par une voiture rue Laugavegur hier soir. Mais il y a autre chose…

Le couple le dévisagea.

– Autre chose ? répéta le député.

– Jonatan était détenu par la police au moment de l'accident, expliqua Flovent. Il a refusé de prévenir qui que ce soit, de nous communiquer les noms de ses amis ou des membres de sa famille et n'a pas souhaité non plus être assisté par un avocat. Il était en détention provisoire dans le cadre de l'enquête sur le meurtre de Rosamunda, la jeune fille dont on a retrouvé le corps à côté du Théâtre national. Il a échappé à notre vigilance devant la prison de Hegningarhus et s'est précipité vers la rue Laugavegur où une jeep militaire qui arrivait à grande vitesse l'a fauché.

Le député et sa femme n'en croyaient pas leurs oreilles. Flovent leur laissa quelques instants pour appréhender la triste nouvelle. Ils échangèrent un regard, puis dévisagèrent à nouveau le policier, manifestement incrédules.

Flovent était allé voir ses supérieurs pour les informer des événements entre le moment où on avait découvert le corps de Rosamunda et celui où Jonatan avait coupé la route à la jeep. Ces derniers l'avaient admonesté pour avoir laissé le suspect échapper, mais s'étaient par ailleurs montrés compréhensifs et avaient décidé de ne pas lui retirer l'enquête.

– Je n'arrive pas y croire, soupira l'épouse en cherchant une chaise. Flovent réagit aussitôt et l'aida à s'asseoir.

– Vous le soupçonniez du meurtre ? demanda le député.

Flovent hocha la tête.

– J'en ai bien peur.

– Il doit s'agir d'une erreur. Enfin, comment est-ce possible ?

– Tous les indices vont dans ce sens, répondit Flovent. Il voulait nous emmener dans Skuggahverfi pour nous montrer l'endroit où il l'avait rencontrée… en réalité, il l'avait violée. On était en train de s'y rendre quand il nous a échappé. On n'a pas pu faire grand-chose, il s'est enfui à toutes jambes et s'est littéralement précipité sur cette voiture.

– Vous n'auriez pas pu être un peu plus vigilants ? reprocha le député.

– Si, évidemment, consentit Flovent. Il acceptait enfin de collaborer. Nous avons voulu lui prouver que nous lui faisions confiance, c'est pour cette raison que nous ne l'avons pas menotté. Nous ne pouvions pas savoir qu'il allait faire ça. C'était un accident. C'est vraiment affreux, mais c'était juste un accident.

– Et vous l'avez conduit à l'hôpital ?

– Non, répondit Flovent. Il est mort sur le coup, son corps a été transféré à la morgue de l'Hôpital national. Vous pouvez…

La porte du salon s'ouvrit. Un jeune homme entra.

– Ah, vous êtes là, dit-il à ses parents, percevant immédiatement que l'heure était grave. Qu'est-ce qui… ?

– Mon petit Holmbert, répondit sa mère en allant vers lui. Ce policier vient de nous annoncer que Jonatan est mort.

– Jonatan ? répéta le jeune homme.

– Il a été renversé par une voiture. Le pauvre garçon. Et ce n'est pas tout. Il avait été placé en détention. Ce policier dit qu'il a tué la jeune fille qu'on a retrouvée à côté du théâtre. C'est incroyable, non ? C'est totalement absurde.

– Nous le soupçonnions, corrigea Flovent.

– Jonatan ? soupira Holmbert.

– C'est incroyable, non ? répéta sa mère. Je n'ai jamais entendu une chose pareille. Il serait allé avec elle dans le quartier de Skuggahverfi et lui aurait fait du mal.

Le jeune homme regarda Flovent.

– C'est vrai ?

Le policier hocha la tête.

– Je... je ne vous crois pas.

– Vous le connaissiez bien ? s'enquit Flovent.

Le jeune homme semblait ailleurs. Il lui posa à nouveau la question.

– Je... on était bons amis, répondit-il. Il est mort ? Jonatan est mort ?! Et vous croyez qu'il a...

– Agressé cette jeune fille ? Oui, répondit Flovent. Nous avons de nombreux indices, hélas. Il s'apprêtait à nous montrer le lieu du crime quand il nous a échappé et c'est alors qu'il a eu ce terrible accident.

43

Le député et son épouse semblaient très affectés. Leur fils refusait quant à lui de croire ce qu'avait dit Flovent. Celui-ci leur accorda encore quelques instants pour reprendre leurs esprits avant de les interroger. Ils répondirent longuement à ses questions jusqu'au moment où la femme déclara qu'elle n'en pouvait plus et demanda à son mari de quitter la pièce un moment avec elle.

– Il y a longtemps que je n'ai pas vu Jonatan, précisa-t-elle. Il passait parfois, je vous assure que c'était un bon garçon, peu importe ce que vous en pensez.

– Interrogez Holmbert, conseilla le député en sortant avec elle. C'est lui qui le connaissait le mieux. Mon petit Holmbert, ajouta-t-il en se tournant vers son fils, dis à ce monsieur tout ce que tu sais, si ça peut aider la police à découvrir le fin mot de cette terrible affaire.

Holmbert hocha la tête. Très pensif, il prit une cigarette et l'alluma. Flovent refusa celle qu'il lui offrit.

– C'est incroyable, déclara-t-il. Jonatan ? Qui aurait pu imaginer une chose pareille ?

– C'est sans doute d'autant plus choquant que vous pensiez bien le connaître, observa Flovent.

Holmbert le regarda droit dans les yeux.

– Ce serait peut-être…

– Quoi donc ?

– Ce serait sans doute inapproprié d'en parler maintenant, mais…

– De parler de quoi ?

– Je ne voulais pas vous dire tout ça en présence de ma mère, répondit Holmbert en allant à la porte du salon pour vérifier qu'elle n'écoutait pas leur conversation. Je peux vous dire que j'étais à deux doigts de vous contacter pour vous parler de Jonatan.

– Ah bon ? Et pourquoi donc ? s'étonna Flovent.

– Eh bien, disons qu'il y a trois jours il m'a demandé de passer le voir pour me parler d'une chose qu'il avait sur le cœur. Je l'ai croisé à l'université. Je suis inscrit en faculté de droit où je m'ennuie à mourir. Il m'a paru très déprimé et je lui ai promis de le recontacter rapidement. Je suis donc passé chez lui le soir même et je l'ai tout de suite senti très inquiet. Je l'ai cuisiné et il a fini par me parler de cette jeune fille. Rosamunda, c'est bien son nom ? J'ai lu son histoire dans les journaux. J'ai eu l'impression qu'il se dérobait, comme s'il avait un poids sur la conscience.

– Qu'est-ce qu'il vous a dit exactement ?

– Pas grand-chose. Il l'avait rencontrée au bal de l'université il y a quelques mois, il était allé se promener avec elle au cap de Seltjarnarnes et avait voulu la raccompagner chez elle. En fait, il ne voulait pas m'en dire beaucoup plus. Il la connaissait de vue pour l'avoir croisée dans un atelier de couture.

– Vous parlez de Sporid ?

– J'ai oublié le nom.

– Qu'est-ce qui s'est passé ?

– Comme je viens de le dire, il était plutôt réticent à en parler, mais j'ai compris qu'il avait essayé de…

Enfin, elle était d'accord au début puis elle lui a demandé d'arrêter et il a quand même continué.

– Et il s'agissait bien de Rosamunda ?

Holmbert hocha la tête.

– Ils se sont bagarrés, elle portait des traces visibles de cette dispute. Alors, il lui a conseillé d'expliquer son état en disant que des elfes l'avaient agressée. Jonatan était très à l'aise dans ce domaine, c'était un vrai spécialiste. En tout cas, il l'a menacée des pires maux si elle le dénonçait à la police.

– Il vous a vraiment avoué ça ?

– Disons que j'ai dû lui tirer les vers du nez. Je ne le savais pas capable de faire des choses pareilles. Il était sacrément déprimé, il regrettait. Si c'est vrai, son comportement est impardonnable.

– Jonatan savait qu'elle était enceinte et qu'elle s'était fait avorter ?

– Je ne pense pas, répondit Holmbert. Il n'en a pas parlé.

– Il vous a avoué qu'il l'avait assassinée ?

– Oui, mais seulement à mots couverts.

– Pourquoi ?

– Je crois qu'elle l'avait menacé de le dénoncer. J'étais à deux doigts de venir vous voir pour vous communiquer ces informations, mais j'ai hésité. Je connaissais bien Jonatan et ça m'a fait beaucoup de peine d'apprendre tout ça.

– En plus, il fait partie de la famille.

– Je suppose que ça a joué un rôle, reconnut Holmbert, honteux. Évidemment, j'ai conseillé à Jonatan de se rendre à la police parce que tout ça me semblait plutôt clair. Mais je voyais bien aussi qu'il était très malheureux. Je n'en ai parlé à personne et personne n'est au courant à la maison.

– Pas même votre père ?

– Non, absolument personne.

– Est-ce que Jonatan vous aurait parlé d'une autre jeune fille, Hrund ?

Holmbert secoua la tête, pensif. Il était svelte, ses cheveux blonds commençaient à se clairsemer, il avait une petite bouche, des lèvres minces comme un trait, un nez fin et élégant. Il y avait chez lui quelque chose de doux et de fragile.

– Elle habitait dans l'Öxarfjördur, précisa Flovent. Jonatan y travaillait comme cantonnier quand elle a disparu.

– Non, il ne m'a parlé que de l'autre jeune fille.

– Mais pourquoi est-ce qu'il a fait ça ?

Holmbert écrasa sa cigarette dans le cendrier.

– Jonatan ne supportait pas les filles faciles, expliqua-t-il. Il avait en horreur cette fameuse situation. Les femmes qui s'offrent aux soldats et la manière dont ils les traitent. Il voyait tout ça d'un très mauvais œil. Je le sais depuis longtemps, il m'en avait souvent parlé. Il qualifiait ça de décadence morale et d'abjection. Ça le rendait malade.

– Et il l'aurait fait payer à Rosamunda ?

– Je ne sais pas. En tout cas, c'était son opinion, répondit Holmbert. Je vous serais reconnaissant si vous pouviez éviter de me nommer dans cette affaire, j'ai mauvaise conscience de vous raconter tout ça. Comme je viens de vous le dire, j'aurais dû venir faire une déposition à la police. Mais Jonatan et moi, on était de bons amis.

La porte du salon s'ouvrit. Le député la referma soigneusement et les rejoignit.

– Je vous prie de m'excuser. Alors, Holmbert a pu vous aider ? Quelle nouvelle affreuse vous nous apportez ! J'ai déjà pris mes dispositions pour contacter sa famille dans le Nord. Je suppose qu'ils préféreront que tout cela ne s'ébruite pas et que ce pauvre garçon soit enterré dans la plus stricte intimité. Vous n'y voyez pas d'objection ?

– Non, répondit Flovent. Ils peuvent l'inhumer quand ils veulent, même si l'enquête se poursuit.

– Ah bon ? Pourquoi ?

– Nous devons encore interroger sa famille, reconstituer le puzzle, obtenir confirmation d'un certain nombre d'éléments. Holmbert vient de nous apporter une aide précieuse.

– Je comprends que vous deviez faire votre travail, mais vous ne pensez pas que sa famille sera déjà suffisamment éprouvée ? Vous pourriez peut-être lui épargner vos questions sur cette terrible tragédie ? À vous entendre, il me semble que les choses sont plutôt claires. Si vous le souhaitez, je peux contacter vos supérieurs concernant les suites à donner à cette enquête.

– Oui, enfin, non, c'est…

– Cette affaire touche ma famille de manière assez directe, reprit le député en détachant ses mots. J'espère que vous comprenez ma position. Elle n'est pas enviable et risque de devenir très délicate si nous ne faisons pas très attention. Ce jeune homme était sous notre responsabilité, ici à Reykjavík, mon épouse veillait sur lui en vertu des liens familiaux qui nous unissent à ses parents et je serais navré de me voir traîné dans la boue avec lui. Simplement parce que nous l'avons aidé. Évidemment, ce garçon a toute notre compassion, nous sommes désolés qu'il se soit ainsi écarté du droit chemin, tout comme nous sommes désolés de ce qui est arrivé à cette jeune fille. Mais il importe avant tout de veiller à ne pas causer plus de dégâts. Il y en a déjà assez eu comme ça. Vous me comprenez ?

Flovent se dit que le député et sa femme n'avaient pas perdu de temps. Il les soupçonnait de s'être retirés pour se consulter.

– Il va de soi que je m'emploierai à être discret, répondit-il, et vous pouvez parler à mes supérieurs autant que vous le souhaitez. Je comprends que tout cela risque d'occasionner beaucoup de souffrances à ceux qui sont impliqués dans cette affaire et je m'emploierai à en tenir compte.

– Voilà exactement ce que je voulais entendre. C'est une affaire très sensible et je crois qu'il est préférable de la régler dans la plus grande discrétion, conclut le député.

44

Assis dans la cuisine de son appartement du quartier d'Arbaer, Konrad buvait du vin rouge et pensait à sa visite chez Magnus. La voix d'Helena Eyjolfsdottir interprétant *La ville est endormie* l'apaisait. Cette longue journée l'avait fatigué, il y avait eu ce voyage à Borgarnes et Konrad avait dressé le bilan des éléments qu'il avait découverts depuis le début de son enquête. Convaincu que, peu avant sa mort, Thorson avait tenté de contacter Holmbert, il lui rendrait visite dès le lendemain même si Magnus avait assuré qui ça ne lui apporterait rien. Ayant maintenant reconstitué l'emploi du temps du vieil homme, Konrad tenait à vérifier son hypothèse.

Rosamunda avait vécu une expérience traumatisante au domicile du député, elle avait ensuite refusé d'y faire d'autres livraisons. Cet homme était en voyage dans le Nord lors de la disparition de Hrund. Les deux jeunes filles avaient environ le même âge, toutes deux avaient parlé d'elfes ou, plus exactement, leur agresseur leur avait conseillé de mettre le viol qu'elles avaient subi sur le compte des elfes. Était-il possible que le député soit coupable ? Thorson était-il parvenu à cette conclusion ? Pourquoi n'avait-il compris que maintenant ? Pourquoi avait-il continué d'enquêter des dizaines d'années plus tard ? Il avait été très choqué d'apprendre le refus de Rosamunda de faire ces livraisons. L'enquête qu'il avait menée à l'époque comportait sans doute des zones d'ombre, cela expliquait sa réaction. Il en savait bien plus que quiconque sur cette affaire, et la découverte de ce nouvel élément lui avait enfin permis de faire les rapprochements qui s'imposaient.

Konrad ne savait pas grand-chose du député. Il alla faire des recherches sur Internet. Peu après la fondation de la jeune république islandaise à Thingvellir en 1944, il avait quitté la politique pour créer une entreprise d'import, qui était aujourd'hui encore une des plus importantes du pays. On disait qu'il avait usé de ses relations pendant les années de restriction, à l'époque où l'Islande manquait de devises étrangères et où les importations étaient entravées par toutes sortes de barrières. Toujours présent dans la vieille garde de son parti, il était mort très vieux à la fin des années 80 et son entreprise avait été confiée à Holmbert, son fils préféré.

Il y en a qui savent se faire une place au soleil, pensa Konrad en allant mettre un autre disque d'Helena Eyjolfsdottir sur la platine. Il en profita pour ouvrir une seconde bouteille de vin rouge et retourna s'asseoir dans la cuisine, bercé par la voix suave de la chanteuse. Il regardait le soleil se coucher par la fenêtre et méditait sur l'absurdité des querelles d'héritage. Magnus et Holmbert, seuls enfants survivants du député, ne se parlaient plus depuis des années pour des histoires d'argent. Même si Holmbert était gravement malade, Magnus ne voyait aucune raison d'aller faire la paix, prétextant qu'il était trop tard.

Konrad s'était également documenté sur Holm-bert. Ce dernier avait d'abord dirigé l'entreprise avec son père et l'avait beaucoup développée en diversifiant ses activités. Elle détenait désormais une partie du capital de plusieurs pêcheries, d'une compa-gnie d'aviation et d'un grand magasin de bricolage. Holmbert avait étudié le droit à l'Université d'Islande avant de partir vers la fin de la guerre aux États-Unis où il avait noué des contacts commerciaux et obtenu des concessions très utiles à ses projets en Islande. Sa femme était encore vivante, elle avait siégé au comité de direction de l'entreprise et s'était par ailleurs inves-tie dans des œuvres de bienfaisance par le biais de la Fondation de l'Église d'Islande et de la Croix-Rouge. Holmbert s'était un temps engagé en politique, il avait été député comme son père, puis ministre dans deux gouvernements avant de se consacrer exclusive-ment à la direction de l'entreprise familiale. Membre honorifique de différentes corporations, il avait plu-sieurs fois été décoré par le président de la Répu-blique.

Son fils avait repris l'entreprise peu après l'an 2000. Holmbert étant alors assez âgé, Konrad supposait que les premiers signes de sa maladie étaient appa-rus à cette époque. En repensant à sa conversation avec Magnus et au voyage de son père, il se rendit compte qu'il avait négligé de lui poser une question pourtant évidente. Il regarda l'heure. Il n'était pas trop tard.

Il chercha le numéro de téléphone sur Internet, sortit son portable et l'appela. Il regarda à nouveau la pen-dule en se disant que Magnus était sans doute endormi. Sa question pouvait attendre le lendemain. Il s'apprê-tait à raccrocher quand le vieil homme répondit.

– Oui ?

– Excusez-moi de vous appeler si tard, j'espère que je ne vous réveille pas.

– Qui est à l'appareil ?

– Konrad, je suis passé vous voir aujourd'hui. Vous étiez couché ? Je peux vous rappeler demain, si vous préférez.

– Qu'est-ce que vous voulez ?

– Éclaircir un détail qui me tracasse depuis que je vous ai quitté.

– Ah bon ?

– Vous m'avez dit que votre père était dans le Nord quand cette jeune fille a disparu.

– En effet.

– Est-ce qu'il vous en a parlé ? Il ne vous aurait pas rapporté des choses qu'il aurait entendues là-bas concernant cette gamine ?

– Non, il… n'en a rien dit, il a juste mentionné cette histoire d'elfes.

– C'est lui-même qui vous en a parlé ?

– Oui, lui et mon frère.

– Votre frère ?

– Holmbert.

– Il était au courant ?

– Évidemment, il était avec notre père dans le Nord lorsque c'est arrivé. Ils nous ont raconté tout ça. Ensuite, j'en ai à nouveau entendu parler chaque fois que j'allais là-bas et…

– Holmbert l'avait accompagné ?

– Oui. Notre père l'appréciait beaucoup, il l'emmenait souvent quand il partait en voyage. Vous me disiez…

La communication devenait mauvaise, Konrad n'entendait plus Magnus.

– Pardon, je n'ai pas compris, je n'ai presque plus de batterie, vous pouvez… ?

– … et l'autre jour, un homme a appelé ici pour me poser la même question, poursuivit Magnus. Lui aussi, il m'a demandé si Holmbert était avec mon père. Vous me parliez d'un homme qui serait venu me voir, je n'avais pas fait le rapprochement tout à l'heure. Je pense qu'en réalité, il s'agit de ce gars-là. J'avais oublié qu'il m'avait appelé.

– Vous voulez dire Thorson ? Ou plutôt Stefan ? Il vous a téléphoné ?

– Oui, ce Stefan dont vous parliez. Il m'a dit qu'il écrivait je ne sais trop quoi sur l'Öxarfjördur, et qu'il s'intéressait aux événements suspects qui s'y étaient produits autrefois. Je lui ai donc raconté… enfin, il m'a demandé si Holmbert se trouvait là-bas, mais je ne sais plus pourquoi.

– Qu'est-ce que vous lui avez répondu ?

– La même chose qu'à vous. D'ailleurs, quand vous m'avez interrogé sur Rosamunda, je n'ai pas été très précis. Notre famille était tout à fait au courant de cette affaire puisqu'un de nos cousins, Jonatan, y était impliqué d'une manière que je n'ai jamais vraiment comprise. C'était le genre de sujet dont on ne devait pas parler, un secret de famille.

– Et vous ne m'en avez rien dit ?

– Ce n'est pas mon habitude de m'épancher devant un inconnu, répondit Magnus.

– Qui était Jonatan ?

– Il était étudiant.

– Vous avez bien dit étudiant ? sursauta Konrad, établissant aussitôt le lien avec les paroles que Thorson avait marmonnées chez Petra.

– Oui, il a été renversé par une voiture et il est mort. Je ne le connaissais pas beaucoup. En revanche, il était très ami avec Holmbert. Voilà, je n'ai rien d'autre à vous dire. Bien le bonsoir !

45

Thorson avançait lentement le long de l'allée bordée de tombes, de croix et de stèles. La terre s'était affaissée sous certaines d'entre elles, le temps les avait usées et des mousses les colonisaient. On parvenait à peine à lire les inscriptions sur les plus anciennes. Beaucoup de ces gens étaient nés au début du siècle dernier. Thorson regardait ces tombes en se disant qu'il avait survécu à la plupart d'entre eux. Certains étaient morts pendant ou peu après la guerre. Il était souvent venu au cimetière après son retour en Islande et avait plus d'une fois longé ce sentier vers une tombe bien précise. Autrefois, il y marchait d'un pas alerte, aujourd'hui il était plus lent. Les années avaient passé, semblables et prévisibles, il avait trouvé en Islande la paix et la tranquillité auxquelles il aspirait après la guerre. La seule chose qui le surprenait, c'était sa longévité. Il s'arrêta devant la tombe. Le cœur plus léger que d'habitude, il apportait enfin de bonnes nouvelles même s'il avait conscience qu'elles arrivaient trop tard.

Certes, ces événements dataient de bien longtemps, mais Thorson n'avait jamais oublié Jonatan et Rosamunda. Un jour qu'il feuilletait le journal, assis dans sa cuisine, il était tombé sur l'avis de décès d'une femme jadis employée avec Rosamunda dans l'atelier de

317

couture. Il s'était rappelé le nom et le visage sur la photo accompagnant les nécrologies de la défunte et avait décidé d'aller à son enterrement. Cette femme avait été amie avec Rosamunda. Il l'avait interrogée avec Flovent à l'époque. C'était elle qui leur avait parlé du viol. Le nombre de ceux qui se rappelaient le meurtre de la jeune fille allait diminuant. Thorson était lui-même très âgé. Bientôt, il n'y aurait plus personne pour honorer la mémoire de Rosamunda.

L'église était pleine. Il s'était installé au fond. Le pasteur chantait faux. Un chœur approximatif avait interprété un psaume d'adieu, puis il y avait eu une collation à la maison paroissiale. C'est là que Thorson avait croisé un ancien collègue ingénieur. Ils avaient travaillé ensemble à la construction des ponts traversant les immenses étendues de sable à l'est du village de Vik i Myrdalur en 1974, quand on avait achevé la route qui fait le tour de l'Islande. Ils avaient parlé de la défunte, elle avait travaillé dans le cabinet de son ami ingénieur. Thorson lui avait expliqué qu'à l'époque où il l'avait connue, elle était employée dans un atelier de couture. Il enquêtait quant à lui sur un meurtre. L'ingénieur avait voulu en savoir plus. Il lui avait donc raconté en détail l'histoire de Rosamunda. Il était alors apparu que son ancien collègue connaissait une certaine Geirlaug, amie de la patronne de cet atelier et de sa fille dont il avait oublié le nom.

— Ah bon, elle avait une fille ? s'était étonné Thorson.

— Une seule, me semble-t-il, avait répondu l'ingénieur. Il y avait quelque chose de pas très net dans cette histoire, non ? Enfin, c'est ce que Geirlaug m'a dit.

— De pas très net ? Comment ça ?

– Je ne m'en souviens pas exactement.

– C'est la patronne de l'atelier qui lui a dit ça ?

– Oui, il me semble.

– Elle en a parlé à cette Geirlaug ? s'enquit Thorson.

– Oui, enfin, plutôt à sa fille.

Quelques jours plus tard, Thorson s'était décidé à contacter Geirlaug pour avoir le nom de la fille de la patronne. Cela n'avait posé aucun problème, elle s'appelait Petra. Après quelque hésitation, il avait fini par l'appeler. Petra lui avait réservé bon accueil et l'avait invité chez elle. C'est alors qu'il avait appris quelque chose dont ni lui ni Flovent n'avaient jamais eu connaissance : Rosamunda avait refusé de faire des livraisons chez un député de Reykjavík qui, avec son fils Holmbert, avait tout fait pour convaincre Flovent que Jonatan était coupable du meurtre et pour le dissuader de poursuivre son enquête.

L'histoire de Rosamunda avait hanté Thorson du moment où il avait fait ses adieux à Flovent sur le port de Reykjavík par une journée pluvieuse, elle l'avait accompagné pendant qu'il combattait en Europe et les années suivantes. Après la guerre, il avait quitté l'armée et était rentré au Canada pour y terminer ses études. Son rêve de devenir ingénieur du génie civil s'était réalisé après le décès de son père, emporté par une maladie foudroyante. C'est alors qu'il avait décidé de sauter le pas. Il avait envoyé une lettre en Islande et on lui avait proposé un emploi. Au début, il pensait ne rester que quelques années, le temps de retrouver une forme de sérénité et d'oublier la violence de la guerre. Sa mère l'avait trouvé changé après son retour du front, elle avait perçu chez son fils une mélancolie et une angoisse qui ne lui ressemblaient pas. Thorson ne lui avait pas dit grand-chose de son comportement sur le champ de bataille, il n'en tirait aucune fierté. L'armée canadienne l'avait pourtant décoré pour ses actes de bravoure, mais il disait ne pas avoir l'étoffe d'un héros : ses compagnons morts au combat avaient été bien plus braves que lui.

– Qu'est-ce que tu vas faire en Islande ? lui avait-elle demandé après avoir tenté de le dissuader.

– Je m'y plaisais bien.

– Tu crois que tu reviendras ici ?

– Je pense. Il n'empêche que j'ai l'impression qu'il faut que j'aille là-bas pour retrouver ma tranquillité d'avant la tempête. Je crois que ça me fera du bien d'être loin de tout.

– Tu ne veux pas t'accorder un peu de temps pour réfléchir ? avait demandé sa mère en le regardant faire sa valise.

– Je ne crois pas. J'ai beaucoup pensé à l'Islande depuis que je l'ai quittée et j'ai envie de revoir ce pays.

– Ce n'est tout de même pas à cause de cette jeune fille dont tu m'as parlé ? Tu veux poursuivre cette enquête ? C'est pour cette raison que tu veux y aller ?

Un soir, Thorson avait raconté à sa mère l'histoire de Rosamunda. Très déprimé, il voulait essayer d'oublier un moment les combats et les champs de bataille. Depuis qu'il avait quitté l'Islande, il avait souvent pensé à ces années qui continuaient à le hanter. Il passait son temps à revivre sa dernière enquête avec Flovent et à se demander s'ils n'auraient pas pu la mener autrement. Jamais il n'avait pu la mettre complètement entre parenthèses, il se sentait coupable. Il se reprochait de n'avoir pas suffisamment veillé sur Jonatan et de n'avoir pas perçu sa détresse. Il savait que Flovent s'en voulait encore plus. Ils n'avaient pas eu besoin d'en parler pour le savoir.

Deux jours après la mort affreuse de Jonatan, ils s'étaient retrouvés sur le port où Thorson s'apprêtait à embarquer. Flovent était venu lui dire au revoir. Il lui avait raconté en détail sa visite chez le député en ajoutant que l'enquête semblait terminée. Thorson n'avait rien ajouté. Il avait perçu à quel point Flovent était affecté. Il savait qu'il se moquait que sa hiérarchie ait décidé de ne pas le sanctionner pour faute professionnelle. Le député avait plaidé sa cause et avait assuré aux chefs de la police que la famille de Jonatan n'engagerait pas d'action en justice.

Une averse glaciale s'était abattue sur eux, ils s'étaient serré la main en se promettant de se revoir après la guerre. Ils entendaient à peine le son de leurs voix. Le port était tout gris de navires militaires, des soldats marchaient au pas juste à côté d'eux, leurs paroles se perdaient dans les cris, les vrombissements des moteurs et les bruits de bottes.

– Non, avait répondu Thorson à sa mère en fermant sa valise. Je dois découvrir… j'ai besoin de changer d'air. Ici, je n'arrive pas à trouver le repos. C'est difficile à expliquer, mais tu sais, au plus fort des combats, quand j'étais cerné de tous côtés par la mort, je pensais à l'Islande. C'était tellement bizarre. Je pensais à ce calme. J'avais envie de retrouver le ciel incroyablement limpide et le silence de ce pays.

Dès qu'il était rentré en Islande, Thorson avait essayé de retrouver Flovent. Il se souvenait de son adresse dans le quartier ouest. Il y alla un jour et frappa à sa porte. Le père de Flovent vint lui ouvrir et le reconnut immédiatement. Ils avaient tout de même passé un certain temps l'un avec l'autre à l'angle du passage de Skuggasund et de la rue Lindargata. Le père de Flovent l'avait invité à entrer.

Il se rappelait cet ancien collègue de son fils. Il lui avait expliqué qu'il était aujourd'hui totalement inutile, il ne pouvait plus travailler sur le port et vivait plus ou moins à la charge de la municipalité.

– Vous n'êtes pas resté en contact avec Flovent ? avait-il demandé.

– Non, hélas, on avait prévu de se revoir après la guerre, mais j'ai traîné. J'ai pensé lui écrire et finalement je ne l'ai pas fait.

– Donc, vous n'êtes pas au courant ?

– Au courant ?

– Je suis désolé de vous l'apprendre de cette manière, mais mon petit Flovent est mort. Il y a environ deux ans.

– Il est mort ?!

– Il a quitté la police après votre dernière enquête, il a trouvé un emploi comme secrétaire aux impôts où il a travaillé jusqu'à son hospitalisation.

– Qu'est-ce que vous dites ? Mais comment… ?

– Il souffrait de maux d'estomac depuis un certain temps, mais il ne s'en était jamais occupé. Les médecins ont diagnostiqué un cancer de l'œsophage.

Le vieil homme s'essuya les yeux.

– Le pauvre garçon a eu une mort affreuse, une fin absolument atroce. Vous trouverez sa tombe au cimetière de Sudurgata. Il n'est pas très loin de sa mère et de sa sœur.

– Je ne savais pas, avait dit Thorson, toutes mes condoléances.

– Merci beaucoup. Triste fin. Pauvre garçon.

– Je… je dois vous avouer que je ne m'attendais pas du tout à une telle nouvelle.

– Eh oui, nul ne connaît son destin.

Thorson ne savait pas quoi dire. Le père de Flovent était perdu dans ses pensées. Ils étaient restés un long moment, plongés dans le silence que seule une goutte d'eau qui tombait régulièrement dans l'évier venait troubler.

– Il vous parlait parfois de la jeune fille retrouvée morte derrière le théâtre ? s'était enquis Thorson.

– Non, il ne le faisait que très rarement. Je dirais même qu'il évitait le sujet. Il ne voulait plus y penser. J'avais l'impression que pour lui, ce n'était pas vraiment terminé, mais il ne voyait pas ce qu'il pouvait faire.

– Qu'est-ce qui n'était pas terminé ?

– Je ne sais pas. J'avais l'impression qu'il n'était pas satisfait de la manière dont l'enquête s'était achevée. Je suppose que c'était lié à l'accident de ce jeune homme en détention.

– Bien sûr, cela a mal fini.

– Oui, c'est ce qu'il disait. J'ai vu mon Flovent vieillir avant l'âge et je crois que cette maudite affaire y était pour quelque chose.

– C'était une enquête éprouvante.

– Elle l'a beaucoup affecté. Je crois qu'il n'a jamais été satisfait de la conclusion à laquelle vous étiez arrivés et qu'il voulait reprendre ses investigations avant de mourir. Sa lettre ne vous est jamais parvenue.

– Sa lettre ?

– Il avait essayé de vous écrire, mais le courrier nous est revenu.

– Qu'est-ce qu'il disait ?

– Il ne savait pas où l'expédier alors il l'a envoyée à votre régiment, mais ça n'a servi à rien, on nous l'a retournée. Elle doit être quelque part. Je l'ai retrouvée dans ses affaires après sa mort.

Le vieil homme était allé dans sa chambre et en était revenu avec une enveloppe adressée à Thorson. Il la lui avait remise, Thorson l'avait ouverte et avait lu.

Reykjavík, le 13 décembre 1947

Cher Thorson,

J'espère que cette lettre te parviendra. J'ignore si tu es encore en vie, après cette guerre, et je fais là une tentative pour le découvrir.

J'ai souvent pensé à toi et à notre collaboration ces dernières années. Je ne suis pas sûr de t'avoir correctement remercié pour ton aide, ta gentillesse et ton soutien, et je tiens à le faire maintenant.

Je ne peux qu'imaginer les horreurs que tu as vécues sur le front. J'ai beaucoup lu sur le débarquement en Normandie et j'ai cru comprendre, même si ce n'est que superficiellement, les choses terribles dont tu as été témoin.

Notre dernière enquête me hante. J'ai l'impression que nous avons trouvé le coupable, mais il m'arrive aussi de douter et de me dire que nous aurions pu mieux faire en examinant tout cela sous un autre angle. Je suppose que c'est ma mauvaise conscience qui parle, étant donné ce qui est arrivé à ce garçon. J'ai du mal à me satisfaire de cette fin. Évidemment, sa famille n'en a pas cru ses oreilles, elle nous a reproché notre négligence quand elle a appris la manière dont il est mort.

Notre principal témoin, et nous pouvons même l'appeler notre planche de salut, a été Holmbert, le fils du député. Il a confirmé tous nos soupçons concernant Jonatan. Voilà qui devrait m'apaiser, pourtant cette histoire me hante.

Eh bien, que Dieu te bénisse, je serais heureux si tu pouvais m'écrire ne serait-ce que quelques lignes pour me dire comment tu vas et pour me rassurer.
Bien à toi,

Flovent

Thorson était resté un moment devant la tombe de son ami, il avait fait un signe de croix et récité une prière. Le père de Flovent était enterré tout près de lui et, de l'autre côté de sa tombe, on apercevait la fosse commune creusée à l'époque où la grippe espagnole avait décimé l'Islande. Thorson savait que la mère et la sœur de Flovent étaient là avec les autres victimes de l'épidémie.

Repose en paix, disait la pierre tombale de Flovent. Si cette prière signifiait vraiment quelque chose, elle prenait ici tout son sens.

46

Thorson avait retrouvé la trace de Holmbert dans une maison de retraite médicalisée et, après sa visite au cimetière, il était directement allé voir le vieil homme. Il ne le connaissait pas, ne lui avait jamais parlé et ne l'avait jamais vu. Son nom était en revanche resté gravé dans sa mémoire. Flovent avait dit qu'il l'avait beaucoup aidé à comprendre ce qui était arrivé entre Jonatan et Rosamunda. En réalité, Holmbert avait tout fait pour l'aider à boucler l'enquête.

Thorson avait pris le bus qui s'arrêtait à deux pas du cimetière et passait tout près de la maison de retraite. Il avait arrêté de conduire. Les gens roulaient trop vite pour lui, les automobilistes manquaient de patience et la circulation était trop dense. Il préférait les transports publics qu'il empruntait souvent sauf par mauvais temps, il préférait alors appeler un taxi.

Il n'y avait pas grand monde dans le bus. Sur le trajet, il avait réfléchi à sa visite chez la fille de la patronne de l'atelier de couture, au rôle que Holmbert avait joué dans l'enquête et à sa conversation téléphonique avec Magnus de Borgarnes qui lui avait parlé du voyage de son père et de son frère. Le puzzle se reconstituait peu à peu grâce à ces éléments dont il n'avait pas eu connaissance jadis, ces informations que certains leur avaient cachées délibérément, à lui comme à Flovent. Ces choses que d'autres avaient absolument tenu à enterrer. Il avait pensé à la lettre de Flovent dont les derniers mots résonnaient dans sa tête quand il avait franchi la porte de la maison de retraite : *pourtant, cette histoire me hante.*

On lui avait indiqué la chambre de Holmbert. Il avait appelé l'ascenseur et était monté à l'étage. Il n'avait pas encore fait part de ses investigations et de ses soupçons à sa voisine Birgitta pour ne pas l'inquiéter : tout cela l'aurait immanquablement affolée. En outre, il préférait attendre d'avoir des preuves tangibles et voulait se garder de porter des accusations sans fondement. Aucun des procès-verbaux de l'enquête ne mentionnait que Rosamunda avait refusé de retourner au domicile du député, aucun ne précisait que le parlementaire et son fils se trouvaient dans le Nord quand Hrund avait disparu. Ces informations dissimulées à la police étaient pourtant capitales : elles permettaient d'éclairer cette affaire d'un jour nouveau.

Thorson avait trouvé la chambre. Un homme de son âge était allongé sur son lit d'hôpital, entouré de photos de famille, de dessins d'enfants et de fleurs disposées dans un vase.

– Holmbert ? avait-il murmuré en entrant. C'est vous ?

L'homme n'avait pas répondu. Allongé sur le dos, les yeux grand ouverts, il fixait le plafond, mais semblait dormir.

– Pardonnez-moi de venir vous importuner ainsi mais…

Thorson s'était interrompu. Un aide-soignant était entré, le saluant au passage, pour apporter au malade un verre d'eau et ses médicaments. Il le souleva dans son lit et l'aida à prendre ses pilules.

– Je me suis peut-être trompé de chambre ? avait demandé Thorson. Cet homme est bien Holmbert ?

– Oui, répondit l'employé. Je… je peux vous aider ?

– C'est la première fois que je viens le voir.

– Et vous essayiez de lui parler ? Holmbert a la maladie d'Alzheimer et il ne réagit presque pas quand il reçoit des visiteurs.

– Ah bon, je n'avais pas compris.

– Vous êtes de la famille ?

– Plutôt une vieille connaissance. Je n'ai pas… il y a des années que nous n'avons plus de contact. Si je comprends bien, c'est inutile de lui parler.

– Rien ne s'oppose à ce que vous le fassiez, mais il ne faut pas s'attendre à ce qu'il réponde, expliqua l'aide-soignant avant de partir dans une autre chambre en emportant son plateau.

Thorson avait refermé la porte et s'était assis à côté du lit. Il plaignait ce vieil homme, mais voulait lui faire part de ce qu'il était venu lui dire même s'il avait peu de chances d'obtenir des réponses.

– Je m'appelle Thorson. J'étais ami et collègue de Flovent il y a longtemps. Nous avons enquêté sur le meurtre d'une jeune fille à Reykjavík pendant la guerre. Elle s'appelait Rosamunda et travaillait dans un atelier de couture dont votre famille était cliente. Elle avait fait des livraisons chez vous, puis avait subitement refusé de continuer. Elle avait été violée et son agresseur lui avait conseillé de dire que c'était l'œuvre des elfes.

Les yeux délavés et éteints de Holmbert fixaient toujours le plafond.

– Trois ans plus tôt, Hrund, une autre jeune fille originaire de l'Öxarfjördur, avait elle aussi raconté une histoire d'elfes qui s'en seraient pris à elle. Elle a terriblement souffert, puis elle a disparu peu après. On pense qu'elle s'est suicidée. Son corps n'a jamais été retrouvé. Il est également possible qu'elle ait eu un accident ou que quelqu'un l'ait assassinée, par exemple un homme haut placé venu de Reykjavík au moment de cette agression prétendument commise par les elfes.

Thorson s'était approché de Holmbert.

– Vous pouvez m'en parler ?

Holmbert ne réagissait pas.

– Vous étiez encore dans l'Öxarfjördur quand elle a disparu ou vous étiez déjà rentré à Reykjavík ?

Le vieil homme demeurait parfaitement immobile.

– Ces histoires d'elfes permettent d'établir un lien entre ces deux jeunes filles, avait poursuivi Thorson. Elles sont très semblables. Flovent et moi avons trouvé l'assassin de Rosamunda. Il a quasiment avoué son crime. Il s'appelait Jonatan. C'était un membre de votre famille. Vous nous avez aidés à résoudre cette enquête, vous y avez contribué en dénonçant votre ami. Les pièces du puzzle s'emboîtaient parfaitement. C'était d'autant plus facile que Flovent et moi étions en position de faiblesse. Nous avions commis une erreur. Jonatan est mort en détention. Peut-être qu'au fond, nous considérions son décès comme un châtiment mérité. Ça permettait d'atténuer nos remords. Nous étions soulagés d'entendre votre déposition. Elle arrivait à point nommé.

Holmbert avait bougé et tourné la tête vers lui.

– Je crois que c'était vous, avait repris Thorson en le regardant droit dans les yeux. Vous avez tué Rosamunda et détruit la vie de Hrund, je suppose que vous l'avez aussi assassinée. Je ne sais pas encore si vous étiez rentré à Reykjavík quand elle a disparu, mais comptez sur moi pour le découvrir. Cette idée d'elfes vous a été fournie par votre ami Jonatan qui était spécialiste dans ce domaine. Voilà pourquoi nous l'avons pris pour l'assassin. Mais ce n'était pas lui, c'était vous. Il vous avait beaucoup parlé des croyances populaires, des elfes et du peuple invisible. Jonatan était un innocent que nous avons emprisonné. Il était innocent !

Holmbert fixait Thorson. Ses lèvres s'étaient mises à trembler, ses yeux délavés s'étaient remplis de larmes, son visage se crispait, comme s'il voulait dire quelque chose. Sa bouche avait tenté de dire quelque chose, puis il avait poussé un soupir silencieux.

– Quoi ? s'était enquis Thorson. Que dites-vous ?

Holmbert avait fait une seconde tentative.

– ...ro... samund... avait-il murmuré.

Au même instant, il avait entendu du bruit dans le couloir et la porte de la chambre s'était ouverte.

47

Konrad se gara devant la maison de retraite. Il en avait appelé plusieurs avant de trouver celle où Holmbert séjournait. Aucun autre homme de son âge ne portait ce prénom. Il s'était présenté comme un ami de province qui souhaitait lui rendre visite et avait brièvement discuté avec une employée de l'établissement. Cette dernière connaissait assez bien le pensionnaire. Très bavarde, elle lui avait répété plusieurs fois qu'il avait beaucoup décliné, surtout ces dernières semaines. Totalement dans son monde, il nécessitait une attention constante, incapable d'accomplir seul les actes les plus élémentaires. Le personnel s'occupait bien de lui. L'employée avait encouragé Konrad à faire le voyage, les visites étaient toujours bienvenues même si le patient n'était pas conscient d'en recevoir. La plupart du temps, la famille des malades les appréciait. Konrad lui avait demandé si Holmbert en recevait souvent, l'employée lui avait répondu que la plupart de ses amis étaient décédés et que sa famille n'était pas très étendue.

Konrad entra dans le hall et s'adressa à l'accueil. Holmbert était au troisième étage, on y accédait par l'ascenseur. Les lieux ressemblaient à la maison de retraite où il était allé voir Vigga. Les soignants étaient pressés, les patients allaient et venaient dans le couloir, certains sans aucune aide, d'autres avec un déambulateur, certains habillés, d'autres en robe de chambre. Certains étaient allongés dans leur lit, parfois endormis, d'autres lisaient ou écoutaient la radio et lançaient des regards vers Konrad à son passage dans le couloir.

Holmbert n'était pas dans sa chambre. Konrad se renseigna auprès d'une infirmière qui l'informa qu'il le trouverait dans la pièce commune. On l'y conduisait en fauteuil roulant tous les matins et il se distrayait en regardant la télévision. Konrad demanda s'il ne se déplaçait plus qu'en fauteuil, l'infirmière lui répondit que oui. Il demanda également s'il s'était échappé de l'établissement plus ou moins récemment, elle lui répondit qu'il n'avait fait aucune fugue depuis plus de deux mois.

– Je crains que la maladie n'ait beaucoup progressé, répondit l'infirmière.

Konrad trouva enfin Holmbert dans la pièce commune où il regardait des dessins animés. Le son était coupé, il se contentait des images. Il portait une robe de chambre à carreaux et des pantoufles, on apercevait ses jambes décharnées et blanches sous le vêtement. Ses cheveux ternes étaient en bataille et il avait une barbe de plusieurs jours. Ses yeux étaient aussi pâles que ses cheveux, son visage émacié et ses lèvres disparaissaient dans sa bouche toute ridée. Il ne regarda pas Konrad quand ce dernier vint s'asseoir près de lui.

– Holmbert ?

Le vieil homme ne répondit pas, concentré sur le dessin animé.

– Holmbert ? répéta Konrad.

Holmbert continuait à regarder les images sans prêter attention à son visiteur.

Konrad ne connaissait d'Alzheimer que ce qu'il en avait lu sur Internet. Il savait que cette maladie dégénérative affectait le cerveau. Les premiers signes étaient les défaillances de la mémoire immédiate, puis de la mémoire ancienne. La maladie évoluait ensuite jusqu'à la démence, elle était incurable même si de nouveaux traitements permettaient de freiner son évolution. Elle entraînait la mort en moins de dix ans. Au fil du temps, les malades devenaient de plus en plus dépendants et finissaient aphasiques. La maladie avait donc également des conséquences sur l'entourage qui assistait à la déchéance physique et mentale d'un parent.

– Je souhaiterais vous interroger sur une histoire qui date de la guerre, annonça Konrad. Celle de deux jeunes filles : Rosamunda et Hrund.

Holmbert ne réagissait pas.

– Vous vous souvenez de ces noms ?

Holmbert continuait à regarder la télévision, comme s'il était seul dans la pièce commune.

– Holmbert ?

Le vieil homme ne répondit pas.

– Vous vous souvenez de Rosamunda ? Vous vous souvenez d'une jeune fille qui s'appelait Rosamunda et qui travaillait dans un atelier de couture ?

Le dessin animé s'acheva, un autre prit le relais. Konrad vit un homme svelte et élégant vêtu d'un costume noir avancer d'un pas décidé le long du couloir et se diriger vers la salle commune. Il devait avoir la soixantaine. Konrad le regarda approcher en pensant qu'il allait entrer dans une chambre, mais il continua d'avancer vers eux.

– On m'a dit à l'accueil qu'il recevait de la visite, je peux vous demander qui vous êtes ? interrogea sèchement le sexagénaire.

– Je m'appelle Konrad.

Il se leva et lui tendit la main. L'autre lui donna une poignée de main froide.

– Et pour quelle raison venez-vous voir mon père ? Comment l'avez-vous connu ?

– En réalité, je ne le connais pas, répondit Konrad. Vous êtes… ?

– Son fils. Benjamin. Si vous ne le connaissez pas, qu'est-ce que vous faites ici ?

– Je voulais lui demander s'il avait récemment rencontré un certain Thorson. Il est possible qu'il se soit présenté sous le nom de Stefan Thordarson.

– Thorson ? Stefan ?

– Oui, et si je comprends bien, votre père n'est pas vraiment en mesure de m'aider. Je compatis. C'est une maladie terrible.

– Merci. En effet, c'est affreux.

– Vous savez si ce Thorson est passé le voir ?

– Thorson ? Non, ça ne me dit rien. Il est peut-être venu sans que je le sache. Mon père avait… ou plutôt il a beaucoup d'amis et je ne les connais pas tous.

– Évidemment. J'enquête sur un crime commis pendant la Seconde Guerre mondiale et je me disais qu'il pourrait peut-être me fournir quelques renseignements, mais je suppose que ce n'est pas le cas.

– Ça ne sert à rien de lui poser des questions.

– Puis-je vous demander si vous êtes au courant ?

– De ce crime qui date de la Seconde Guerre mondiale ?

– Oui, répondit Konrad. Une jeune fille, Rosamunda, a été assassinée.

– Toute la famille connaît cette histoire, répondit Benjamin, mais je ne vois pas en quoi elle vous concerne.

– J'ai longtemps travaillé à la Criminelle. Aujour-d'hui, je suis à la retraite, mais mes anciens collègues m'ont demandé de rassembler des informations sur ce Thorson, ce Stefan Thordarson. Je suppose que vous avez lu dans les journaux qu'il est décédé à son domi-cile et qu'il a été étouffé.

Benjamin hocha la tête.

– J'ai vu ça aux informations.

– J'ai découvert que Thorson avait interrogé votre oncle Magnus à Borgarnes. Après cette conversation, il est très probablement allé voir votre père. C'était il n'y a pas très longtemps. Je suis presque sûr que Thorson est venu ici pour le rencontrer. Ça ne vous dit rien ?

– Rien du tout.

– Et vous ?

– Comment ça, moi ?

– Vous avez rencontré ce Thorson ?

– Non.

– Vous en êtes sûr ?

– Sûr ? Qu'est-ce qui vous permet de mettre ma parole en doute ?

Konrad haussa les épaules.

– À quel titre êtes-vous ici ? demanda Benjamin.

– J'assiste la police. Vous pouvez appeler la commissaire Marta à la Criminelle, elle vous le confir-mera.

– Vous n'avez qu'à demander aux gens qui tra-vaillent ici, suggéra Benjamin, ils se souviennent peut-être de cet homme. Pour ma part, je ne me rappelle pas l'avoir rencontré. Magnus n'a plus aucune relation avec mon père depuis des dizaines d'années et je ne suis pas certain que ce soit une source très fiable. Lui et mon père se sont gravement brouillés et j'imagine qu'il n'hésite pas à noircir son portrait.

– Vous sous-entendez que Magnus mentirait ?

– Je n'ai pas envie de débattre des affaires de famille avec un inconnu, rétorqua Benjamin. Et si ça ne vous gêne pas, j'aimerais bien pouvoir passer un moment auprès de mon père en toute tranquillité.

– Cela va de soi, je vous prie de m'excuser. Encore une petite chose. Vous avez immédiatement compris de quoi je parlais quand j'ai mentionné le meurtre de Rosamunda. Je peux vous demander pourquoi ?

– Si je vous le dis, vous nous laisserez tranquilles ?

– Bien sûr.

– À part notre famille proche, peu de gens savent ce qui est réellement arrivé à Rosamunda, répondit Benjamin avec une impatience non dissimulée. La police a rapidement identifié son assassin. Il s'appelait Jonatan et faisait partie de la famille. Tout cela a été une épreuve pour mes parents et grands-parents, comme vous l'imaginez. Jonatan est mort pendant sa détention. Il a réussi à échapper quelques instants à la police et s'est fait renverser par une voiture. C'était une histoire affreuse. Que ce soit le meurtre de cette jeune fille ou la mort de Jonatan. Mon grand-père était député, il a usé de son influence pour que l'affaire ne fasse pas trop de bruit. Il a expliqué aux parents de la jeune fille tous les désagréments qui risquaient d'en découler. On savait ce qui s'était passé, l'assassin avait été démasqué. Mon grand-père ne voulait pas que notre famille soit éclaboussée par le scandale.

Konrad écoutait attentivement ce que Benjamin disait sur Jonatan et sur la manière dont l'affaire avait été étouffée. Il comprenait maintenant pourquoi il n'avait pratiquement rien trouvé dans les archives. La police était sans doute certaine d'avoir attrapé le coupable puisqu'elle avait accepté de clore l'enquête. À moins que le député n'ait eu assez d'influence pour la forcer à le faire.

– Je crois que Thorson avait découvert de nouveaux éléments concernant votre père. Il avait mené l'enquête à l'époque, il travaillait dans la police militaire, il n'a jamais réussi à tourner vraiment la page, il avait toujours l'impression qu'il n'avait pas eu le fin mot de cette histoire. Vous avez entendu parler de Hrund, une jeune fille qui vivait dans l'Öxarfjördur ?

Tout à coup, le vieil homme se mit à marmonner, ils se tournèrent vers lui.

– …osamu… ?

Tous deux fixaient Holmbert qui continuait à regarder les dessins animés. Il essayait de toute évidence de dire quelque chose. Perdu dans son monde, il n'avait même pas conscience de la présence de son fils, et encore moins de la présence de Konrad.

– …os… am… un… murmura-t-il d'une voix rauque en direction de la télé.

– Papa, c'est moi, Benjamin, ton fils.

Holmbert ne réagissait pas et continuait à regarder les dessins animés.

– Holmbert ? hasarda Konrad. Vous m'entendez ?

Le vieil homme était absent. Les deux visiteurs avec lui dans la salle commune ne le concernaient pas.

– Qu'est-ce qu'il essayait de dire ? s'enquit Konrad.

– Je ne sais pas. Vous feriez mieux de partir.

– Vous n'avez pas l'impression qu'il disait… ?

– Ce pourrait être n'importe quoi, interrompit Benjamin, à bout de patience. Je vous prie de le laisser tranquille. C'est… Et je veux que vous nous laissiez seuls.

Il alla se poster près de la porte de la salle commune.

– S'il vous plaît, sortez.

337

Konrad préféra obtempérer.

– Bien sûr, veuillez m'excuser pour le dérangement, je ne voulais pas vous importuner.

Il quitta la pièce et entendit la porte se fermer derrière lui. En sortant de la maison de retraite, il sortit son portable et appela Marta.

– Qu'est-ce qu'il y a encore ? s'enquit son amie.

– Tu as toujours les enregistrements des caméras de surveillance installées à proximité de chez le vieux Stefan ?

– Oui, je les ai toujours, mais ils ne servent à rien.

– Pourquoi donc ?

– Parce que j'ignore ce que je dois y chercher. On n'y voit que des gens qui vont et viennent, et je n'en connais aucun.

– Je peux les regarder ?

– Qu'est-ce que tu as trouvé ?

– Je n'en suis pas encore sûr, répondit Konrad, mais j'ai besoin de voir ces enregistrements. En tout cas, je sais ce que je cherche.

– Alors, dépêche-toi, je ne vais pas tarder à rentrer chez moi, conclut Marta.

48

Konrad eut bien du mal à convaincre Benjamin de venir le retrouver derrière le Théâtre national pour lui parler de son père et de Rosamunda. Benjamin lui avait d'abord opposé un refus catégorique en disant qu'il avait autre chose à faire et en lui demandant de laisser sa famille tranquille. L'idée même du lieu de rendez-vous lui semblait inouïe, le type de mise en scène dramatique suggéré par Konrad lui déplaisait au plus haut point. Laissez donc le passé en paix, avait-il dit. L'enquête sur le meurtre de Rosamunda était résolue depuis des dizaines d'années, son assassin avait été identifié, et Benjamin ne voyait aucune raison de prêter attention à ces racontars et autres histoires à dormir debout.

Konrad avait répondu qu'il ne s'agissait pas uniquement de Rosamunda, mais qu'il avait découvert de nouveaux éléments concernant Thorson. Il attendrait donc Benjamin à côté du théâtre. Il souhaitait lui exposer un certain nombre de choses. S'il ne venait pas, cela ne changerait rien, l'affaire suivrait son cours. Pour Konrad, l'enquête était résolue.

– Vous en avez fait part à la police ? s'était enquis Benjamin.

– Partiellement, mais je n'ai pas encore remis mon rapport final.

Benjamin exigea qu'il le laisse tranquille et raccrocha. Konrad éteignit son portable. Assis dans sa voiture, il fixait le recoin où on avait découvert le corps de Rosamunda. Il s'était garé le long de Lindargata, tout près du croisement avec Skuggasund, le passage des Ombres. Les lieux étaient presque déserts. Un chat noir traversa la rue et se faufila dans un jardin. Le couple d'amoureux qui marchait main dans la main sur le trottoir prit la direction de la colline d'Arnarholl et disparut.

Konrad descendit de voiture et s'approcha du théâtre. Il leva les yeux sur les murs anthracite, observa les orgues de basalte qui les décoraient et rappelaient les vieilles croyances populaires. Derrière ces épais murs noirs, on mettait en scène l'existence humaine, où tragédie et comédie alternaient, comme dans la vie elle-même. À une différence près : quand le rideau tombait, le spectacle était terminé, dans la vraie vie, ce n'était jamais fini.

Au bout de trois quarts d'heure, Konrad renonça à attendre et décida de rentrer chez lui. Il ouvrit la portière de sa voiture et s'apprêtait à se mettre au volant, mais remarqua un homme immobile qui le regardait, posté à l'angle de Skuggasund.

– Benjamin ? cria-t-il.

L'homme traversa la rue. Benjamin était au rendez-vous, Konrad avait réussi à piquer sa curiosité.

– Pourquoi voulez-vous qu'on se voie ici ? Qu'est-ce que ça veut dire ?

– Merci d'être venu !

– Vous ne m'avez pas laissé le choix, rétorqua Benjamin.

– Il vous arrive de venir à cet endroit et de penser à ce qui s'est passé ?

– Oui, il m'arrive d'aller au théâtre, si c'est le sens de votre question. Je ne vois pas ce que je viendrais y faire d'autre.

– Vous en êtes sûr ?

– Enfin ! Qu'est-ce que je viendrais y faire ? Qu'est-ce que vous cherchez à me faire dire ? Ce qui s'est passé à cet endroit ne nous concerne ni moi ni ma famille.

– Vous êtes pourtant là.

Benjamin ne prit pas la peine de lui répondre. Les petits projecteurs qui éclairaient le bâtiment dessinaient la silhouette des deux hommes sur les murs comme s'ils étaient acteurs d'un théâtre d'ombres.

– J'ai passé mon enfance dans ce quartier, j'ai marché le long de ces rues et de ces maisons, reprit Konrad. C'est ici que j'ai entendu parler de Rosamunda pour la première fois. Tout le monde savait qu'on avait découvert son corps dans ce recoin. Cette histoire me touche de près, c'est peut-être pour ça que je m'y intéresse tellement. Un jour, les parents de cette jeune fille sont venus chez moi pour une séance de spiritisme. À l'époque, c'était la mode de faire parler les morts. Les charlatans y voyaient une aubaine, mais c'est une autre histoire. Je ne sais ni pourquoi ni comment, mais le médium qui est venu chez moi a dit à mon père qu'il avait perçu la présence d'une autre jeune fille directement liée à Rosamunda. Récemment, mon ancienne voisine m'a parlé d'une certaine Hrund. Je ne crois pas aux voyants mais, si c'était le cas, je penserais que la jeune fille évoquée par ce médium n'était autre que Hrund.

– Vous me disiez avoir découvert de nouveaux éléments. Lesquels ? s'enquit Benjamin. Vous ne me faites tout de même pas venir ici pour me parler de spiritisme et de vieilles superstitions ?

Konrad se mit à sourire.

– Vous avez affirmé ne pas avoir vu Thorson à la maison de retraite. Or je suis convaincu qu'il y est allé après avoir appris que votre père se trouvait sur place au moment de la disparition de Hrund. Cette nouvelle l'a bouleversé. Il ne s'était pas posé la question à l'époque et devait le regretter amèrement. Voilà pourquoi il tenait absolument à aller voir votre père pour essayer de découvrir la vérité.

– Ce n'est pas nouveau ! C'est pour me dire ça que vous m'avez fait venir ?

– Est-ce que vous avez rendu visite à Thorson après qu'il est passé voir votre père ?

– Non.

– Il ne vous a pas dit qu'il irait jusqu'au bout et qu'il veillerait à ce que la police reprenne l'enquête ?

– Je n'ai jamais parlé à cet homme, assura Benjamin.

– Et si je vous disais que nous avons à notre disposition des enregistrements de deux caméras de surveillance installées tout près du domicile de Thorson sur lesquels vous apparaissez au moment où on l'a assassiné ?

– Des caméras de surveillance ? Comment ça ? répondit Benjamin après un silence.

– On vous voit traverser la cour de l'école après votre visite chez Thorson, précisa Konrad. Et on vous voit passer devant la banque au moment où vous vous rendez chez lui. Les horaires correspondent. Vous êtes allé le voir vers midi. Je ne sais pas comment, mais vous avez réussi à le berner, à le rassurer. Vous avez peut-être fait semblant de quitter son appartement ou vous avez empêché la porte de se fermer à clef quand vous êtes sorti, puis vous vous êtes de nouveau introduit chez lui quand il est allé s'allonger. Je ne sais pas comment vous avez fait, mais vous avez réussi à le prendre par surprise…

– Je ne comprends pas de quoi vous parlez, rétorqua Benjamin.

– Vous étiez garé assez loin de chez lui. Est-ce que vous aviez prémédité ce que vous alliez faire avant de frapper à sa porte ?

– Je crois que je n'ai plus rien à vous dire.

– Votre grand-père appréciait Holmbert bien plus que ses autres enfants, c'est à lui qu'il a confié son entreprise. Il savait ce que votre père avait fait ? Il avait conscience que c'était un monstre ?

– Mon père n'est pas un monstre, protesta Benjamin. C'est un homme très malade qui a le droit de mourir en paix.

– Contrairement à Thorson ? C'est ce que vous suggérez ?

Benjamin fixait Konrad.

– Vous savez ce que votre père a fait ? Vous connaissez son histoire ? Je suppose que oui. Sinon, vous ne seriez pas allé chez Thorson.

– Tout ça ne sert à rien, s'agaça Benjamin, tournant les talons pour repartir vers Skuggasund. Konrad l'accompagna du regard. Il avait échafaudé une théorie qu'il souhaitait tester sur la seule personne susceptible de la confirmer.

– Mais bon, je ne suis pas sûr que ce soit votre père qui ait été le monstre, cria-t-il dans son dos.

Benjamin s'éloignait, le pas rapide.

– Vous entendez ? Je ne suis pas sûr que ce soit votre père qui ait été le monstre !

Benjamin ralentit et s'arrêta après avoir traversé la rue Lindargata. Il resta immobile un long moment, les mains dans les poches de son imperméable, la tête baissée comme s'il réfléchissait. Konrad le voyait de dos, il essayait d'imaginer la lutte qui se livrait en lui. Ses épaules s'affaissèrent en signe de reddition. Il se retourna.

– Comment ça ?

– Je crois que votre père n'a peut-être été qu'un idiot utile dans cette histoire, précisa Konrad.

– Qu'est-ce que… pourquoi… qu'est-ce qui vous fait dire ça ?

– Ce n'est pas le seul suspect. Il était peut-être complice dans le sens où il savait ce qui s'était passé, mais je ne suis pas certain que ce soit lui qui ait déposé le corps de Rosamunda ici.

Benjamin approcha.

– De quoi est-ce que vous parlez ?

– De secrets de famille. De votre père. De votre grand-père. La police ignorait qu'ils étaient dans le Nord quand Hrund a disparu. Ces informations n'apparaissent nulle part. Thorson n'en a eu connaissance que très récemment. De même en ce qui concerne Rosamunda et son refus d'aller chez vous. Si Thorson avait su tout ça, son enquête aurait pris une tout autre tournure. J'imagine qu'il tenait absolument à découvrir la vérité tant qu'il pouvait encore le faire, et à en informer la police. Voilà pourquoi il est allé voir votre père. C'est aussi pour cette raison que vous lui avez rendu visite.

– Vous ne pouvez pas… vous n'avez rien… rien qui…

– Je dispose d'éléments en nombre suffisant, répondit Konrad. J'en ai assez pour prouver que vous avez tué Thorson et pour rouvrir l'enquête sur le meurtre de Rosamunda.

– Vous ne pouvez pas…

– Bien sûr que si. C'est terminé. Vous le savez très bien. Ce que vous avez fait ne reflète pas forcément ce que vous êtes. Mais vous l'avez quand même fait et vous devez le reconnaître. Pour vous-même.

– Je... nous...

Benjamin adressa à Konrad un regard suppliant. Il n'était plus en colère ni vexé. Ses défenses cédaient, laissant place au remords. Les conséquences de son geste le rattrapaient et se déversaient sur lui : toutes ces choses qu'il avait tenté de justifier à ses propres yeux en les enfouissant profondément dans sa conscience étaient pour ainsi dire le fait d'un autre homme, d'un autre lui-même.

– Dites-moi ce qui s'est passé, suggéra Konrad. Ce n'est pas à vous de porter ce fardeau. Vous l'avez endossé par loyauté envers votre famille. Je le comprends. Je comprends votre point de vue, mais vous êtes allé trop loin. Vous êtes vraiment allé trop loin.

– Ce vieil homme voulait tout raconter.

– Oui.

– Je ne pouvais pas le laisser faire. Je ne pouvais pas... peut-être que si mon grand-père avait été le seul à être impliqué... mais mon père était lui aussi... J'ai trouvé cet homme dans la chambre de mon père et je l'ai mis à la porte... Il m'a parlé de Rosamunda en me disant que mon père avait... Je ne savais pas quoi faire...

Benjamin se tut, incapable de continuer. Il garda longuement le silence, les yeux baissés, puis sortit une enveloppe de sa poche et la tendit à Konrad.

– J'ai trouvé ça dans son appartement, j'ai préféré l'emporter.

Konrad saisit l'enveloppe adressée à Thorson. Il parcourut la lettre signée de la main de Flovent, dans

345

laquelle son ancien collègue lui disait que Holmbert avait beaucoup aidé la police à prouver la culpabilité de Jonatan.

– J'ai préféré l'emporter, répéta Benjamin. Puisque j'avais… puisque je l'avais… agressé…

49

On avait frappé à la porte. Thorson était allé ouvrir. Le fils de Holmbert était là. C'était le début de l'après-midi, le vieil homme s'apprêtait à s'allonger dans sa chambre comme il le faisait d'habitude à cette heure. Il s'attendait plus ou moins à cette visite.

– Je tiens à vous présenter mes excuses pour mon comportement à la maison de retraite, avait annoncé son visiteur d'un ton calme en précisant qu'il s'appelait Benjamin. Je n'aurais pas dû vous insulter ni vous menacer comme ça. J'ai été élevé dans le respect de l'autre et j'espère que vous ne m'en voulez pas. J'étais choqué par vos propos, mais la manière dont je me suis comporté… est indigne et j'espère que vous me pardonnez.

– Je ne faisais que vous dire ce que je pense être la vérité, avait répondu Thorson.

– Bien sûr, je comprends. J'espère que vous me pardonnez, avait répété Benjamin. Moi aussi, j'aimerais connaître le fond de cette affaire et n'hésitez pas à contacter la police si vous le jugez nécessaire. Je lui apporterai mon entier concours.

– Je suis heureux de l'apprendre.

– J'ai été très choqué quand… Vous me permettez d'entrer quelques instants ? C'est assez embarrassant de discuter sur le palier.

– Je vous en prie.

– Merci, avait répondu Benjamin en le suivant dans le salon où ils s'étaient assis tous les deux.

– Je suis désolé, mais ce que je vous ai dit à la maison de retraite me semble bien être la vérité, avait répété Thorson. Évidemment, tout le monde a oublié ces vieilles histoires, mais pas moi, et si mes soupçons sont fondés, il faut réexaminer tout ça.

– Bien sûr, après mûre réflexion, je le comprends tout à fait, avait concédé Benjamin. Il va de soi qu'il faut tout réexaminer. Je suis d'accord. Je suppose que vous avez déjà contacté la police.

– Je pense le faire très prochainement. Ce ne sont pas des nouvelles réjouissantes. Vous devez bien entendu informer vos frères et sœurs ainsi que votre mère.

– En effet. Mon père est très malade. Si la police rouvre l'enquête, il n'en aura même pas conscience. Je n'imagine pas qu'on puisse le traduire en justice étant donné son état. Il ne lui reste plus longtemps à vivre. Je me suis dit que…

– Oui ?

– Je venais vous demander de faire preuve d'un peu de compassion, avait repris Benjamin. Si vous dites vrai, il me semble que justice est faite, vous ne croyez pas ? Il a beaucoup souffert. Ma mère souffre énormément. Et c'est pour moi un véritable calvaire de le voir disparaître peu à peu à cause de cette affreuse maladie alors qu'il a toujours été si présent et rassurant.

– Ce n'est pas le type de justice auquel je pensais, avait objecté Thorson. Votre père est certes gravement malade. Cela vous semblera peut-être étrange, mais ça ne compte presque pas. Je pense à un jeune homme qui s'appelait Jonatan et à un policier avec qui j'ai travaillé : Flovent. Jonatan mérite que la vérité soit rétablie. Flovent aurait voulu que je fasse tout pour laver son honneur. À l'époque, notre enquête s'est arrêtée au moment précis où elle aurait dû commencer. J'ai quitté l'Islande. Flovent était accablé après la mort de Jonatan. D'ailleurs, nous l'étions tous les deux. Mais il n'est pas trop tard pour...

– Faire éclater la vérité ?

– Oui.

– Quoi que je puisse vous dire ?

– Hélas, oui.

– Pour moi, ces affirmations sont absurdes. Je ne comprends pas comment vous êtes parvenu à cette conclusion – mais c'est votre affaire. Je vous demande seulement de l'épargner, et de nous épargner nous, qui sommes encore vivants...

– Je dois faire ce qui me semble juste, avait objecté Thorson, quels que soient les désagréments que cela entraînera pour vous et votre famille.

– Qu'est-ce qui est juste ? Vous trouvez ça juste de ruiner nos vies ?

Benjamin avait hésité.

– J'ai de l'argent, avait-il repris. Si vous le voulez, je peux verser une somme conséquente sur le compte d'une association, d'une fondation... une sorte de bourse... et si vous manquez de quelque chose, eh bien...

Thorson avait secoué la tête.

– Cette proposition n'est pas un aveu, avait continué Benjamin. Mais je suis sûr que dès que l'affaire sera publique, c'est-à-dire si la police la rend publique, la rumeur ira bon train et il sera très difficile d'éviter ses conséquences désastreuses. Je suis à la tête d'une grande entreprise. Nous jouons un rôle important dans la vie de la nation. Ce type d'accusation risque de nous porter un coup fatal.

Thorson ne voyait pas quoi répondre.

– Vous êtes vraiment sûr que mon père a fait ça à cette jeune fille ? demanda Benjamin.

– C'est mon intime conviction et je suis certain que l'enquête le confirmera. En tout cas, pour ce qui est du meurtre de Rosamunda. En ce qui concerne Hrund, ce sera plus complexe. Son corps n'a jamais été retrouvé et personne n'est en mesure de dire ce qui s'est vraiment passé.

– Je comprends. D'accord. Par conséquent, je dois m'attendre à recevoir la visite de la police d'ici peu. Une fois encore, je vous prie d'excuser mon comportement à la maison de retraite. Je me suis emporté. J'espère que vous ne m'en voulez pas.

– Merci d'être passé me voir, avait répondu Thorson. Et aussi de comprendre ma position. Je pense qu'il est préférable pour tout le monde d'éclaircir enfin cette affaire.

– Vous avez sans doute raison.

Thorson avait fait mine de se lever pour le raccompagner à la porte. Benjamin lui avait dit de ne pas s'inquiéter, il trouverait la sortie tout seul. Les deux hommes s'étaient serré la main.

– Vous êtes sûr de vous ? avait à nouveau demandé Benjamin.

– Hélas, avait répondu Thorson.

– D'accord, bon, au revoir, avait murmuré Benjamin en se dirigeant vers la sortie.

Thorson l'avait entendu fermer la porte. Il était resté un long moment assis dans le salon à réfléchir à cette visite et à se demander s'il faisait le bon choix en sortant cette histoire de l'oubli et en suggérant à la police de rouvrir l'enquête. Il se sentait plus las que d'habitude après sa visite à la maison de retraite, puis celle que venait de lui faire Benjamin ; tout cela l'atteignait sans doute plus qu'il n'en avait conscience. Il mesurait à quel point la mort de Jonatan avait arrangé Holmbert. Ce dernier avait sauté sur l'occasion pour conforter la police dans son erreur.

Thorson avait regardé par la fenêtre qui donnait sur le jardin de l'immeuble en se disant qu'il devait se rendre au commissariat dès que possible.

Il était allé dans sa chambre et avait sorti la photo de son ami, qui l'accompagnait depuis toujours. Elle lui rappelait des souvenirs douloureux : les jeux de cache-cache auxquels ils avaient dû se livrer, la honte que les gens de leur tendance étaient autrefois pour la société. Il avait toujours gardé cette photo dans le tiroir de sa table de nuit, les temps avaient changé, mais sa vieille habitude avait perduré. Cela lui rappelait les épreuves qu'ils avaient subies et les préjugés dont ils avaient été victimes. Il la regardait presque tous les jours, il plongeait ses yeux dans ceux de son ami, il se rappelait toute cette souffrance, leurs moments de bonheur, cet amour perdu dont il était à jamais nostalgique.

La fatigue l'envahissait tout entier, il avait remis la photo à sa place et s'était allongé sur le lit. Il continuait à penser à Rosamunda, à Benjamin qui avait tenté d'acheter son silence, à son père Holmbert, qui avait été ministre, et à son grand-père député. Comme toujours, il revoyait Jonatan qui gisait dans son sang rue Laugavegur tandis que les flocons tombaient dans ses yeux grand ouverts.

Le député et son fils ? Le premier était-il au courant des actes du second ? L'avait-il protégé ? À moins que ce ne soit le fils qui ait protégé le père ?

Le sommeil gagnait Thorson.

Oui, peut-être que le fils avait protégé son père.

Il s'était réveillé avec la sensation désagréable d'avoir du mal à respirer. Le député dont Flovent lui avait parlé lui apparaissait, il savait que Holmbert n'était pas le seul coupable possible, son père pouvait tout autant être l'auteur du crime, cet homme qui possédait la maison dans laquelle Rosamunda avait refusé de revenir et qui était en voyage dans le Nord quand Hrund avait été violée. Il était assez haut placé et occupait une position suffisamment respectable pour que ses victimes n'osent pas le dénoncer.

Thorson suffoquait. Se réveillant complètement, il avait senti sa tête s'enfoncer dans le matelas. Il avait essayé d'ouvrir grand la bouche pour respirer et avait paniqué : quelqu'un tentait de l'étouffer. Il s'était débattu, cherchant de l'oxygène, mais avait vite compris qu'il était face à plus fort que lui…

50

Benjamin fixa un long moment le recoin où on avait trouvé le corps de Rosamunda.

– Mon père était complice, avoua-t-il, mais ce n'est pas lui l'assassin. Il a trouvé mon grand-père avec le corps inanimé et l'a aidé à l'amener ici. Dans ce sens, mon père est aussi coupable que lui. Quand la police est venue chez eux, il était confronté à un choix impossible : soit il leur dévoilait la vérité et il dénonçait son père, soit il mentait en accusant son ami qui, de toute façon, était déjà mort.

– Il a choisi de mentir.

– Qu'est-ce que vous auriez fait ? Vous auriez agi comment à sa place ?

Benjamin évitait de regarder Konrad dans les yeux et continuait à fixer le renfoncement comme s'il y voyait le corps gelé et sans vie de Rosamunda.

– Il a découvert le crime commis par son père et il a dû vivre avec ça toute sa vie. Il devait veiller à ce que la vérité n'éclate pas. En fait, il ne pouvait jamais se permettre de relâcher son attention.

– Comment l'avez-vous appris ?

– Par la maladie, répondit Benjamin.

– Alzheimer ?

– Mon père est parvenu à garder son secret jusqu'au moment où la maladie s'est déclarée. Brusquement, il a perdu le contrôle de ces souvenirs qu'il avait si bien cachés. Ils lui échappaient les uns après les autres, y compris les plus douloureux. Il s'est mis à parler d'événements passés qu'il avait toujours tus, parfois sans même s'en rendre compte. Ma famille et moi, on connaissait évidemment l'histoire de Jonatan, mais on ne parlait jamais de lui ni de cette histoire. Absolument jamais. Et voilà que mon père en parlait de plus en plus, chaque fois qu'il prononçait son nom, il était abattu. Il racontait que c'était Jonatan qui avait donné à mon grand-père je ne sais quelles idées concernant les elfes et les croyances populaires, et que ce dernier s'en était servi pour faire des choses terribles. Mon père n'avait jamais montré ses sentiments, tout à coup il se mettait à pleurer à chaudes larmes. Tout ça a piqué ma curiosité. J'ai fini par apprendre toute la vérité. J'ai découvert une véritable tragédie familiale, la vérité sur mon père et mon grand-père. En même temps, je découvrais une tragédie encore plus terrible, celle de Rosamunda, de Hrund et plus tard de Jonatan. C'était insupportable. Je ne savais pas quoi faire de tout ce que j'avais appris. Je pensais devoir veiller à ce que ces choses ne s'ébruitent pas. C'était ma responsabilité. Je me suis retrouvé dans la position de mon père. Il a passé sa vie entière à lutter contre sa conscience. Puis un jour, je suis passé le voir à la maison de retraite et un homme était assis dans sa chambre. Il avait tout découvert, sauf qu'il attribuait à mon père les crimes de mon grand-père. Il voulait que la police reprenne l'enquête. Je suis allé le voir chez lui. Pas pour lui faire du mal, seulement pour lui parler.

– Mais la tentation a été trop grande ? Vous avez pensé qu'en vous débarrassant de lui, vous seriez tranquille ?

– Je ne sais pas ce qui m'a pris, répondit Benjamin. Sa voix se brisa à la pensée de l'acte qu'il avait commis. Konrad le voyait qui tentait de retenir ses larmes, les yeux fixés sur le renfoncement dans le mur du théâtre comme s'il n'osait pas affronter les regards. Je me suis dit… qu'il était âgé et… que je pouvais l'endormir, ce qui résoudrait tous les problèmes… mais ça ne fonctionne pas comme ça. Je fais des cauchemars terribles. Il s'est débattu de toutes ses pauvres forces, j'ai voulu arrêter mais… mais il était trop tard. C'était si rapide… c'était tellement rapide.

Benjamin soupira.

– Je veux… je veux que tout ça finisse. Je ne supporte plus ces secrets. Je ne veux pas que mon fils soit forcé de me protéger. Je veux qu'on en finisse.

– Vous dites que Holmbert a trouvé votre grand-père devant le corps inanimé de Rosamunda.

– À ce que je sais, mon père l'a trouvé à leur domicile avec Rosamunda. Ma grand-mère était allée voir des amis à Stykkisholmur et grand-père était seul à la maison avec son fils. Rosamunda était venue à l'improviste, totalement bouleversée, pour lui dire qu'elle était enceinte de lui et qu'elle s'était fait avorter. Elle avait entendu parler d'une autre fille originaire du Nord, elle était sûre qu'il l'avait aussi violée. Elle a menacé de le dénoncer pour que tout le monde sache le genre d'homme qu'il était. C'est ce jour-là que mon père a découvert ce qu'avait fait le sien.

– Il l'avait violée ?

– Oui. Elle était venue livrer une robe à la maison et grand-père lui avait ouvert. Il a réussi, je ne sais comment, à l'attirer dans la buanderie et il l'a violée.

– Et votre père n'était pas au courant ?

– Non, il n'a su pour le viol que quelques mois après, le jour où il a trouvé son père devant le corps sans vie de Rosamunda. Quand il est arrivé dans la pièce, il était trop tard. Ça a été un choc terrible. La jeune fille était allongée dans le bureau. Grand-père avait voulu la faire taire et s'était à peine rendu compte qu'il l'étranglait. Il a demandé à mon père de l'aider. On peut même dire qu'il le lui a ordonné en lui disant qu'ils devaient se serrer les coudes. L'honneur de la famille était en jeu. Cette jeune fille était incontrôlable, il avait bien été forcé de se défendre. Mon père a immédiatement soupçonné que la même chose s'était produite trois ans plus tôt. Il avait vu mon grand-père dans un drôle d'état, un soir qu'ils étaient là-bas. Il lui avait posé des questions sur les griffures qu'il avait au cou et qu'il essayait de cacher. Grand-père avait changé de conversation, mais l'histoire de Hrund et sa disparition était restée gravée dans la mémoire de mon père. Quand il est entré dans le bureau et qu'il a vu Rosamunda gisant sur le sol, il a compris la vérité. Il a interrogé son père sur Hrund. Grand-père a avoué qu'il l'avait agressée. Il n'a pas reconnu l'avoir tuée à mains nues comme Rosamunda, mais il a reconnu l'avoir violée.

– Il a menacé Rosamunda pour qu'elle se taise ?

– Oui. Et il a ordonné à son fils de ne pas le dénoncer, soit en le suppliant, soit en l'insultant. Mon père a décidé de le protéger et il l'a toujours fait. Pour sa mère. Pour sa famille.

– Et ces histoires d'elfes ?

– Grand-père les connaissait bien, ces récits font partie de la culture populaire, tout le monde les connaît plus ou moins. Et Jonatan en parlait beaucoup. Grand-père a compris que Hrund était réceptive. Ce n'était pas la même affaire avec Rosamunda.

– Et ça ne les a pas gênés de faire accuser Jonatan ?

– C'est mon père qui en a eu l'idée quand la police est venue chez eux pour leur annoncer sa mort. Ils le soupçonnaient des deux crimes, mais mon père les sentait hésitants, alors il s'est arrangé pour confirmer leurs soupçons. Il n'a pas eu de mal à les convaincre définitivement. De toute manière, Jonatan était mort et ces accusations ne pouvaient plus lui nuire.

– Pourquoi ont-ils déposé le corps derrière le théâtre ?

– Mon père n'a pas été très clair sur la question. Grand-père a peut-être choisi cet endroit parce qu'on décrivait parfois le bâtiment comme une sorte de palais abritant des elfes et parce que ça répondait au mensonge qu'il avait raconté à ses victimes. Il savait aussi que l'endroit était fréquenté par des jeunes filles et des soldats. Ce n'était pas plus mal si on pouvait faire porter le chapeau à un militaire. Mon père l'a regardé déposer le corps ici à distance. Il est resté posté, là, à l'angle de Skuggasund, jusqu'au moment où ce soldat et sa petite amie ont trouvé le corps. Ensuite, il est parti.

– Et il a été correctement récompensé pour son silence ? demanda Konrad.

– Son père lui a confié l'entreprise familiale, répondit Benjamin.

– Quant à vous, vous avez marché sur ses traces en tuant Thorson.

Benjamin ne répondit rien.

– Vous n'avez pensé qu'à l'honneur de votre famille, ça en valait la peine ?

– Je ne supportais pas l'idée que ces événements puissent être rendus publics, plaida Benjamin. L'idée que les gens sachent tout ça sur nous. Sur mon père. Sur mon grand-père. Cet homme voulait aller voir la police. L'occasion de le faire taire s'est présentée et j'en ai profité. Je n'ai aucune excuse. Absolument aucune.

– Vous pensiez pouvoir cacher ces secrets pour l'éternité ?

– J'étais avant tout dans une position intenable, comme mon père l'avait été avant moi. Une position vraiment intenable.

– Je pense que vous auriez pu agir autrement, répondit Konrad, constatant aussitôt qu'il avait touché la corde sensible chez Benjamin. Il le prit par le bras, l'emmena à sa voiture et le fit s'asseoir sur le siège avant. Puis il s'installa au volant, longea la rue Lindargata, regarda son ancienne maison comme il le faisait chaque fois qu'il passait par là et continua sa route vers le commissariat pour y retrouver Marta qui attendait de ses nouvelles.

51

Konrad, Birgitta et quelques anciens collègues étaient venus assister à l'inhumation de Thorson. Elle avait lieu un jour de pluie au cimetière de Fossvogur. Il avait acheté depuis longtemps la concession voisine de celle où reposait l'homme qu'il avait aimé. La cérémonie fut brève, le pasteur donna sa bénédiction, ils chantèrent le psaume où il est question de la fleur unique, puis les employés de l'entreprise de pompes funèbres firent descendre le cercueil en terre.

Une des premières choses dont Konrad s'était acquitté après avoir reçu la confession de Benjamin fut d'aller voir Birgitta pour lui expliquer pourquoi et comment Thorson était mort. Il lui avait parlé de cette histoire familiale honteuse dont Benjamin avait voulu garantir le secret en s'assurant le silence du vieil homme. Il lui avait raconté ce qui était arrivé à Rosamunda et à cette jeune fille de l'Öxarfjördur dont on n'avait jamais retrouvé le corps, en ajoutant qu'il y avait fort peu de chances qu'on le retrouve aujourd'hui.

– Ils sont coupables sur trois générations, chacun à sa manière, résuma Birgitta devant la tombe de son ancien voisin. Le grand-père, son fils et son petit-fils.

– À mon avis, Benjamin s'est senti désemparé quand il a rencontré Thorson et compris qu'il n'hésiterait pas à

359

exhumer les fautes de son grand-père et de son père. Il dit qu'il n'est pas allé chez lui dans l'intention de le tuer. Il plaide le coup de tête. Le coup de folie. Il a pensé que le problème disparaîtrait avec Thorson.

– Et le grand-père ? demanda Birgitta.

– Après ses conversations avec son père, Benjamin savait parfaitement que son grand-père n'avait aucun respect pour les femmes. C'était une autre époque. Les hommes se permettaient bien des choses. En outre, ces événements se sont produits à une période très particulière. Selon Benjamin, les deux jeunes filles sont sans doute représentatives de ce que tout le monde à l'époque appelait la situation. Pourquoi ? Je crois qu'on n'aura jamais la réponse. Il ne sait pas non plus si son grand-père a fait d'autres victimes qui auraient gardé le silence.

– Même après toutes ces années, Stefan n'a jamais cessé de penser à ces jeunes filles, reprit Birgitta alors qu'ils sortaient du cimetière.

– En effet, il ne s'est jamais satisfait des conclusions de l'enquête.

Tard le soir, Beta rendit visite à son frère qui lui raconta toute l'histoire. Installée dans la cuisine, elle écouta le récit de Konrad sans dire un mot puis resta un long moment silencieuse et pensive.

– J'imagine que Benjamin a été très choqué quand son père lui a parlé de Rosamunda et dévoilé ces vieux secrets de famille.

– Il ne savait pas quoi faire, répondit Konrad. Puis Thorson est apparu, et ensuite il y a eu moi. Tout ça lui a simplement explosé à la figure.

– Toute cette souillure.

– En effet.

– Son père avait été ministre.

– Il voulait défendre son honneur et celui de sa famille.

– Un peu comme toi qui passes ton temps à défendre ton père.

– Je ne passe pas mon temps à le défendre, protesta Konrad.

– Ça fait drôle de savoir qu'il est impliqué dans cette tragédie, reprit Beta.

– Oui, il a trempé dans pas mal de choses.

– Je n'oublierai jamais le moment où maman m'a appris qu'on l'avait poignardé à côté des Abattoirs et qu'on ignorait l'identité de son assassin. Dans un sens, sa mort m'indifférait complètement. J'irais même jusqu'à dire que c'était un soulagement. Il s'était très mal conduit avec notre mère et avec beaucoup d'autres. Maman avait peur qu'il finisse par faire de toi un pauvre type comme lui.

– Ce n'est pas vrai, répondit Konrad, il avait ses défauts, mais il avait aussi ses qualités. Je sais comment il a agi avec notre mère et je sais pourquoi elle est partie.

– Konrad, il y a un nom à ça, c'est de la violence conjugale. Elle a fui jusqu'à Seydisfjördur, à l'autre bout du pays. Il refusait de te laisser partir pour se venger d'elle. C'était lui tout craché. Ce n'était pas un tendre ! Il buvait, il était violent et ce n'était qu'un voyou !

– Je sais. J'ai été témoin de tout ça, exactement comme toi. C'était affreux et je ne lui ai jamais pardonné ce qu'il a fait à notre mère.

– Mais tu as quand même toujours essayé de le défendre ! Tu lui trouves constamment des excuses. Exactement comme ce Benjamin et son père.

– Ce n'est tout de même pas…

– Si, interrompit Beta. Vous êtes tous pareils, vous, les hommes ! Vous n'êtes pas capables de regarder la réalité en face. Vous ne le pouvez pas et surtout, vous n'osez pas.

– Calme-toi.

– Du calme toi-même !

Beta se leva.

– Tu crois que nous saurons un jour ce qui est arrivé à côté des abattoirs ?

Ils avaient souvent réfléchi à cette question autrefois, mais le temps avait passé et, désormais, ils en discutaient très rarement. Beta était intransigeante. Elle considérait que son père avait tout fait pour être poignardé. Lui ne partageait pas son opinion.

– Ça m'étonnerait vraiment, répondit Konrad.

– Après toutes ces années.

– Oui, ce serait surprenant.

Debout à proximité de la tribune, Flovent regardait le président fraîchement élu de la jeune république islandaise. Il prononçait son discours à la nation qui grelottait sous une pluie battante à l'ancien parlement en plein air de Thingvellir, la faille d'Almannagja était comble, et la foule longeait la rivière Öxara jusqu'au lac. Ils étaient venus par milliers des quatre coins du pays pour célébrer la liberté retrouvée, fêter l'indépendance et saluer la plus jeune démocratie d'Europe. Le roi du Danemark avait finalement envoyé un télégramme de félicitations, même s'il était plutôt mécontent de voir les Islandais prendre leur indépendance en pleine guerre. Le débarquement en Normandie venait de commencer. Les actualités faisaient état d'énormes pertes humaines sur les côtes françaises. Flovent avait souvent pensé à Thorson, en espérant sincèrement qu'il en réchapperait.

Portées par la pluie, les paroles du nouveau président résonnaient sur le lieu de l'ancien parlement. Ce jour-là, Flovent était fier d'être un Islandais dans son propre pays même si l'avenir l'angoissait. L'époque était incertaine, la guerre ravageait le monde et l'Islande était occupée par une armée étrangère.

Flovent observait les députés assis sur les gradins derrière le président. Il aperçut le père de Holmbert, son air maussade, son imperméable et son chapeau. Leurs regards se croisèrent un instant. Le député lui adressa un signe de tête.

Flovent avait essayé de ne pas trop penser à ce qui était arrivé à Jonatan sans vraiment y parvenir, cette histoire le perturbait beaucoup. Il frappa ses pieds sur le sol et tourna la tête vers le lointain et l'autre côté du lac. L'image des deux jeunes filles revint l'envahir, la première dans ce recoin derrière le Théâtre, la seconde près des rochers de la chute de Dettifoss. On eût dit qu'elles le suppliaient de ne pas les oublier, de veiller sur elles et de les protéger comme si elles étaient les uniques joyaux de la nation qui retrouvait maintenant sa liberté.

À l'écart de toutes les routes, il existe une faille dont les profondeurs abritent des ténèbres éternelles et glaciales que le bruit assourdissant de la chute d'eau n'atteint pas. Elle rétrécit au fur et à mesure qu'elle gagne en profondeur, ses parois abruptes, rugueuses et coupantes en interdisent l'accès aux renards comme aux corbeaux. Il y pousse des fougères et quelques mousses le long desquelles gouttent des sources qui transforment le lieu en un sublime palais de contes de fées lorsqu'il gèle à pierre fendre et que la glace couvre les parois. Au fond règne un silence glacial que ni les hurlements du vent ni les cris de l'oiseau ne viennent troubler. Il protège le sommeil de l'ondine infortunée qui habite ce palais.

La Cité des Jarres

prix Clé de verre du roman noir scandinave 2002
prix Mystère de la critique 2006
prix Cœur noir 2006
Métailié, 2005
et « Points Policier », n° P1494

La Femme en vert

prix Clé de verre du roman noir scandinave 2003
prix CWA Gold Dagger 2005
prix Fiction du livre insulaire d'Ouessant 2006
Grand Prix des lectrices de « Elle » 2007
Métailié, 2006
et « Points Policier », n° P1598

La Voix

Grand Prix de littérature policière 2007
Trophée 813 2007
Métailié, 2007
et « Points Policier », n° P1831

L'Homme du lac

Prix du polar européen du « Point » 2008
Métailié, 2008
et « Points Policier », n° P2169

Hiver arctique

Métailié, 2009
et « Points Policier », n° P2407

Hypothermie

Métailié, 2010
et « Points Policier », n° P2632

La Rivière noire

Métailié, 2011
et « Points Policier », n° P2828

Betty

Métailié, 2011
et « Points Policier », n° P2924

La Muraille de lave
Métailié, 2012
et « Points Policier », nᵒ P3028

Étranges Rivages
Métailié, 2013
et « Points Policier », nᵒ P3251

Le Livre du roi
Métailié, 2013
et « Points », nᵒ P3388

Le Duel
Métailié, 2014
et « Points Policier », nᵒ P4093

Les Nuits de Reykjavik
Métailié, 2015
et « Points Policier », nᵒ P4224

Opération Napoléon
Métailié, 2015
et « Points Policier », nᵒ P4430

Le Lagon noir
Métailié, 2016
et « Points Policier », nᵒ P4578

Dans l'ombre
Métailié, 2017
et « Points Policier », nᵒ P4730

La femme de l'ombre
Métailié, 2017
et « Points Policier », nᵒ P4882

Ce que savait la nuit
Métailié, 2019

RÉALISATION : IGS-CP À L'ISLE-D'ESPAGNAC
IMPRESSION : CPI FRANCE
DÉPÔT LÉGAL : MAI 2019. N° 140882 (3033363)
IMPRIMÉ EN FRANCE

Éditions Points

Le catalogue complet de nos collections est sur Le Cercle Points, ainsi que des interviews de vos auteurs préférés, des jeux-concours, des conseils de lecture, des extraits en avant-première…

www.lecerclepoints.com

Collection Points Policier

DERNIERS TITRES PARUS